5e édition

# LE GESTIONNAIRE ET LES ÉTATS FINANCIERS

D.-Claude Laroche

Louise Martel

Jean-Guy Rousseau

Johanne Turbide

www.erpi.com/laroche.site

**ERPI**

ÉDITIONS DU RENOUVEAU PÉDAGOGIQUE INC.

5757, RUE CYPIHOT, SAINT-LAURENT (QUÉBEC)  H4S 1R3

TÉLÉPHONE: (514) 334-2690      TÉLÉCOPIEUR: (514) 334-4720

erpidlm@erpi.com        www.erpi.com

**D.-Claude Laroche** (M.B.A., C.A.)
Professeur agrégé, HEC Montréal
Associé universitaire, Harel Drouin – PKF

**Louise Martel** (M. Sc., F.C.A.)
Professeure titulaire, HEC Montréal
Associée universitaire, KPMG

**Jean-Guy Rousseau** (L. Sc. Comm., L. Sc. compt., F.C.A.)
Professeur honoraire, HEC Montréal

**Johanne Turbide** (Ph.D., M. Sc., C.A.)
Professeure agrégée, HEC Montréal

*Développement de produits:* Isabelle de la Barrière

*Supervision éditoriale:* Sylvain Bournival

*Révision linguistique:* Jean-Pierre Regnault

*Index:* Monique Dumont


*Direction artistique:* Hélène Cousineau

*Supervision de la production:* Muriel Normand

*Conception graphique de l'intérieur:* Marie-Hélène Martel

*Conception graphique de la couverture:* Martin Tremblay

*Édition électronique:* Infoscan Collette

Dépôt légal – Bibliothèque et Archives nationales du Québec, 2006
Dépôt légal – Bibliothèque et Archives Canada, 2006
Imprimé au Canada

ISBN 2-7613-2125-1
ISBN 978-2-7613-2125-9

1234567890  IG     09876
20407  ABCD        OF10

Simplifier n'est pas toujours aisé. Pourtant, c'est l'objectif que nous avons cherché à atteindre tout au long de la rédaction de cet ouvrage.

Au cours du processus de prise de décision, le gestionnaire s'appuie, en particulier, sur son expérience, sa compétence, sa formation ainsi que sur de nombreuses données provenant de l'intérieur et de l'extérieur de l'entreprise. Parmi ces données essentielles, on trouve les états financiers et l'information provenant du système comptable.

Les états financiers constituent des tableaux financiers très sommaires qui obéissent à certaines règles fondamentales; l'un des buts de ces règles est d'en uniformiser la présentation, pour autant qu'il soit possible de le faire, afin de faciliter la comparaison et l'analyse. Mais un lecteur non averti aura parfois l'impression d'être en présence d'un langage hermétique, que seuls les comptables peuvent comprendre. Sans compter que, si l'on ne connaît pas les principales caractéristiques de cette source d'information, on risque de ne pas prendre les décisions les plus judicieuses.

En utilisant cette toile de fond, nous présentons, dans le premier chapitre, la comptabilité dans son contexte économique et social. Après avoir étudié les formes juridiques et économiques des entreprises, puisqu'elles influent sur certains aspects de la présentation de l'information financière, nous nous attardons sur le rôle économique des états financiers.

Dans le deuxième chapitre, nous examinons les états financiers que sont le bilan, l'état des résultats, le résultat étendu et l'état des bénéfices non répartis. Nous soulignons les principales composantes de ces documents et démontrons qu'ils reposent sur une hypothèse de base en comptabilité, soit l'identité fondamentale. Pour illustrer de manière pratique le fonctionnement des états financiers, nous utilisons deux approches complémentaires. D'abord, nous nous appuyons sur les états financiers d'une entreprise réelle, Mega Bloks inc., pour l'exercice terminé le 31 décembre 2005. Puis, nous proposons des exercices interactifs qui permettent de parfaire les connaissances et de les valider. Ces exercices ont pour cadre une société par actions fictive de petite taille, Déneigetout inc., dont les états financiers sont présentés dans le CD-ROM DÉFI

(**D**idacticiel d'apprentissage des **É**tats **F**inanciers avec **I**nteractivité), inclus dans une pochette à la fin du manuel. De concert avec le manuel, le CD-ROM DÉFI s'adresse principalement aux personnes qui n'ont aucune expérience dans la lecture des états financiers.

Dans le troisième chapitre, nous exposons le cadre conceptuel permettant de saisir le sens des normes présidant à l'élaboration des états financiers.

Il existe un autre état financier, l'état des flux de trésorerie, qui se situe dans une catégorie distincte et dont l'interprétation comporte parfois certaines difficultés. En effet, l'état des flux de trésorerie porte plus sur les mouvements de liquidités que sur le résultat de l'exercice. Malgré tout, il existe des liens très étroits entre ce document et les autres états financiers. C'est pourquoi nous lui avons consacré le quatrième chapitre.

Cette connaissance fondamentale étant acquise, nous abordons, dans le cinquième chapitre, l'analyse des états financiers. Nous avons surtout cherché à permettre au gestionnaire de comprendre les différents enjeux reliés à l'analyse des états financiers, et nous suggérons quelques techniques d'analyse.

À la fin du livre, nous présentons de manière plus détaillée le didacticiel DÉFI (appendice 1). Celui-ci regroupe les principales notions de chacun des postes aux états financiers ainsi que les problèmes interactifs. Puis, nous expliquons comment l'identité fondamentale se concrétise dans les débits et les crédits (appendice 2).

Au manuel s'ajoute un outil pour favoriser la réussite des étudiants : le site Web, où des exercices et des solutions sont présentés : www.erpi.com/laroche.site.

## REMERCIEMENTS

Notre intérêt pour les besoins des personnes qui n'ont pas de formation poussée en comptabilité – en particulier les gestionnaires qui utilisent l'information financière dans l'exercice de leurs fonctions – nous a amenés à organiser des séminaires, à faire des présentations à des associations et à d'autres groupes, ainsi qu'à rédiger des textes. La publication du présent manuel se situe dans la continuité de ces efforts pour aplanir les difficultés qu'éprouvent les gestionnaires face à des états financiers.

Nous voulons remercier Mega Bloks inc., qui nous a gracieusement permis de reproduire ses états financiers de l'exercice clos le 31 décembre 2005.

Avec les années, cet ouvrage a évolué, et ce, grâce à des collaborateurs chevronnés. Nous désirons donc remercier: pour la première édition, M^me Diane Paul; pour la deuxième édition, M. François Richer; pour la troisième édition, M^me Sylvie Héroux; finalement, pour la quatrième édition, M^me Suzanne Drouin.

Nos remerciements vont également à la Direction de HEC Montréal pour son appui financier, ainsi qu'à son Service audio-visuel.

Enfin, nous remercions à l'avance ceux et celles qui nous transmettront des commentaires destinés à accroître l'utilité du présent texte.

# TABLE DES MATIÈRES

CHAPITRE 3

# Les fondements conceptuels des états financiers ................ **159**

**APPENDICE 1**

**APPENDICE 2**

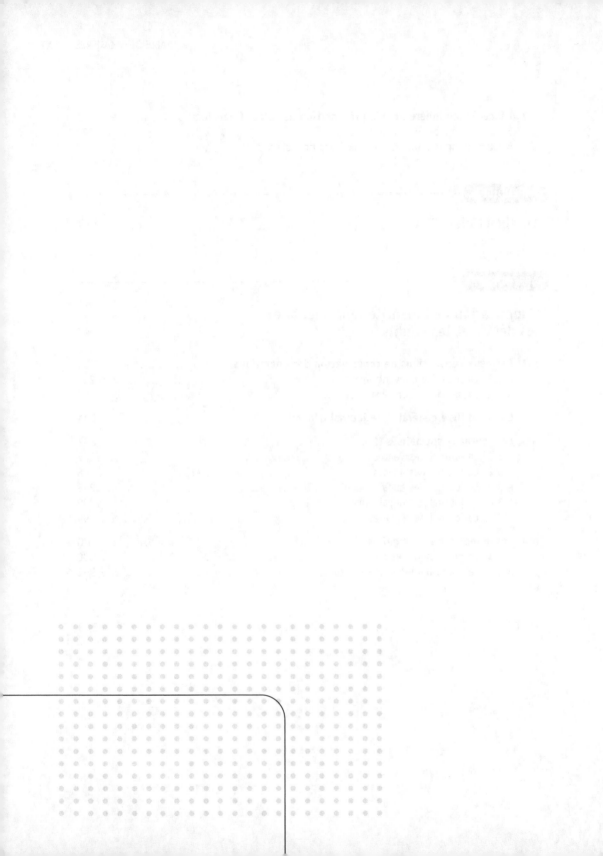

# La comptabilité et l'entreprise

La comptabilité constitue le système d'information financière de l'entreprise, c'est-à-dire un système qui vise à fournir de l'information sur les opérations financières qu'effectue cette entité économique.

Dans le présent chapitre, nous étudierons la manière dont ce système traduit les opérations économiques de l'entreprise (l'entité économique) sous forme d'information financière. Par ailleurs, comme l'entreprise peut prendre différentes formes juridiques et économiques, nous examinerons les caractéristiques des formes d'entreprises les plus courantes.

Enfin, nous essaierons de situer le rôle que joue l'information financière dans l'entreprise et l'économie en général en décrivant le processus de reddition de comptes et les principes de gouvernance de l'entreprise.

## 1.1 LA COMPTABILITÉ : UN SYSTÈME D'INFORMATION FINANCIÈRE

L'entreprise effectue diverses opérations à caractère commercial : elle achète et vend des biens ou des services, elle contracte des emprunts, elle paie ses employés pour le travail qu'ils accomplissent, etc. Pour mener à bien toutes ces opérations, elle entretient des relations avec les divers intervenants que sont les employés, les clients, les fournisseurs, les banques, les gouvernements et toute autre partie prenante. Pour sa part, la comptabilité constitue un système d'information qui sert à traduire toutes ces opérations en un langage compréhensible qui permettra aux utilisateurs avertis de se renseigner sur les activités de l'entreprise. Pour ce faire, la comptabilité doit tout d'abord déterminer les informations à communiquer. Ensuite, elle doit s'assurer de recueillir minutieusement ces informations afin de pouvoir les communiquer clairement.

En somme, la comptabilité est essentiellement un processus de transformation de l'information financière qui vise à saisir, à mesurer et à présenter les activités économiques de l'entreprise dans une forme utile à la prise de décisions, afin de répondre aux besoins des différents intervenants avec qui celle-ci fait affaire. La figure 1-1 illustre l'interaction entre l'entreprise, la comptabilité et les utilisateurs de l'information financière.

Tout processus de transformation comporte au moins trois éléments : un intrant (une donnée d'entrée), le traitement (les procédés et les règles à suivre pour transformer cette donnée) et un extrant (la donnée sous sa forme finale). La figure 1-2 répertorie les éléments du processus comptable.

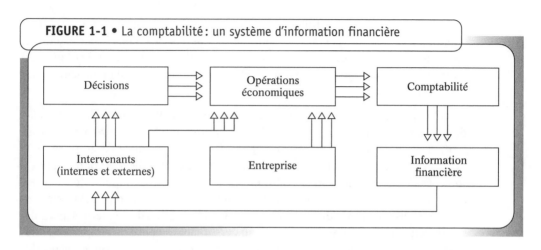

**FIGURE 1-1** • La comptabilité : un système d'information financière

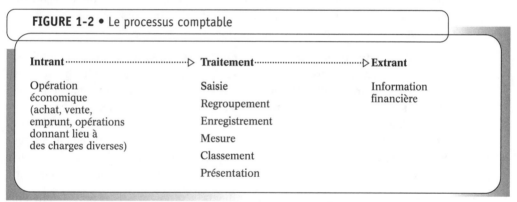

**FIGURE 1-2** • Le processus comptable

| Intrant ⋯⋯⋯⋯⋯⋯⋯▷ | Traitement ⋯⋯⋯⋯⋯⋯⋯▷ | Extrant |
|---|---|---|
| Opération économique (achat, vente, emprunt, opérations donnant lieu à des charges diverses) | Saisie<br>Regroupement<br>Enregistrement<br>Mesure<br>Classement<br>Présentation | Information financière |

### 1.1.1 L'utilisation de l'information financière

La direction et les partenaires de l'entreprise ont besoin de renseignements sur sa situation financière et les résultats de son exploitation. Par exemple, les gestionnaires et les membres du conseil d'administration s'appuient sur ces renseignements pour estimer la position concurrentielle de l'entreprise ou prendre des décisions concernant l'achat de biens ou de services, la réalisation d'investissements, l'approbation de demandes de crédit, l'embauche de personnel ou la diversification des activités. Placés au sein même de l'entreprise, les dirigeants disposent souvent de beaucoup plus de renseignements ou bénéficient d'informations plus détaillées que ne peuvent en trouver les lecteurs dans les états financiers. L'expression utilisation *interne* s'entend donc de l'utilisation de l'information financière par les dirigeants d'une entreprise dans le but de prendre les meilleures décisions en matière de gestion. Les sous-systèmes qui produisent des données financières pour une utilisation interne sont fréquemment appelés « systèmes de comptabilité de management ». Par exemple, les budgets et l'analyse du coût de fabrication d'un produit représentent des données financières générées par le système de comptabilité de management de l'entreprise.

Quant à l'utilisation *externe*, elle se définit comme l'utilisation de l'information financière par les partenaires (ou parties prenantes) qui désirent évaluer la rentabilité, la solvabilité, la croissance ou d'autres aspects de l'entreprise. Par exemple, les états financiers annuels et les tableaux annexés au rapport annuel sont des données financières produites par le système de comptabilité externe, aussi appelé « système de comptabilité financière » de l'entreprise. Ces états financiers visent à répondre aux besoins de tous les partenaires externes, mais ils s'adressent surtout aux actionnaires et aux créanciers à cause de l'importance de leur rôle. Cet ouvrage portera principalement sur l'utilisation externe de l'information financière, notamment sur l'information contenue dans les états financiers annuels de la société par actions.

De nombreux utilisateurs externes s'intéressent de près aux états financiers. Parmi eux, mentionnons d'abord les actionnaires, c'est-à-dire les personnes physiques ou morales qui ont confié des fonds à l'entreprise pour qu'elle puisse réaliser ses opérations. Les actionnaires actuels et potentiels analysent les renseignements contenus dans les états financiers afin de porter un jugement sur la façon dont les dirigeants de l'entreprise utilisent cet argent. Autrement dit, les investisseurs désirent être en mesure d'évaluer la rentabilité de leur placement et de décider s'ils doivent acheter des actions ou vendre celles qu'ils détiennent.

Les employés, de même que les syndicats, s'appuient sur les états financiers pour négocier les salaires et les conditions de travail ; les gouvernements s'en servent pour percevoir les impôts et verser des subventions, tandis que les fournisseurs et les autres créanciers les analysent pour fixer les conditions de crédit et évaluer la sécurité de leurs créances. Quant aux clients, ils souhaitent s'assurer d'un approvisionnement constant et du respect des garanties.

La figure 1-3 résume les relations d'affaires que l'entreprise entretient avec ses partenaires.

Bien que les états financiers soient utiles, voire indispensables, pour prendre des décisions, ces documents s'inscrivent dans un processus de reddition de comptes ou d'information continue beaucoup plus complet. En effet, pour les sociétés cotées, ce processus comprend le rapport annuel, les états financiers intermédiaires et les communiqués de presse ou de résultats.

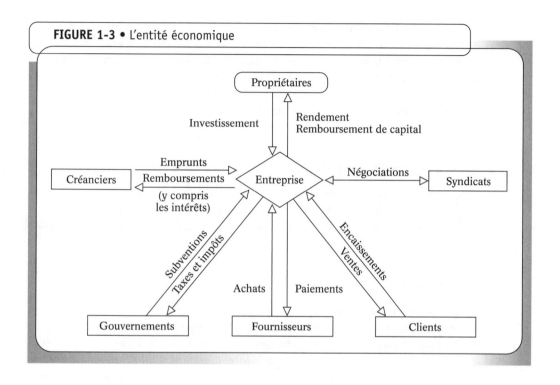

**FIGURE 1-3** • L'entité économique

## A. LE RAPPORT ANNUEL

Le rapport annuel est un document d'information publié par les administrateurs et les dirigeants d'une entreprise afin d'informer les personnes intéressées, principalement les investisseurs actuels et potentiels. Il contient généralement une description de la société, un message aux actionnaires, une analyse de la direction, également intitulée rapport de gestion, ainsi qu'une section financière comprenant le rapport de la direction relativement aux états financiers, le rapport du vérificateur et les états financiers proprement dits. Il arrive aussi que le rapport annuel contienne une section portant sur le conseil d'administration et la gouvernance.

La description de l'entreprise permet aux lecteurs de connaître le secteur dans lequel œuvre l'entreprise, les produits ou les services qu'elle fournit, son marché, sa main-d'œuvre, ses projets ou toute autre information que la direction juge utile de communiquer.

Signé par le président du conseil d'administration et par le président de l'entreprise, le message aux actionnaires expose succinctement ce que l'entreprise a accompli au cours de la dernière année et ce qu'elle entend faire à l'avenir.

Le rapport de gestion constitue une partie importante du rapport annuel. Il sert à expliquer le point de vue de la direction sur les performances passées et futures de l'entreprise. Il complète les états financiers, car il contient une analyse détaillée des activités économiques de l'entreprise, de ses secteurs d'activité, des risques et des incertitudes auxquels elle fait face, etc. Parfois, il donne même un aperçu du futur. Dans la section suivante, nous expliquerons la section financière du rapport annuel.

### B. LES ÉTATS FINANCIERS INTERMÉDIAIRES

Pour être pertinente, l'information financière doit être communiquée en temps opportun. Ainsi, la plupart des entreprises publient des états financiers sur une base trimestrielle afin d'informer régulièrement les utilisateurs de l'évolution de l'entreprise.

### C. LES COMMUNIQUÉS

L'entreprise informe souvent le grand public par voie de communiqués. Ces bulletins résument l'information financière concernant les résultats de l'exercice récemment terminé, ou ceux du trimestre qui vient de s'écouler. Les communiqués de presse servent également à informer le public de toute nouvelle susceptible d'intéresser les utilisateurs désireux de prendre certaines décisions.

### 1.1.2 La lecture des états financiers

La comptabilité est en soi un langage dont les règles sont souvent complexes. On ne peut donc écarter la possibilité que des gens commettent des erreurs d'interprétation, ou qu'ils cherchent à le faire à leur avantage, que ce soit ou non au détriment de tierces personnes. À ce propos, citons le professeur Yuji Ijiri[1] : « Les règles [comptables] sont destinées à servir les gens, mais ceux-ci doivent les accepter comme contraintes. Le public est le maître et, en même temps, le serviteur de la comptabilité. La comptabilité doit donc assumer une responsabilité sociale. »

On constate l'importance de se familiariser avec la comptabilité, pas forcément pour devenir spécialiste en la matière, mais pour mieux comprendre

---

1. Yuji Ijiri, « Logic and sanctions in accounting », dans *Accounting in Perspective,* sous la direction de Robert R. Sterling et William F. Bentz, South-Western Publishing, 1971, p. 3. Traduction libre de l'anglais.

le langage des experts et être en mesure de poser des questions pertinentes. D'ailleurs, comment peut-on sérieusement interpréter l'information comptable si on ne connaît pas les principales règles sur lesquelles elle repose ? Comment analyser des états financiers si on ignore la façon dont ils ont été préparés ?

Pour se convaincre de l'importance de la comptabilité, il suffit de songer aux conséquences d'une comptabilité inadéquate : pertes économiques et sociales, non-respect de clauses contractuelles, erreurs dans le calcul de loyers en fonction du chiffre d'affaires ou dans l'octroi de subventions, interruption imprévue des activités d'une entreprise, etc. Cette notion d'importance de l'information comptable nous mène d'ailleurs tout droit à l'examen des états financiers et de leur utilité.

## 1.2 LES ÉTATS FINANCIERS, LEUR UTILITÉ ET LE PROCESSUS INHÉRENT À LEUR PUBLICATION

### 1.2.1 La présentation des états financiers

L'information provenant du système comptable prend la forme de tableaux appelés « états financiers ». Les principaux d'entre eux, à savoir le bilan, l'état des résultats, le résultat étendu, l'état des bénéfices non répartis et l'état des flux de trésorerie, seront étudiés au chapitre suivant.

Des notes complémentaires accompagnent les états financiers afin de renseigner le lecteur sur un certain nombre de points. Par exemple, elles indiquent les principales conventions comptables suivies par l'entreprise (constatation des produits, méthodes d'amortissement des immobilisations, etc.). Elles apportent des précisions au sujet de certains postes, ce qui permet d'en alléger la présentation au bilan (stocks, tableau des immobilisations, détails sur les créances en cours). Elles fournissent également aux lecteurs les informations requises par les normes comptables, mais qui ne sont pas comptabilisées dans les états financiers (engagements contractuels, éventualités). Enfin, elles apportent d'autres renseignements susceptibles d'influer sur le jugement du lecteur (événements postérieurs à la fin de l'exercice dont les effets n'ont pas encore été comptabilisés, comme un incendie majeur, l'acquisition d'une filiale importante ou une émission d'actions). Ces notes complémentaires font partie intégrante des états financiers.

Certes, la présentation des états financiers peut varier selon les besoins des utilisateurs, souvent appelés « parties prenantes », mais il reste que les états financiers destinés aux lecteurs externes se présentent d'ordinaire sous la forme habituelle que nous étudierons plus loin[2].

Cependant, il faut s'assurer que ces données rendent une image fidèle de la réalité économique et qu'elles ne sont pas interprétées hors de leur contexte. C'est ici que la présence de règles comptables et leur respect deviennent essentiels. Ces règles comptables, reconnues par le législateur, sont rassemblées dans le *Manuel de l'Institut canadien des comptables agréés* (ICCA). Il s'agit là d'un ouvrage dit de « normalisation comptable ».

### 1.2.2   L'utilité des états financiers

Les règles comptables sont souvent complexes, notamment celles qui concernent la constatation des produits et la comptabilisation des instruments financiers. Leur complexité risque de donner lieu à des situations anormales par suite de leur interprétation erronée, illégale ou frauduleuse. Dès lors, on comprend la nécessité de disposer de principes supérieurs qui en chapeautent l'application. D'ordre moral et déontologique, ces principes font appel au jugement professionnel et commandent une formation adéquate.

### 1.2.3   Le processus de publication et ses intervenants

Puisque les entreprises exercent leurs activités grâce à des capitaux fournis par de tierces parties ou par des actionnaires qui ne sont pas forcément à leur emploi, ces bailleurs de fonds ont besoin des données pertinentes et fiables qui leur permettront d'évaluer comment leur argent est utilisé. Comme nous l'avons dit précédemment, c'est notamment par la publication des états financiers que la direction d'une entreprise rend compte de ses décisions et de ses actes. D'ailleurs, les états financiers sont fréquemment considérés comme l'élément le plus important de la reddition de comptes. La transparence et la responsabilité à l'égard de l'information financière sont primordiales.

Néanmoins, pour pouvoir publier ces états, encore faut-il les préparer. Les états financiers sont le fruit d'un processus faisant intervenir diverses parties prenantes. Ce processus s'amorce au sein de la direction de l'entreprise, à qui incombe justement la responsabilité des états financiers, pour se poursuivre entre les mains du conseil d'administration, qui représente les actionnaires ou les membres, selon la forme juridique de l'entreprise. Le conseil confie ensuite les travaux à un comité de vérification qu'il aura lui-même nommé, lequel

---

2. Il ne faut pas se surprendre si certaines personnes ou certains groupes de personnes préfèrent obtenir des données répondant à leurs besoins précis, plutôt que des états financiers complets.

collabore enfin avec les vérificateurs externes, mandatés en raison de l'indépendance dont ils jouissent par rapport à l'entreprise.

La figure 1-4 résume la relation qui unit les différents intervenants du processus de publication des états financiers.

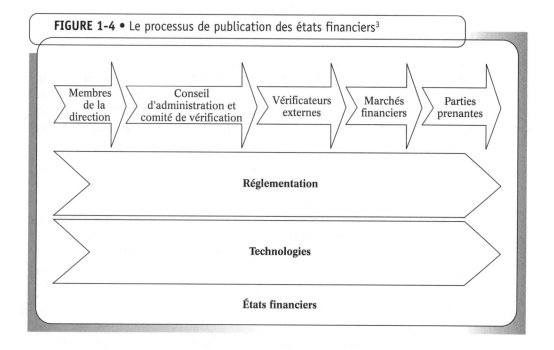

**FIGURE 1-4 •** Le processus de publication des états financiers[3]

Membres de la direction → Conseil d'administration et comité de vérification → Vérificateurs externes → Marchés financiers → Parties prenantes

**Réglementation**

**Technologies**

**États financiers**

---

**A.** **LA DIRECTION ET SA RESPONSABILITÉ À L'ÉGARD DES ÉTATS FINANCIERS**

La responsabilité des états financiers revient à la direction de l'entreprise. La direction, ou « management », est formée de l'ensemble des personnes qui disposent du pouvoir et de la responsabilité de gérer une entreprise ou un organisme. Toutefois, particulièrement dans les textes de loi, le terme *direction* fait généralement référence au chef de la direction (directeur général) et au responsable des finances (directeur financier). Le président et chef de la direction ainsi que le responsable des services financiers sont désormais soumis à de nouvelles obligations. Ces dernières résultent des dispositions législatives publiées en janvier 2004 au Canada par l'autorité des marchés financiers ; elles sont similaires

---

3. Inspirée d'Andrée Lafortune et Louise Martel, « Rétablir la confiance : les enjeux auxquels font face les acteurs de l'information financière », *La Revue du financier,* janvier 2003, p. 91-98.

à celles de l'article 302 de la loi Sarbanes-Oxley adoptée aux États-Unis sous le nom de Corporate Responsibility for Financial Reports. En effet, avant de signer les états financiers intermédiaires et annuels, le chef de la direction et le responsable des finances doivent attester qu'ils les ont examinés et qu'ils les estiment fiables et raisonnablement représentatifs de la situation financière et des résultats d'exploitation de la société qu'ils dirigent.

Le rôle du gestionnaire s'en est trouvé élargi puisqu'il inclut maintenant tout ce qui relève de la qualité, de la pertinence et de l'intégralité de l'information utile à la prise de décisions. Certes, les administrateurs sont responsables de l'aspect de la reddition de comptes, mais on doit aussi reconnaître qu'ils doivent en même temps se fier à l'information fournie par les gestionnaires. Ces derniers se doivent notamment d'être extrêmement rigoureux dans le choix des traitements comptables et de faire preuve de transparence dans la divulgation des résultats de l'entreprise.

La direction doit veiller à la fiabilité des états financiers en concevant des contrôles et des procédures de communication de l'information, en instaurant des contrôles internes adéquats et en respectant les normes comptables en vigueur. Elle doit veiller à l'intégralité, à l'exactitude, à la rapidité de publication et à la fiabilité de l'information contenue dans les états financiers. Cette responsabilité de la direction est décrite dans le « Rapport de la direction relativement aux états financiers », qui accompagne les états financiers et les informations financières supplémentaires présentées dans le rapport annuel que les sociétés ouvertes[4] sont tenues de publier.

Le rapport de la direction relativement aux états financiers précise que la responsabilité des états financiers incombe à la direction. Ce rapport doit en outre indiquer que c'est bien la direction qui a établi ces états financiers selon les principes comptables généralement reconnus (PCGR) du Canada, et qu'elle est d'avis que les états financiers reflètent fidèlement la situation financière et les résultats de l'entreprise. La direction y mentionne aussi que, pour assurer la fidélité et l'intégralité des états financiers, elle s'est dotée d'un système de contrôles internes imposant à ses employés un code de déontologie en matière de conduite des affaires. Enfin, ce rapport fait également allusion à l'existence d'un comité de vérification, formé par le conseil d'administration, et dont les fonctions en font un organisme important en ce qui touche notamment le contrôle interne, le travail de vérification et des vérificateurs et la qualité des échanges entre ceux-ci et la direction.

---

4. Une société est dite ouverte si ses actions sont inscrites à une cote officielle.

Comme nous l'avons mentionné plus haut, les scandales financiers des dernières années se sont soldés par l'introduction d'une nouvelle législation encadrant la communication de l'information financière. Ainsi, la direction doit désormais déclarer qu'elle a conçu des contrôles et des procédures entourant la communication de l'information et qu'elle a évalué leur efficacité. À compter du 30 juin 2006, la direction sera d'ailleurs tenue de présenter dans son rapport de gestion les changements importants survenus dans le contrôle interne de l'information financière. Elle devra également présenter aux vérificateurs et au comité de vérification toutes les lacunes significatives et importantes ainsi que toute fraude mettant en cause des personnes jouant un rôle décisif dans le contrôle interne de l'information. De plus, toujours à compter du 30 juin 2006, la direction devra produire un rapport sur l'efficacité du contrôle interne de l'information financière[5]. Ces règlements se rapprochent de ceux qui sont actuellement en vigueur aux États-Unis.

## B. LE CONSEIL D'ADMINISTRATION

Il est à noter que les attestations ne sont pas la seule responsabilité du chef de la direction et du responsable des finances. En effet, le conseil d'administration[6], qui représente officiellement les actionnaires, et le comité de vérification ont aussi un rôle à jouer quant à la fiabilité des états financiers et à l'efficacité des contrôles internes relatifs à l'information financière. Les membres de ces instances doivent s'assurer que les sommes investies par les actionnaires sont utilisées de manière efficiente et rentable. Comme le conseil d'administration assume la gouvernance de l'entreprise, ses responsabilités englobent la supervision du processus de reddition de comptes, c'est-à-dire l'intégrité et la qualité de l'information divulguée, l'efficacité des contrôles internes, l'évaluation et la gestion des risques propres aux états financiers, la surveillance de la conformité des états financiers aux principes éthiques et légaux ainsi que la compétence et l'indépendance des vérificateurs.

---

5. Il est à noter que l'entrée en vigueur de cette dernière disposition de la législation se fera progressivement, selon la taille de l'entreprise. La date a été fixée au 30 juin 2007 pour les sociétés dont la capitalisation boursière varie entre 250 et 500 millions de dollars, au 30 juin 2008 pour les sociétés capitalisant de 75 à 250 millions de dollars, et au 30 juin 2009 pour celles dont la capitalisation est inférieure à 75 millions de dollars.

6. Selon Louis Ménard, le conseil d'administration désigne l'« ensemble des personnes élues par les associés, les actionnaires ou les membres d'une entreprise [...] pour en gérer les affaires ». *Dictionnaire de la comptabilité et de la gestion financière*, Toronto, Institut canadien des comptables agréés, 1994.

## C. LE COMITÉ DE VÉRIFICATION

C'est souvent au comité de vérification, qui est un sous-comité du conseil d'administration, qu'est déléguée la responsabilité de s'assurer que les états financiers présentent fidèlement la situation financière de l'entreprise. En effet, dans le cadre de son rôle de surveillant du processus de vérification de l'information financière, le comité de vérification s'intéresse plus particulièrement à l'intégrité des systèmes et aux risques qu'ils comportent. Il doit en outre approuver le rapport de gestion préparé par la direction.

## D. LE VÉRIFICATEUR EXTERNE

Le vérificateur externe est un professionnel indépendant, expert de la comptabilité, qui est en mesure de donner aux utilisateurs son opinion sur la fiabilité des états financiers produits par la direction. En effet, les actionnaires et leurs représentants (c'est-à-dire les membres du conseil d'administration) ne peuvent s'assurer personnellement de la fiabilité des renseignements présentés aux états financiers par la direction, d'abord parce qu'ils ne participent pas aux activités quotidiennes de l'entreprise, ensuite parce que la direction, qui est la première responsable de la préparation des états financiers, rend compte des activités qu'elle a elle-même réalisées.

Le rôle du vérificateur est d'ajouter de la crédibilité aux états financiers. Au terme de son travail, qu'il a effectué conformément aux normes de vérification reconnues par la profession, cet expert présente un rapport (voir l'exemple, p. 13) aux actionnaires dans lequel il exprime son opinion sur le fait que les états financiers donnent, à tous les égards importants, une image fidèle de la situation financière de l'entreprise ainsi que des résultats de son exploitation selon les principes comptables généralement reconnus au Canada. Le vérificateur valide aussi la cohérence entre les éléments financiers présentés dans le rapport de gestion et les états financiers.

Dans ces circonstances, on comprend facilement pourquoi l'indépendance du vérificateur est un élément capital. En effet, le code de déontologie impose au vérificateur *de demeurer libre de toute influence, de tout intérêt et de toute relation qui pourrait porter atteinte à son jugement professionnel et à son objectivité.* Certains liens sont de nature personnelle, quand, par exemple, un vérificateur détient une participation dans l'entreprise du client, consent un prêt à l'entreprise cliente, ou quand celle-ci lui prête de l'argent. Il en est de même si le montant des honoraires perçus auprès du client représente une partie importante du total des honoraires facturés par le cabinet du vérificateur, si ce dernier fournit plusieurs services complémentaires à la vérification, ou encore s'il entretient divers liens d'affaires avec le client. D'autres risques pèsent

**EXEMPLE :** Le rapport du vérificateur

# Deloitte.

Deloitte & Touche, s.r.l.
1, Place Ville Marie
Bureau 3000
Montréal QC H3B 4T9
Canada

Tél. : (514) 393-7115
Téléc. : (514) 390-4113
www.deloitte.ca

## Rapport des vérificateurs

Aux actionnaires de
Mega Bloks inc.

Nous avons vérifié les bilans consolidés de Mega Bloks inc. aux 31 décembre 2005 et 2004 et les états consolidés des résultats, du déficit et des flux de trésorerie des exercices terminés à ces dates. La responsabilité de ces états financiers incombe à la direction de la Société. Notre responsabilité consiste à exprimer une opinion sur ces états financiers en nous fondant sur nos vérifications.

Nos vérifications ont été effectuées conformément aux normes de vérification généralement reconnues du Canada. Ces normes exigent que la vérification soit planifiée et exécutée de manière à fournir l'assurance raisonnable que les états financiers sont exempts d'inexactitudes importantes. La vérification comprend le contrôle par sondages des éléments probants à l'appui des montants et des autres éléments d'information fournis dans les états financiers. Elle comprend également l'évaluation des principes comptables suivis et des estimations importantes faites par la direction, ainsi qu'une appréciation de la présentation d'ensemble des états financiers.

À notre avis, ces états financiers donnent, à tous les égards importants, une image fidèle de la situation financière de la Société aux 31 décembre 2005 et 2004 ainsi que des résultats de son exploitation et de ses flux de trésorerie pour les exercices terminés à ces dates selon les principes comptables généralement reconnus du Canada.

*Deloitte & Touche s.r.l.*

Comptables agréés

Le 23 mars 2006

Membre de
**Deloitte Touche Tohmatsu**

également sur l'indépendance du vérificateur, qu'il s'agisse d'une possible menace d'autocontrôle (vérifier ou évaluer son propre travail), d'une menace de représentation (agir comme mandataire pour son client), d'une menace de familiarité (liens familiaux avec des personnes occupant des postes de responsabilité chez le client), ou encore d'intimidation.

### E. LES MARCHÉS FINANCIERS ET LES PARTIES PRENANTES

La présence des marchés financiers facilite l'échange de ressources limitées entre les entreprises et les investisseurs. Ceux-ci s'en remettent, en bonne partie, aux données financières pour éclairer leurs décisions en matière de placement. C'est en publiant de l'information sur leur situation financière que les entreprises peuvent obtenir le financement nécessaire à leur exploitation. Dans ce contexte, on ne peut nier l'utilité de l'information financière pour les deux parties.

### 1.2.4 La fonction des organismes de normalisation et de réglementation

Les normalisateurs et les organismes de surveillance jouent le rôle d'agent de la paix. Pour reprendre la formule de Lafortune et Martel, « ils visent à faire en sorte que les différents acteurs participant au processus de génération d'information agissent avec intégrité en assurant plus de discipline et de jugement dans la communication de résultats[7]. »

Les organismes de normalisation comptable sont là pour s'assurer que les états financiers des sociétés donnent une image fidèle de leur situation. En effet, lorsque la direction entreprend le processus de collecte, de mesure et de présentation des données financières, elle a besoin de lignes directrices afin de s'assurer que les renseignements résultant de ce processus soient compréhensibles pour les utilisateurs des états financiers. Sans ces lignes directrices, les renseignements financiers pourraient prendre différents formats qu'il serait très difficile de comparer. C'est donc pour protéger les investisseurs que chaque pays a institué ses propres principes et pratiques comptables.

Au Canada, l'élaboration des PCGR qui régissent la préparation des états financiers relève du Conseil des normes comptables, ou CNC (www.cnccanada.org), un organisme créé par l'Institut canadien des comptables agréés (ICCA) (www.icca.ca). Ce conseil est financé par la profession comptable elle-même. De plus, le Conseil de surveillance de la normalisation comptable (CSNC) est un

---

7. Andrée Lafortune et Louise Martel, *op. cit.*, p. 5.

organisme public dont le mandat consiste à surveiller le fonctionnement du Conseil des normes comptables. Aux États-Unis, la fonction de normalisation comptable revient au Financial Accounting Standards Board (FASB) (www.fasb.org). Enfin, à l'échelon international, il existe une structure équivalente au CNC et au FASB. Il s'agit de l'International Accounting Standards Board, ou IASB (www.iasb.org). Notons que ces deux organismes sont indépendants de la profession comptable. Ils exigent en outre que la majorité des membres siégeant à leur conseil d'administration n'appartienne pas à la profession comptable et que le financement des activités de ces organismes soit assuré par les sociétés cotées.

Soulignons que de fortes pressions d'harmonisation des normes canadiennes et américaines se font sentir actuellement, tout comme sur le plan international, d'ailleurs. Par exemple, depuis 2005, les sociétés cotées en bourse installées dans les pays de l'Union économique européenne doivent présenter leurs états financiers consolidés selon les normes internationales adoptées par l'IASB. Au Canada, le passage vers l'adoption intégrale des normes internationales pour les sociétés cotées s'étendra sur les cinq prochaines années. Cette période de cinq ans servira essentiellement à éliminer les différences qui existent actuellement entre les normes canadiennes et les normes internationales.

Les mêmes principes s'appliquent aux vérificateurs externes mandatés pour exprimer leur opinion sur la fidélité des états financiers. En effet, leur travail est désormais encadré par des lignes directrices strictes que les vérificateurs sont tenus de respecter. Appelées normes de vérification généralement reconnues, ces règles sont établies par le Conseil des normes de vérification et de certification de l'Institut canadien des comptables agréés. Depuis mars 2004, les entreprises canadiennes cotées en bourse doivent également choisir un vérificateur accrédité par le Conseil canadien sur la reddition de comptes, ou CCRC (www.cpab-ccrc.ca). Ce comité a notamment pour mission de s'assurer que les cabinets accrédités ont mis en œuvre des méthodes de contrôle de la qualité. Un processus d'inspection des cabinets a aussi été instauré afin de s'assurer que les vérifications sont effectuées dans les règles de l'art. L'homologue américain du CCRC est le Public Company Accounting Oversight Board, ou PCAOB (www.pcaobus.org). À l'échelon international, l'International Federation of Accountants (IFA) élabore les normes de vérification internationales (www.ifac.org).

## 1.2.5 La technologie comme support de publication

La technologie est le véhicule utilisé pour faciliter le processus de diffusion de l'information. Elle permet de transmettre rapidement un maximum d'informations au plus grand nombre de personnes intéressées. Elle favorise ce qu'il convient d'appeler l'« information continue ».

L'émergence de nouveaux langages informatiques laisse entrevoir des occasions de normalisation des états financiers en ligne, dotés de gabarits d'analyse financière et de calculs de ratios qui faciliteront la comparaison des informations fournies par les entreprises. Ainsi, le langage XBRL, présenté comme le « langage numérique par excellence de la communication d'information de l'entreprise[8] », pourrait permettre d'échanger des données de façon plus efficace à moindre coût.

### 1.2.6 Ce que les états financiers sont et ce qu'ils ne sont pas

L'interprétation des états financiers ne saurait être prise à la légère. Elle exige de l'utilisateur des états financiers un certain niveau de connaissance de la comptabilité, que les prochains chapitres visent à transmettre.

Par ailleurs, précisons que les états financiers n'ont pas pour objectif de mesurer la valeur de l'entreprise, sauf dans des cas particuliers, comme une liquidation éventuelle. Il n'existe à vrai dire aucun instrument de mesure suffisamment précis pour comptabiliser certains éléments, notamment la valeur des actifs incorporels, tel le capital humain.

Les états financiers servent plutôt à évaluer dans quelle mesure, d'un point de vue financier, une entreprise a atteint son objectif global. Si les états financiers avaient pour fonction de mesurer la valeur d'une entreprise, ils seraient très coûteux à produire, subjectifs, incomplets (en raison des éléments impossibles à mesurer) et risqueraient de perdre en partie de leur utilité, surtout compte tenu des nombreuses méthodes d'évaluation servant à évaluer un même actif. La détermination de la valeur marchande d'une propriété immobilière en est d'ailleurs un exemple courant.

## 1.3 LES TYPES D'ENTREPRISES

Nous l'avons vu, la comptabilité a pour but de fournir une information utile à la prise de décisions. Dans ce contexte, il n'est pas étonnant que la forme des états financiers varie selon le type d'entreprise (à but lucratif ou sans but lucratif et entité publique), sa forme juridique (entreprise personnelle, société de personnes, société

---

8. Traduction libre de l'anglais. La citation originale est la suivante : « the digital language of business reporting ». Charles Hoffman et Carolyn Strand, *XBRL Essentials,* American Institute of Certified Public Accountants, 2001, p. 1.

par actions ou coopérative) et sa forme économique (entreprise de services, entreprise commerciale ou entreprise industrielle). Cependant, les mêmes principes fondamentaux s'appliquent à la présentation des états financiers.

## 1.3.1 Les entreprises à but lucratif

Au Canada, une entreprise à but lucratif peut être constituée du point de vue juridique sous quatre formes principales : l'entreprise personnelle, la société de personnes, la société par actions et la coopérative. La principale mission de ces quatre formes juridiques est de réaliser un bénéfice qui pourra être distribué aux propriétaires (ou aux membres, dans le cas de la coopérative) ou réinvesti dans les avoirs de l'entreprise pour en assurer la croissance.

Comme l'illustre le tableau 1-1, ces différentes formes juridiques se caractérisent principalement par le degré de responsabilité légale dévolu aux propriétaires de l'entreprise.

**TABLEAU 1-1** • Les formes juridiques d'entreprises

| Forme | L'entreprise personnelle | La société de personnes | | | | La société par actions | | La coopérative |
|---|---|---|---|---|---|---|---|---|
| Propriété | Propriétaire unique | Au moins deux propriétaires appelés *associés* | | | | Un ou plusieurs propriétaires appelés *actionnaires* | | Au moins trois propriétaires appelés *membres* ou *coopérateurs* |
| Catégorie | | Société en nom collectif | Société en commandite | | Société en participation | Société ouverte | Société fermée | |
| | | | Associés commanditaires | Associés commandités | | | | |
| Responsabilité légale des propriétaires | Illimitée | Illimitée conjointe | Limitée à leur mise de fonds | Illimitée conjointe solidaire | Illimitée conjointe solidaire | Limitée au paiement du prix de leurs actions | Limitée au paiement du prix de leurs actions | Limitée au paiement du prix de leurs parts sociales |

### 1.3.2 Les organismes sans but lucratif

Les organismes sans but lucratif, également appelés « organismes à but non lucratif », sont constitués à des fins sociales, éducatives, religieuses, professionnelles, philanthropiques ou de santé. Ces organismes n'émettent pas de titres de propriété transférables et ne procurent aucun rendement financier direct aux pourvoyeurs de fonds. La plupart du temps, ils sont financés par des dons et des subventions. Ils doivent par ailleurs produire des états financiers selon des règles très similaires à celles qui régissent les entreprises à but lucratif pour rendre des comptes, principalement à leurs bailleurs de fonds et à leur conseil d'administration.

### 1.3.3 Les entités publiques

Les entités publiques sont constituées par les gouvernements ou en relèvent. Ces entités, par exemple les ministères, les organismes gouvernementaux, les sociétés d'État et les entreprises de services publics du gouvernement, produisent des états financiers selon des règles différentes de celles qui s'appliquent aux autres entreprises. Ces règles sont issues des recommandations comptables destinées au secteur public.

### 1.3.4 Les formes juridiques de l'entreprise à but lucratif

Selon la forme qu'elle revêt, l'entreprise à but lucratif sera assujettie à des procédés et à des conditions qui régissent notamment sa création, sa structure interne, le partage de ses bénéfices, la formule d'imposition de son revenu et surtout, comme nous le décrivons plus loin, la responsabilité de ses propriétaires.

Nous analyserons ici de plus près les caractéristiques propres aux différentes formes juridiques de ces entreprises.

#### A. L'ENTREPRISE PERSONNELLE

La première forme juridique d'entreprise à but lucratif est l'entreprise personnelle. Le propriétaire d'une entreprise personnelle est pleinement responsable des actes accomplis dans le cadre de l'exploitation de son entreprise et des conséquences de ses actes ; il peut notamment s'agir du paiement ou du non-paiement de dettes de l'entreprise en question. Il découle de cette responsabilité que, en cas de liquidation, les biens de l'entreprise et ceux de son propriétaire se confondent, de sorte que les créanciers peuvent saisir les biens de l'un comme de l'autre. Elle suppose que le propriétaire qui calcule son impôt personnel doit ajouter le bénéfice de son entreprise à ses autres sources de revenus.

## B. LA SOCIÉTÉ DE PERSONNES

La deuxième forme juridique d'une entreprise à but lucratif est la société de personnes. Celle-ci présente des caractéristiques juridiques similaires à celles de l'entreprise personnelle, à la différence qu'on y compte plusieurs propriétaires appelés « associés », dont la responsabilité est illimitée. La société de personnes peut être soit une société en nom collectif, soit une société en commandite ou une société en participation.

En vertu du *Code civil du Québec*, la responsabilité des associés d'une société en nom collectif est illimitée et conjointe, c'est-à-dire que les associés sont tenus responsables à parts égales envers leurs créanciers. Notons que cette responsabilité diffère légèrement dans le cas dont il sera question plus loin, à la sous-section E. En ce qui concerne la société en participation, le *Code civil du Québec* prévoit que la responsabilité des associés est illimitée, conjointe et solidaire. Par responsabilité solidaire, on entend que la responsabilité n'est pas divisée entre les divers associés. Chaque associé peut donc, en dernier ressort, être reconnu responsable de la totalité des dettes de la société en participation. La loi confère un statut particulier à la société en commandite, qui est généralement constituée pour atteindre un but précis durant une période limitée. La société en commandite distingue deux catégories d'associés : les « commanditaires », dont la responsabilité est limitée à leur mise de fonds, et les « commandités », dont la responsabilité est illimitée et solidaire, car ils administrent la société.

## C. LA SOCIÉTÉ PAR ACTIONS

La troisième forme juridique d'entreprise à but lucratif est la société par actions, couramment appelée « compagnie » ou « société ». La société par actions est la forme la plus usuelle, car elle limite la responsabilité légale des propriétaires, appelés ici « actionnaires », au paiement du prix de leurs actions (les titres de propriété indivise des sociétés par actions), sans égard aux actes accomplis par la société ou aux réclamations dont elle fait l'objet. L'étendue de cette responsabilité diffère toutefois dans le cas que nous verrons plus loin, dans la sous-section E.

Au sens de la loi, la société par actions constitue une personne morale distincte des actionnaires, ayant les mêmes droits et devoirs civils qu'un citoyen à part entière. Elle doit, par exemple, respecter les lois et payer des impôts sur son revenu. La société par actions est cependant assujettie à des règles particulières en matière d'impôts sur le revenu. Le fait qu'elle bénéficie de taux d'imposition nettement inférieurs à ceux des particuliers explique le nombre important d'entreprises personnelles et de sociétés commerciales constituées en sociétés par actions.

Une société par actions peut être ouverte ou fermée. La *société ouverte* émet des actions ou des titres de créance (par exemple, des obligations) sur le marché public (la Bourse), alors que la *société fermée* n'a pas le droit de faire appel à l'épargne publique.

Une société par actions peut donc compter de nombreux actionnaires, surtout si elle est ouverte. Comme les actionnaires ne peuvent pas tous gérer l'entreprise, ils élisent des « administrateurs » pour remplir cette fonction. La loi confère aux administrateurs certains pouvoirs et devoirs pour qu'ils servent au mieux les intérêts de l'entreprise, des actionnaires et des tiers. Bien que les administrateurs des sociétés ouvertes puissent aussi être actionnaires, ils proviennent généralement de l'extérieur de l'entreprise[9], c'est-à-dire qu'ils ne sont ni employés ni dirigeants. Le fait de ne pas participer à la gestion quotidienne de l'entreprise donne au conseil d'administration une certaine indépendance par rapport à la direction, qui lui permet de remplir ses fonctions avec plus d'impartialité. Précisons que la direction de l'entreprise englobe tous les gestionnaires (dirigeants) chargés de prendre les décisions en matière d'exploitation de l'entreprise. Si, au départ, les dirigeants peuvent aussi être les fondateurs de l'entreprise, des personnes engagées par le conseil d'administration peuvent se joindre à eux par la suite.

## D. LA COOPÉRATIVE

La quatrième forme juridique d'entreprise à but lucratif est la coopérative. La création d'une coopérative répond normalement à un besoin précis de ses propriétaires, appelés « membres » ou « coopérateurs », et relève de la *Loi sur les coopératives du Québec*. La coopérative est astreinte aux mêmes droits et devoirs civils que tout citoyen, d'autant plus que son objectif est de rendre service à ses membres. Par exemple, une coopérative n'a pas le pouvoir d'octroyer un prêt ni de cautionner un particulier, sauf en faveur d'un de ses membres et dans le cadre des affaires qu'elle négocie avec lui. Le but premier de la création d'une coopérative est de subvenir à un besoin des membres (sous forme de biens ou de services) au moindre coût possible.

Comme dans le cas de la société par actions, la responsabilité des coopérateurs est limitée. Ceux-ci sont responsables jusqu'à concurrence du montant des parts sociales qu'ils ont souscrites. Contrairement à la société par actions, la coopérative peut fixer par règlement interne le nombre minimal de parts sociales

---

9. ÉDILEX, « Le Maître des contrats d'affaires – 2003 », *Guide sur l'exercice de la profession de CA en société,* mai 2003.

que doit détenir une personne pour devenir coopérateur. De plus, le montant de ces parts sociales est déterminé par la *Loi sur les coopératives du Québec.*

Enfin, la coopérative est dirigée par un conseil d'administration composé d'au moins cinq personnes (à l'exception des coopératives de travailleurs). Ces administrateurs doivent généralement être membres de la coopérative.

## E. LES NOUVELLES FORMES D'ENTREPRISES S'OFFRANT AUX PROFESSIONNELS

Jusqu'au 21 juin 2001, les membres (au moins deux) d'un ordre professionnel qui voulaient exercer leur profession en association devaient, à quelques exceptions près, le faire au sein d'une société en nom collectif (SENC) ou d'une société en participation. L'entrée en vigueur de la loi 169, intitulée *Loi modifiant le Code des professions et d'autres dispositions législatives concernant l'exercice des activités professionnelles au sein d'une société* (ci-après appelée la « Loi »), permet désormais à ces professionnels d'exercer leurs activités professionnelles au sein d'une société en nom collectif à responsabilité limitée (SENCRL) ou d'une société par actions.

La SENCRL ne trouve pas son équivalent dans le *Code civil du Québec,* car les nouvelles règles ont plutôt été introduites dans le *Code des professions* du Québec. La SENCRL est une variante de la société en nom collectif. En effet, lorsqu'un professionnel exerce ses activités au sein d'une société en nom collectif, la Loi prévoit que les actes qu'il y accomplit lient la société, et que chacun des associés a une responsabilité solidaire envers les dettes découlant de ces actes. La grande nouveauté de la Loi réside dans le fait que la responsabilité des membres des ordres professionnels se limite à leurs propres actes professionnels ou à ceux des personnes qu'ils supervisent ou qu'ils contrôlent. Les professionnels n'assument donc plus solidairement la responsabilité des actes professionnels de leurs associés s'ils n'y ont pas participé. En pareil cas, les obligations contractées par la société par suite d'une faute qui ne peut être attribuée au professionnel ne le lieront plus, car la responsabilité à l'égard de cette faute n'engage que la société. Toutefois, la limitation de responsabilité ne s'applique qu'aux activités professionnelles.

Par ailleurs, au sein d'une société par actions, qui est une personne morale, les actionnaires sont responsables des actes de la société ou des réclamations déposées contre elle seulement jusqu'à concurrence de la mise de fonds qu'ils ont investie. Le *Code des professions* a toutefois modifié en partie cette définition, puisque la responsabilité de la société peut désormais être engagée au même titre que celle du professionnel. En effet, si le professionnel demeure responsable de sa faute ou de celle de personnes placées sous sa supervision ou son contrôle, la société, en sa qualité d'employeur ou de mandant, peut également être tenue responsable des actes fautifs commis par ses employés ou par les mandataires qui agissent en son nom.

En outre, la société par actions regroupant des professionnels doit se conformer aux lois et aux règlements qui en encadrent la constitution et l'organisation. En effet, elle doit d'abord adopter le libellé de la loi constitutive choisie, soit la *Loi des compagnies du Québec* (L.C.Q.) ou la *Loi canadienne sur les sociétés par actions* (L.C.S.A.), puis respecter les différents règlements promulgués par les ordres professionnels qui régissent ses activités professionnelles.

## 1.3.5 Les formes économiques de l'entreprise à but lucratif

### A. LES SECTEURS D'ACTIVITÉ

L'activité économique se répartit en trois grands secteurs : le secteur primaire, le secteur secondaire et le secteur tertiaire. Le *secteur primaire* regroupe, d'une part, les activités productrices de matières non transformées, comme l'agriculture, la pêche et la sylviculture et, d'autre part, les industries extractives comme l'exploitation minière et la production de pétrole ou de gaz naturel. Le *secteur secondaire* comprend les activités productrices de matières transformées en biens de production ou de consommation. On y trouve notamment les industries minières, sidérurgiques, manufacturières et pétrolières. Enfin, le commerce de produits et la prestation de services, comme l'administration, l'enseignement et le transport, forment les activités du *secteur tertiaire*.

On notera qu'une industrie peut fort bien couvrir ces trois secteurs d'activité. L'industrie pétrolière en est un bon exemple : l'extraction du pétrole brut relève du secteur primaire, le raffinage et la transformation du brut en combustible, en lubrifiants, en carburants ou en matières premières pour l'industrie chimique font partie du secteur secondaire, tandis que le transport, la distribution et la vente des produits appartiennent au secteur tertiaire. Ces activités peuvent être assurées par une seule et même entreprise, soit directement, soit par l'intermédiaire de sociétés affiliées.

Du point de vue comptable, il est également possible de distinguer trois grandes catégories d'entreprises : les entreprises industrielles, les entreprises commerciales et les entreprises de services. Le tableau 1-2 illustre le lien comptable qui unit la forme économique des entreprises et le secteur d'activité auquel elles se rattachent. Comme on peut le constater, les principaux éléments déterminants de la forme économique d'une entreprise sont la nature de ses activités, la prédominance de son capital ou de sa main-d'œuvre, le degré de contrôle qu'elle requiert et la complexité de son système d'information financière.

---

**TABLEAU 1-2** • Les formes économiques d'entreprises

| Secteurs d'activité économique | Primaire | Secondaire | Tertiaire | |
|---|---|---|---|---|
| | Production de matières premières | Transformation de matières premières | Commerce de produits | Prestation de services |
| **Formes économiques** | **Entreprise industrielle** | | **Entreprise commerciale** | **Entreprise de services** |
| Nature des activités | ■ Extraction de ressources naturelles<br>■ Transformation de matières premières<br>■ Fabrication (en usine) | | Vente de produits | Prestation de services |
| Prédominance du capital ou de la main-d'œuvre | ■ Inventaire de biens à différents stades de transformation<br>■ Installations de production (industrie capitalistique) | | Inventaire de produits | Ressources humaines (industrie travaillistique) |
| Degré de contrôle requis | ■ Contrôle des actifs immobilisés et de l'activité de production<br>■ Recherche et développement | | Contrôle des mouvements de produits en stock | Contrôle des ressources humaines |
| Complexité du système d'information financière | ■ Contrôle des coûts de production, de recherche et développement, d'exploration et de mise en valeur<br>■ Évaluation des ressources humaines<br>■ Évaluation des stocks : matières premières produits semi-finis produits finis sous-produits | | ■ Contrôle des coûts d'approvisionnement, d'entreposage, de manutention, d'expédition<br>■ Évaluation des stocks | Contrôle de la masse salariale |

---

**B.** **LA NATURE DES ACTIVITÉS**

Comme son nom l'indique, *l'entreprise de services* offre des services au public. Ces services peuvent être d'ordre professionnel (services juridiques ou comptables, conseils en gestion, courtage immobilier, etc.), d'ordre technique (traitement de données, mécanique, électronique, etc.), d'ordre matériel (télécommunications, transport, etc.) ou d'ordre financier (services de placement, courtage de valeurs, etc.).

*L'entreprise commerciale* se livre au commerce de produits. Elle est en quelque sorte un intermédiaire entre le fabricant et le consommateur. Que ce soit en qualité de grossiste ou de détaillant, sa fonction est de distribuer des produits.

*L'entreprise industrielle* concentre ses activités dans l'extraction (mines, pétrole, pêcheries, etc.), l'exploitation (agriculture, forêts, etc.), la transformation (cuir, métaux, bois, pétrole, etc.) et la fabrication (textiles, automobiles, produits chimiques, construction, etc.).

## C. LA PRÉDOMINANCE DU CAPITAL OU DE LA MAIN-D'ŒUVRE

Selon son activité économique, une entreprise peut reposer principalement sur du capital (immobilisations, stocks de produits, matériel et installations de production) ou sur de la main-d'œuvre.

Quoique cruciales pour toutes les formes économiques d'entreprises, les ressources humaines occupent une place prépondérante dans l'entreprise de services et constituent généralement sa principale source de coûts. Dès lors, on dit de cette entreprise qu'elle est « travaillistique ».

Pour sa part, l'entreprise commerciale doit maintenir un stock de biens suffisant pour répondre à la demande. Le commerce de produits nécessite l'investissement de ressources et la mise en place de contrôles visant d'abord l'approvisionnement en biens et en services ainsi que l'entreposage, la manutention et l'expédition de ceux-ci ; ces mesures s'ajoutent à celles qui sont liées aux ressources humaines et aux coûts. La direction doit pouvoir connaître les coûts inhérents à chaque activité ; ce besoin complexifie le système comptable de l'entreprise. Enfin, l'entreprise commerciale calcule et indique la valeur des produits en stock dans ses états financiers.

De son côté, l'entreprise industrielle investit, notamment, des capitaux permanents dans ses installations de production, dans la recherche et le développement de nouveaux produits et procédés, ainsi que dans l'exploration et la mise en valeur des ressources naturelles. En raison de la prédominance du capital, ce type d'industrie est dit « capitalistique ». En outre, les stocks de l'entreprise industrielle comprennent des biens parvenus à différents stades de transformation. La comptabilisation de ces éléments au *coût de fabrication* et *de transformation* de même que l'évaluation des stocks requièrent un système d'information financière sophistiqué et des méthodes de contrôle pointues.

Ces différentes caractéristiques ne se limitent pas à une seule forme d'entreprise. Prenons le cas d'une société de transport. Bien qu'appartenant à la catégorie des entreprises de services, elle doit investir de fortes sommes dans le matériel nécessaire pour assurer le transport de marchandises ou de personnes. L'importance de l'investissement variera selon le volume des affaires et le mode de transport. Il suffit de penser à des entreprises comme Canadien Pacifique et Air Canada pour se convaincre de l'ampleur des sommes investies.

Par ailleurs, une entreprise commerciale peut fort bien utiliser un minimum de main-d'œuvre. Le fameux concept suédois implanté au Canada par Ikea fournit un excellent exemple d'entreprise à la fois industrielle et commerciale, puisque le consommateur se sert directement dans l'entrepôt et monte lui-même les meubles qu'il a achetés en kit.

## CONCLUSION

Ces dernières années, tant au Canada qu'à travers le monde, la profession comptable a nettement manifesté sa volonté de regagner la confiance du public et de prendre les moyens pour protéger les intérêts de celui-ci. En outre, sous l'impulsion de la mondialisation, l'abolition graduelle des barrières commerciales entre les pays tend à stimuler l'uniformisation des normes comptables internationales. L'ICCA a créé des comités qui se chargent de proposer de nouvelles normes ou de modifier des normes existantes, en vue de s'harmoniser avec les États-Unis et la communauté internationale. Les dirigeants du monde des affaires doivent donc non seulement se familiariser avec la comptabilité, mais aussi suivre l'évolution de ces normes qui vont modifier la présentation des états financiers et, par conséquent, leur jugement professionnel.

# Les états financiers

**D**ans ce chapitre, nous examinerons quatre états financiers : le bilan, l'état des résultats, l'état des bénéfices non répartis et l'état du résultat étendu (aussi appelé résultat étendu). Comme nous l'avons mentionné dans le chapitre 1, les états financiers servent à transmettre aux utilisateurs des informations sur la performance financière d'une entreprise. Ces informations sont produites et publiées périodiquement et aident les utilisateurs à prendre des décisions éclairées. Les états financiers peuvent être préparés mensuellement, trimestriellement ou à tout moment marquant la fin d'un cycle financier pour une entreprise. Par ailleurs, toute entité doit présenter annuellement ses états financiers afin de permettre aux utilisateurs de connaître la performance financière réalisée au cours de l'exercice, dont la durée normale est de 12 mois.

Les utilisateurs souhaitent être renseignés sur la rentabilité de l'entreprise, sur sa situation financière. En d'autres mots, ils veulent connaître les avoirs qu'elle possède, savoir si elle a contracté des dettes pour les acquérir et si elle a accumulé des surplus au fil de son existence. De plus, les utilisateurs veulent analyser les mouvements de trésorerie de l'entreprise pour mieux comprendre comment elle a utilisé les ressources financières mises à sa disposition. Le tableau 2-1 montre ce que chaque état financier est censé révéler, tandis que la figure 2-1 situe chacun d'eux dans le cycle d'une entreprise.

Pour bien saisir le fonctionnement des états financiers, nous utiliserons l'identité fondamentale, qui permet de traduire directement les opérations financières de l'entreprise dans les états financiers et de déceler les liens qui unissent le bilan, l'état des résultats, l'état des bénéfices non répartis et le résultat étendu. Afin de souligner la nature particulière de l'état des flux de trésorerie, nous lui consacrerons le chapitre 4.

Nous traiterons d'abord du bilan et de ses principales composantes, puisque cet état financier central fait ressortir toutes les activités financières de l'entreprise depuis sa création.

**TABLEAU 2-1 •** Les différents états financiers et ce qu'ils révèlent

| État financier | Objectif pour l'utilisateur |
|---|---|
| Bilan | Situation financière |
| État des résultats | Rentabilité |
| État du résultat étendu ou Résultat étendu | Effets latents des opérations sur les instruments financiers et les instruments dérivés[1] |
| État des bénéfices non répartis | Surplus accumulés |
| État des flux de trésorerie | Mouvements de trésorerie (liquidités) d'une période à l'autre |

---

1. Voir aussi la section 2.4.

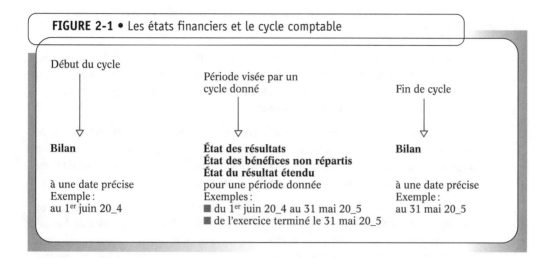

**FIGURE 2-1** • Les états financiers et le cycle comptable

Début du cycle

Période visée par un
cycle donné

Fin de cycle

**Bilan**

**État des résultats**
**État des bénéfices non répartis**
**État du résultat étendu**

**Bilan**

à une date précise
Exemple :
au 1er juin 20_4

pour une période donnée
Exemples :
■ du 1er juin 20_4 au 31 mai 20_5
■ de l'exercice terminé le 31 mai 20_5

à une date précise
Exemple :
au 31 mai 20_5

Nous présenterons ensuite les composantes de l'état des résultats, de l'état des bénéfices non répartis et de l'état du résultat étendu.

Pour illustrer de manière pratique le fonctionnement des états financiers, nous proposons deux méthodes complémentaires. La première consiste à présenter les états financiers d'une entreprise commerciale, Mega Bloks, pour les exercices terminés les 31 décembre 2004 et 2005. Fournissant un cadre d'analyse suffisamment large, mais encore accessible, ces états financiers donnés en exemple permettent d'aborder les problèmes les plus communs de traitement et de présentation de l'information financière d'une société par actions ouverte.

La seconde méthode permettra au lecteur de parfaire ses connaissances et de les valider au moyen d'exercices interactifs portant sur une entité fictive, l'entreprise Déneigetout inc., une société par actions de petite taille dont les états financiers sont présentés dans le didacticiel DÉFI (**D**idacticiel d'apprentissage des **É**tats **F**inanciers avec **I**nteractivité). Ce didacticiel, inséré dans le présent manuel, est un outil complémentaire destiné principalement aux personnes qui ne possèdent aucune expérience de la lecture des états financiers.

Pour compléter l'étude des postes les plus fréquemment utilisés dans les états financiers, nous présentons à l'annexe 2-1 certains aspects plus complexes des états financiers (contrats de location, impôt sur les bénéfices, avantages sociaux futurs, participations dans d'autres entités, écarts de conversion, rémunération et autres paiements à base d'actions et instruments financiers).

Finalement, l'appendice 2, à la fin du volume, décrit sommairement le processus d'enregistrement des opérations dans les registres comptables et donne un aperçu de la tenue de livres.

## 2.1 LE BILAN

Le bilan exprime la situation financière de l'entreprise à une date donnée, habituellement la date à laquelle l'exercice financier se termine. La situation financière est constituée de deux éléments toujours égaux : ce que l'entreprise possède et les capitaux qu'elle a obtenus.

Les ressources que l'entreprise a investies sous forme de biens constituent le premier aspect de sa situation financière. Ces biens peuvent comprendre les espèces déposées en banque, les stocks, les immeubles ou le matériel. Ils sont présentés dans la partie du bilan appelée « Actif ».

À moins que les propriétaires ne fournissent la totalité des ressources nécessaires à l'exploitation, l'entreprise a recours à d'autres sources de financement. Par exemple, elle peut contracter un emprunt auprès d'une institution financière ou obtenir de ses fournisseurs qu'ils lui fassent crédit. L'entreprise fait donc appel à des sources de financement internes (propriétaires) ou externes (tiers). Ces sources de financement constituent la seconde partie du bilan. Celle-ci contient les sources externes de fonds qui constituent le « Passif », alors que l'« avoir des propriétaires » (ou « capital ») regroupe les sources internes, notamment la mise de fonds des propriétaires. Lorsqu'il s'agit d'une société par actions, cette mise de fond prend le nom d'« avoir des actionnaires ».

La plupart du temps, le bilan se présente sous la forme d'un tableau en deux parties où l'on inscrit l'actif (dans la partie gauche ou supérieure) et le passif (dans la partie droite ou inférieure), suivi des capitaux propres (ou avoir des actionnaires) (tableau 2-2).

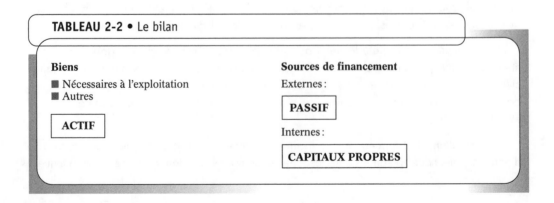

TABLEAU 2-2 • Le bilan

**Biens**
■ Nécessaires à l'exploitation
■ Autres

ACTIF

**Sources de financement**
Externes :

PASSIF

Internes :

CAPITAUX PROPRES

---

**EXEMPLE 1 :** Création d'une entreprise

Vous décidez de fonder une entreprise de consultation en gestion et choisissez de constituer une société par actions. Pour mener votre affaire à bien, il vous suffit de louer un local et d'acheter du mobilier de bureau pour un montant de 10 000 $. Vous investissez dans le capital-actions de votre société une somme de 3 000 $, dont vous gardez 1 000 $ en liquidités pour payer les charges d'exploitation. Vous empruntez donc à la banque les 8 000 $ pour financer l'achat du mobilier (10 000 $ – 2 000 $).

À la date d'ouverture de votre entreprise, soit le 1er janvier 20_5, le bilan se présente comme suit :

| ACTIF | | PASSIF | |
|---|---|---|---|
| Encaisse | 1 000 $ | Emprunt bancaire | 8 000 $ |
| Mobilier | 10 000 | | |
| | | **AVOIR DE L'ACTIONNAIRE** | |
| | | Capital-actions | 3 000 |
| | 11 000 $ | | 11 000 $ |

---

Au cours de sa vie, l'entreprise effectuera des opérations qui viendront modifier son profil. Le bilan est en quelque sorte l'outil qui permet d'en suivre l'évolution au fil du temps. Les exemples qui suivent illustrent de quelle manière le processus comptable traduit la substance économique des opérations dans le bilan. Nous étudierons d'abord les opérations qui ont pour effet de modifier uniquement l'actif et le passif de l'entreprise, puis nous aborderons celles qui se répercutent sur les capitaux propres.

Ces montants permettent de constater que le total de l'actif (11 000 $) est égal au total du passif (8 000 $) et de l'avoir de l'actionnaire (ou des capitaux propres) (3 000 $). Il en sera toujours ainsi, car les biens d'une entreprise proviennent généralement de l'utilisation des ressources dont elle dispose. Cet équilibre des biens et des ressources (internes et externes) constitue le fondement du processus comptable appelé « identité fondamentale ». C'est l'équation de base en comptabilité.

| ACTIF | = | PASSIF | + | AVOIR DE L'ACTIONNAIRE |
|---|---|---|---|---|
| 11 000 $ | = | 8 000 $ | + | 3 000 $ |

**EXEMPLE 2 :** Emprunt bancaire additionnel

Vous avez un urgent besoin de liquidités pour exploiter votre entreprise. Vous obtenez de la banque un prêt additionnel de 20 000 $. Après cette opération, le bilan de votre entreprise est le suivant :

| **ACTIF** | | **PASSIF** | |
|---|---|---|---|
| Encaisse | 21 000 $ | Emprunt bancaire | 28 000 $ |
| Mobilier | 10 000 | | |
| | | **AVOIR DE L'ACTIONNAIRE** | |
| | | Capital-actions | 3 000 |
| | 31 000 $ | | 31 000 $ |

L'équilibre des biens et des ressources est préservé puisqu'en augmentant l'actif de 20 000 $ on a également augmenté le passif de 20 000 $.

| **ACTIF** | = | **PASSIF** | + | **AVOIR** |
|---|---|---|---|---|
| 11 000 $ | = | 8 000 $ | + | 3 000 $ |
| + 20 000 | | + 20 000 | | |
| 31 000 $ | = | 28 000 $ | + | 3 000 $ |

**EXEMPLE 3 :** Achat de matériel informatique

Vous achetez au comptant un ordinateur dont le coût est de 7 000 $. Voici le bilan de votre entreprise après cette acquisition :

| **ACTIF** | | **PASSIF** | |
|---|---|---|---|
| Encaisse | 14 000 $ | Emprunt bancaire | 28 000 $ |
| Mobilier | 10 000 | | |
| Matériel informatique | 7 000 | **AVOIR DE L'ACTIONNAIRE** | |
| | | Capital-actions | 3 000 |
| | 31 000 $ | | 31 000 $ |

• • • ▶

· · · ▶ Cette opération n'a pas modifié le total de l'actif, ni le total du passif et de l'avoir de l'actionnaire, puisqu'un actif (l'argent déposé en banque) a servi à l'acquisition d'un autre actif (le matériel informatique).

| ACTIF | = | PASSIF | + | AVOIR |
|---|---|---|---|---|
| 31 000 $ | = | 28 000 $ | + | 3 000 $ |
| − 7 000 | | | | |
| + 7 000 | | | | |
| 31 000 $ | = | 28 000 $ | + | 3 000 $ |

**EXEMPLE 4 :** Remboursement de l'emprunt bancaire

Disposant d'un surplus d'encaisse, vous remboursez une partie de votre emprunt, soit 5 000 $. Le bilan devient le suivant :

| ACTIF | | PASSIF | |
|---|---|---|---|
| Encaisse | 9 000 $ | Emprunt bancaire | 23 000 $ |
| Mobilier | 10 000 | | |
| Matériel informatique | 7 000 | **AVOIR DE L'ACTIONNAIRE** | |
| | | Capital-actions | 3 000 |
| | 26 000 $ | | 26 000 $ |

Cette opération a pour effet de réduire l'actif de 5 000 $ et, d'un montant équivalent, le passif.

| ACTIF | = | PASSIF | + | AVOIR |
|---|---|---|---|---|
| 31 000 $ | = | 28 000 $ | + | 3 000 $ |
| − 5 000 | | − 5 000 | | |
| 26 000 $ | = | 23 000 $ | + | 3 000 $ |

Pour le moment, les opérations ont seulement touché deux éléments de l'identité fondamentale, soit l'actif et le passif. Nous pouvons maintenant faire une autre constatation : les capitaux propres (ou l'avoir de l'actionnaire) représentent la différence entre l'actif et le passif, c'est-à-dire ce qui vous reviendrait, en tant qu'actionnaire, si on vendait les biens de l'entreprise (à leur valeur indiquée dans les états financiers), après paiement des dettes. C'est pour cette raison que les capitaux propres sont souvent désignés par l'expression « actif net ». De ce constat, on déduit que toute variation qui ne s'annule pas à l'intérieur des blocs actif ou passif (ou les deux à la fois) modifiera le total des capitaux propres. Illustrons ce principe.

**EXEMPLE 5 :** Encaissement d'honoraires

Vous encaissez 30 000 $ d'honoraires pour des services de consultation. Comme cette opération ne donne pas lieu à une augmentation du passif ni à une diminution de l'actif, l'entreprise s'enrichit de 30 000 $.

| ACTIF | | PASSIF | |
|---|---|---|---|
| Encaisse | 39 000 $ | Emprunt bancaire | 23 000 $ |
| Mobilier | 10 000 | | |
| Matériel informatique | 7 000 | **AVOIR DE L'ACTIONNAIRE** | |
| | | Capital-actions | 3 000 |
| | | Bénéfices non répartis | 30 000 |
| | 56 000 $ | | 56 000 $ |

L'augmentation des capitaux propres (ou de l'avoir de l'actionnaire) correspond donc à l'augmentation de l'actif.

| ACTIF | = | PASSIF | + | AVOIR |
|---|---|---|---|---|
| 26 000 $ | = | 23 000 $ | + | 3 000 $ |
| + 30 000 | | | | + 30 000 |
| 56 000 $ | = | 23 000 $ | + | 33 000 $ |

Notons que cette augmentation est inscrite à un poste distinct de l'avoir de l'actionnaire, nommé « Bénéfices non répartis ». Les bénéfices non répartis représentent les bénéfices que l'entreprise n'a pas distribués aux actionnaires sous forme de dividendes.

Pour sa part, le capital-actions représente les montants encaissés par l'entreprise lors de l'émission des actions, soit l'investissement de l'actionnaire, en contrepartie desquels la société émet des titres de propriété.

On peut donc subdiviser l'identité fondamentale de la manière suivante :

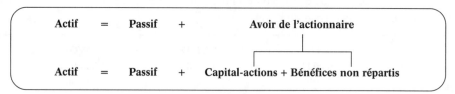

Actif  =  Passif  +  Avoir de l'actionnaire

Actif  =  Passif  +  Capital-actions + Bénéfices non répartis

L'exemple 5 montre que l'entreprise s'est enrichie de 30 000 $, somme ajoutée aux bénéfices non répartis et à l'encaisse. Cependant, l'entreprise a dû engager des frais pour percevoir ces honoraires, de sorte que son bénéfice réel est inférieur à 30 000 $. L'exemple 6 traite de cette question.

**EXEMPLE 6 :** Paiements divers en espèces

Supposons que vous effectuez les paiements suivants :

| | |
|---|---|
| Fournitures diverses | 800 $ |
| Intérêts bancaires | 1 500 |
| Salaire de votre adjointe | 1 000 |
| Votre salaire | 3 800 |
| | 7 100 $ |

Le bilan devient le suivant :

| **ACTIF** | | **PASSIF** | |
|---|---|---|---|
| Encaisse | 31 900 $ | Emprunt bancaire | 23 000 $ |
| Mobilier | 10 000 | | |
| Matériel informatique | 7 000 | **AVOIR DE L'ACTIONNAIRE** | |
| | | Capital-actions | 3 000 |
| | | Bénéfices non répartis | 22 900 |
| | | | 25 900 $ |
| | 48 900 $ | | 48 900 $ |

• • • ▶

• • • ▶

Nous observons que l'avoir de l'actionnaire a diminué de 7 100 $, diminution nette équivalente à celle de l'actif.

| ACTIF | = | PASSIF | + | AVOIR |
|---|---|---|---|---|
| 56 000 $ | = | 23 000 $ | + | 33 000 $ |
| – 7 100 | | | | – 7 100 |
| 48 900 $ | = | 23 000 $ | + | 25 900 $ |

Dans les faits, les produits tirés de la vente (les honoraires) et les charges (les salaires et les autres frais) ne sont pas directement inscrits dans le poste Bénéfices non répartis. C'est à l'état des résultats qu'on retrouve les éléments de produits et de charges, et c'est le solde net obtenu en soustrayant les charges des produits qui correspond au bénéfice net (ou à la perte nette). Le terme « produits » est recommandé pour désigner les revenus, et le terme « charges » pour les dépenses ; dorénavant, nous utiliserons donc ces deux termes.

Nous pouvons, une fois de plus, subdiviser l'identité fondamentale de la manière suivante :

| Actif | = | Passif | + | Avoir de l'actionnaire |
|---|---|---|---|---|
| Actif | = | Passif | + | Capital-actions + Bénéfices non répartis |

État des résultats
(Produits   –   Charges)
Bénéfice net

Dans les exemples 5 et 6 précédents, l'identité fondamentale se présenterait alors comme suit :

| ACTIF | = | PASSIF | + | AVOIR DE L'ACTIONNAIRE |
|---|---|---|---|---|
| Encaisse + Mobilier + Matériel | = Emprunt bancaire | + | Capital-actions + | Produits – Charges |
| 31 900 $ + 10 000 $ + 7 000 $ = | 23 000 $ | + | 3 000 $ | + (30 000 $ – 7 100 $) |
| 48 900 $ | = | 23 000 $ | + | 25 900 $ |

**EXEMPLE 7 :** Distribution des bénéfices

La société décide de distribuer des dividendes de 15 000 $ à son actionnaire.

Le bilan devient le suivant :

| ACTIF | | PASSIF | |
|---|---|---|---|
| Encaisse | 16 900 $ | Emprunt bancaire | 23 000 $ |
| Mobilier | 10 000 | | |
| Matériel | 7 000 | **AVOIR DE L'ACTIONNAIRE** | |
| | | Capital-actions | 3 000 |
| | | Bénéfices non répartis | 7 900 |
| | 33 900 $ | | 33 900 $ |

Il convient ici de faire une distinction entre cette opération et les précédentes. Dans les autres exemples, les augmentations et les diminutions des bénéfices non répartis découlaient d'opérations liées à l'exploitation de l'entreprise, alors que le versement de dividendes de 15 000 $ constitue une distribution partielle du bénéfice dégagé à la suite de ces opérations. Cette distribution de dividendes à l'actionnaire sera présentée dans un état financier appelé « état des bénéfices non répartis ».

En effet, lorsque l'entreprise distribue une partie de ses bénéfices, elle déclare des « dividendes ». Ceux-ci peuvent être versés en espèces, en biens ou en services. La diminution de l'actif est alors accompagnée d'une diminution des capitaux propres.

| ACTIF | = | PASSIF | + | AVOIR |
|---|---|---|---|---|
| 48 900 $ | = | 23 000 $ | + | 25 900 $ |
| – 15 000 | | | | – 15 000 |
| 33 900 $ | = | 23 000 $ | + | 10 900 $ |

Pour terminer, nous pouvons décomposer l'identité fondamentale en chacun des postes figurant aux états financiers de la manière suivante :

| Actif | = | Passif | + | Avoir de l'actionnaire |
|---|---|---|---|---|
| Actif | = | Passif | + | Capital-actions + Bénéfices non répartis |
| Actif | = | Passif | + | Capital-actions + (Produits – Charges) – Dividendes |

En appliquant cette équation au dernier exemple, nous obtenons les montants suivants :

$$\text{Actif} = \text{Passif} + \text{Capital-actions} + (\text{Produits} - \text{Charges}) - \text{Dividendes}$$
$$33\ 900\ \$ = 23\ 000\ \$ + 3\ 000\ \$ + (30\ 000\ \$ - 7\ 100\ \$) - 15\ 000\ \$$$

Le tableau 2-3 résume la présentation de chacun des exemples dans les trois états financiers de la manière suivante, compte tenu de la dernière opération de distribution de dividendes.

**TABLEAU 2-3** • La présentation dans les trois états financiers

| Bilan | | État des bénéfices non répartis | | État des résultats (et du résultat étendu) | |
|---|---|---|---|---|---|
| Actif | 33 900 $ | Bénéfices non répartis au début | 0 $ | Produits | 30 000 $ |
| = | | + | | | |
| Passif | 23 000 $ | Bénéfice net | **22 900 $** | | |
| + | | – Dividendes | 15 000 $ | – Charges | 7 100 $ |
| Avoir de l'actionnaire | | | | | |
| Capital-actions | 3 000 $ | | | | |
| Bénéfices non répartis à la fin + Cumul des autres éléments du résultat étendu* | **7 900 $** | Bénéfices non répartis à la fin | **7 900 $** | Bénéfice net +/– éléments du résultat étendu = Résultat étendu* | **22 900 $** |

\* Nous verrons les éléments qui affectent les postes ci-dessus « Résultat étendu » et « Cumul des autres éléments du résultat étendu » lors de la présentation de l'état du résultat étendu (section 2.4).

**Consulter les exemples supplémentaires dans le didacticiel DÉFI, à la section « Structure et principes des états financiers », accessible depuis l'onglet « L'identité fondamentale ».**

## 2.2 L'ÉTAT DES RÉSULTATS

L'état des résultats présente les efforts investis dans l'exploitation de l'entreprise durant une période donnée. Il contient trois éléments principaux :

- les produits (souvent appelés « ventes »), les revenus (ou « chiffre d'affaires »), qui représentent ce que gagne l'entreprise en contrepartie de l'activité qu'elle exerce dans le cadre de son exploitation ;

- les charges (souvent nommées « dépenses »), qui représentent les coûts relatifs à la consommation des biens ou des services nécessaires à l'exploitation ;

- le résultat net des efforts, qui correspond à la différence entre les produits et les charges. Si les produits sont supérieurs aux charges, l'entreprise a réalisé un « bénéfice net ». Dans le cas inverse, elle a subi une « perte nette ».

Des exemples précédents, seuls les exemples 5 et 6 constituent des opérations ayant donné lieu à des produits ou à des charges. Afin de connaître la perte ou le bénéfice lié à ces opérations, on doit dresser l'état des résultats.

| | | |
|---|---|---|
| **Produits** | | |
| Honoraires de consultation | | 30 000 $ |
| **Charges** | | |
| Fournitures diverses | 800 $ | |
| Intérêt bancaire | 1 500 | |
| Salaire de l'adjointe | 1 000 | |
| Salaire du président | 3 800 | |
| | | 7 100 |
| **Bénéfice** | | 22 900 $ |

Nous expliquons plus loin que le bénéfice de 22 900 $ représente une partie seulement des variations des capitaux propres, et qu'il se rapporte à une période donnée.

## 2.3 L'ÉTAT DES BÉNÉFICES NON RÉPARTIS

L'état des bénéfices non répartis rend compte des opérations qui ont fait varier le solde des bénéfices non répartis durant une période donnée. Il s'agit d'un état financier qui établit le rapprochement des bénéfices non répartis à deux dates différentes, généralement celle du début de l'exercice et celle de la fin. Il existe plusieurs types d'opérations susceptibles d'influer sur les bénéfices non répartis : les produits et les charges (exemples 5 et 6 de la section 2.1), la distribution de dividendes (exemple 7 de la section 2.1), le cumul des opérations du résultat étendu et certaines opérations peu courantes, telles que les redressements sur exercices antérieurs. L'état des bénéfices non répartis présente donc les variations nettes imputables à ces opérations.

Reportons-nous maintenant au bilan de l'exemple 7 de la section 2.1 précédente. Les bénéfices non répartis ont connu une augmentation nette de 7 900 $ durant la période.

| | |
|---|---:|
| Solde au début de l'exercice | 0 $ |
| Plus : Bénéfice de la période | 22 900 |
| | 22 900 |
| Moins : Dividendes de la période | 15 000 |
| Solde à la fin de l'exercice | 7 900 $ |

Pour être en mesure d'établir des états financiers, l'entreprise doit inscrire au fur et à mesure chacune des opérations dans des registres comptables. Elle doit comptabiliser les opérations suivant une méthode qui respecte l'équilibre de l'identité fondamentale (actif = passif + capitaux propres). Les personnes intéressées consulteront l'explication de cette méthode qui figure dans l'appendice 2, à la fin du manuel.

## 2.4 L'ÉTAT DU RÉSULTAT ÉTENDU

En plus des autres états financiers, les sociétés canadiennes sont désormais tenues de produire un état du résultat étendu. La présentation de cet état financier supplémentaire est obligatoire pour les exercices financiers ouverts (ou débutant) à compter du 1er octobre 2006, en raison de la comptabilisation de certains instruments financiers à la juste valeur.

Nous décrirons en détail plus loin dans ce chapitre les éléments spécifiques que contient l'état du résultat étendu. Notons, pour le moment, que le lecteur trouvera essentiellement dans le résultat étendu les éléments suivants :

- le bénéfice net provenant de l'état des résultats ;

- les gains et pertes de change latents sur les variations de la juste valeur des actifs financiers disponibles à la vente ;

- les gains et pertes de change latents sur la conversion des états financiers d'établissements étrangers autonomes

- les gains et pertes latents sur des variations de la juste valeur des instruments de couverture des flux de trésorerie.

Voici un exemple.

| **État du résultat étendu** | |
| **Pour l'exercice terminé le ….** | |
| Bénéfice (perte) net | 22 900 $ |
| **Autres éléments du résultat étendu, après impôts :** | |
| Gains et pertes de change latents sur conversion des états financiers d'établissements étrangers autonomes | (2000 ) |
| Gains et pertes de change latents sur dérivés désignés comme couvertures | 1000 |
| Gains et pertes de change latents sur les actifs financiers disponibles à la vente | 3 100 $ |
| Total des autres éléments du résultat étendu | 2 100 $ |
| **Résultat étendu** | **25 000 $** |

Les éléments du résultat étendu d'un exercice ne sont pas inclus dans les Bénéfices non répartis. Ils sont toutefois cumulés dans le bilan, dans la section des capitaux propres, dans un poste intitulé « Cumul des autres éléments du résultat étendu ». Tant et aussi longtemps que ces éléments (gains et pertes) ne se sont pas matérialisés, ils n'affectent en rien le poste des bénéfices non répartis.

La section des capitaux propres pourrait ressembler à ceci :

---

**Capitaux propres**

Capital-actions

Bénéfices non répartis

Cumul des autres éléments du résultat étendu

Total

---

Le poste « Cumul des autres éléments du résultat étendu » doit être présenté de façon détaillée selon la nature et le montant des gains et pertes inclus. Ces détails peuvent faire l'objet d'une note complémentaire aux états financiers.

## 2.5 LES COMPOSANTES DU BILAN

Pour des raisons d'uniformité, on présente généralement les éléments composant les états financiers dans l'ordre qui renseigne le mieux les utilisateurs sur la nature de ces éléments. Ainsi, les actifs sont généralement présentés au bilan selon leur degré de liquidité, c'est-à-dire en fonction de la facilité et de la rapidité avec lesquelles l'entreprise peut en tirer un avantage futur. De la même façon, les passifs sont présentés d'après leur exigibilité, c'est-à-dire d'après la date à laquelle les créanciers sont en droit d'exiger de l'entreprise qu'elle rembourse ses dettes. À l'état des résultats, les postes seront rangés en catégories de produits et de charges.

L'actif à court terme comprend les postes qui sont normalement réalisables dans l'année qui suit la date du bilan ou au cours du cycle normal d'exploitation, s'il excède un an. L'actif à long terme comprend tous les autres actifs. Le passif à court terme réunit les sommes à payer au cours de l'année qui suit la date du bilan ou au cours du cycle normal d'exploitation, s'il excède un an. Le passif à long terme inclut tous les autres passifs. Prenons l'exemple du bilan consolidé[2] de Mega Bloks (tableau 2-4). Nous remarquons que les actifs et les passifs sont classés en deux grandes catégories : les éléments à court terme et les éléments à long terme.

---

2. Le terme « consolidé » signifie que le bilan comprend les actifs et les passifs de différentes entreprises dont Mega Bloks détient le contrôle. Ces entreprises sont appelées « filiales ». Nous approfondissons cette notion dans l'annexe 2-1 de ce chapitre.

TABLEAU 2-4 • Les bilans consolidés de la société Mega Bloks inc.

**MEGA BLOKS INC.**
**BILANS CONSOLIDÉS**
aux 31 décembre (en milliers de dollars américains)

| | 2005 | 2004 |
|---|---|---|
| | $ | $ |
| **Actif** | | |
| À court terme | | |
| Trésorerie et équivalents de trésorerie | 19 567 | 5 607 |
| Débiteurs - clients | 167 428 | 101 984 |
| Débiteurs - autres | 6 238 | 9 898 |
| Stocks (note 3) | 82 280 | 26 125 |
| Impôts futurs (note 11) | 13 396 | 1 838 |
| Instruments financiers dérivés (note 13) | - | 1 184 |
| Frais payés d'avance | 8 324 | 4 347 |
| | 297 233 | 150 983 |
| Immobilisations (note 4) | 39 351 | 32 221 |
| Actifs incorporels (note 5) | 72 230 | - |
| Écart d'acquisition | 306 973 | - |
| Frais reportés | 4 708 | 1 789 |
| | 720 495 | 184 993 |
| **Passif** | | |
| À court terme | | |
| Créditeurs et charges à payer | 108 025 | 41 622 |
| Contrepartie additionnelle liée aux acquisitions (note 14) | 74 075 | - |
| Instruments financiers dérivés (note 13) | - | 4 757 |
| Impôts sur les bénéfices | 4 744 | 1 111 |
| Tranche de la dette à long terme échéant à moins d'un an (note 6) | 8 784 | 563 |
| | 195 628 | 48 053 |
| Dette à long terme (note 6) | 292 169 | 24 009 |
| Impôts futurs (note 11) | 12 682 | 10 132 |
| | 500 479 | 82 194 |
| **Avoir des actionnaires** | | |
| Capital-actions (note 7) | 231 592 | 154 434 |
| Surplus d'apport | 1 136 | 685 |
| Déficit | (12 712) | (52 320) |
| | 220 016 | 102 799 |
| | 720 495 | 184 993 |

Engagements et éventualités (note 15)

*Voir les notes complémentaires aux états financiers consolidés*

**Au nom du conseil**

............................................................, administrateur

............................................................, administrateur

Cette classification a pour but d'aider les utilisateurs à évaluer la solvabilité de l'entreprise. La différence entre le total de l'actif à court terme et le total du passif à court terme constitue le « fonds de roulement ». Un fonds de roulement positif indique que les ressources réalisables à court terme sont suffisantes pour couvrir les paiements exigibles à court terme. Autrement dit, le fonds de roulement est un indice de la capacité de l'entreprise à payer ses dettes à court terme dans l'année qui suit la date du bilan et, de ce fait, de sa solvabilité à court terme.

Nous nous attarderons maintenant à chacun des éléments d'actif et de passif, suivant leur ordre de présentation au bilan. La figure 2-2 donne une vue d'ensemble du bilan et propose une façon de classifier les postes de l'actif et du passif. Bien que cette liste ne soit pas exhaustive, elle contient néanmoins les postes apparaissant le plus fréquemment dans le bilan.

Pour illustrer la majorité des postes, nous nous appuierons sur les états financiers de Mega Bloks, notamment sur le bilan présenté dans le tableau 2-4. L'ensemble des états financiers de Mega Bloks, y compris le rapport de la direction et celui des vérificateurs, ainsi que les notes complémentaires, est reproduit à l'annexe 2-2 de ce chapitre ; le lecteur pourra s'y reporter en tout temps. Nous traiterons également de postes qui ne figurent pas aux états financiers de Mega Bloks, mais que l'on peut trouver dans les états financiers de plusieurs autres entreprises.

### 2.5.1 La nature des actifs

Les actifs constituent des avantages économiques dont l'entité pourra bénéficier. On subdivise généralement l'ensemble des actifs en deux grandes classes : les actifs financiers et les actifs non financiers.

Les actifs *financiers* se définissent comme :

■ une somme d'argent disponible pour les échanges (les soldes des comptes en banque, rassemblés sous le poste encaisse) ;

■ un droit contractuel (clients, placements) de recevoir une somme d'argent, un actif d'une autre nature ou un instrument de capitaux propres (actions) de la part d'une autre entité ;

■ un droit contractuel (swap, contrat de change) d'échanger des instruments financiers avec une autre entité dans des conditions potentiellement avantageuses.

Les actifs *non financiers* regroupent des postes tels :

■ Les actifs *corporels* (ou tangibles), qui renferment des biens physiquement identifiables et dont la durée de vie s'étend au-delà du prochain exercice financier, par exemple les terrains, les bâtiments ou l'équipement ;

**FIGURE 2-2** • Exemple de classification des postes du bilan

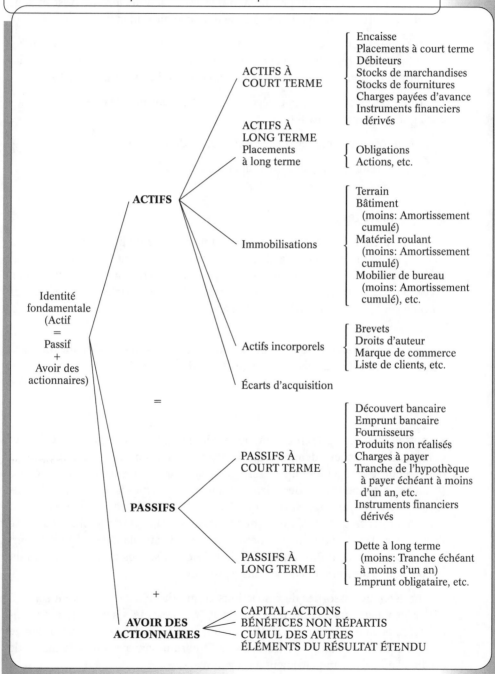

ACTIFS À
COURT TERME
- Encaisse
- Placements à court terme
- Débiteurs
- Stocks de marchandises
- Stocks de fournitures
- Charges payées d'avance
- Instruments financiers dérivés

ACTIFS À
LONG TERME
Placements
à long terme
- Obligations
- Actions, etc.

Immobilisations
- Terrain
- Bâtiment
  (moins: Amortissement cumulé)
- Matériel roulant
  (moins: Amortissement cumulé)
- Mobilier de bureau
  (moins: Amortissement cumulé), etc.

Actifs incorporels
- Brevets
- Droits d'auteur
- Marque de commerce
- Liste de clients, etc.

Écarts d'acquisition

**ACTIFS**

Identité
fondamentale
(Actif
=
Passif
+
Avoir des
actionnaires)

=

PASSIFS À
COURT TERME
- Découvert bancaire
- Emprunt bancaire
- Fournisseurs
- Produits non réalisés
- Charges à payer
- Tranche de l'hypothèque à payer échéant à moins d'un an, etc.
- Instruments financiers dérivés

**PASSIFS**

PASSIFS À
LONG TERME
- Dette à long terme
  (moins: Tranche échéant à moins d'un an)
- Emprunt obligataire, etc.

+

**AVOIR DES
ACTIONNAIRES**
- CAPITAL-ACTIONS
- BÉNÉFICES NON RÉPARTIS
- CUMUL DES AUTRES ÉLÉMENTS DU RÉSULTAT ÉTENDU

■ Les actifs *incorporels* (ou intangibles), qui désignent les ressources sans existence physique, qui procurent des avantages futurs à l'entreprise et dont la durée de vie est supérieure à celle d'un exercice financier ;

■ Les autres actifs, tels que les charges payées d'avance, les stocks, les impôts futurs et les impôts à recevoir. Ces éléments constituent aussi des actifs puisqu'ils donnent lieu à des avantages économiques futurs pour l'entité.

De plus, chacune de ces catégories d'actif est ensuite classée dans l'un des deux grands groupes suivants :

■ l'actif à court terme (échéance inférieure à douze mois) ;

■ l'actif à long terme (échéance supérieure à douze mois).

## 2.5.2 L'actif à court terme

Les actifs à court terme sont classés suivant un ordre de liquidité décroissant, c'est-à-dire en fonction de la facilité avec laquelle ils peuvent être transformés en espèces. L'actif à court terme comprend les postes suivants : Encaisse, Placements à court terme, Clients et autres débiteurs, Stocks, Charges payées d'avance et Instruments financiers dérivés.

 **Consulter le didacticiel DÉFI pour connaître l'effet de diverses opérations sur chacun des postes qui suivent.**

### A. L'ENCAISSE

Le poste Encaisse représente le numéraire immédiatement disponible. Ce poste comprend les espèces détenues par l'entreprise, notamment l'argent contenu dans le coffre-fort ou les caisses enregistreuses, les petites caisses, les chèques (traites et mandats) reçus des clients et non encore déposés, et le solde de tous les comptes en banque. Notons que les bordereaux de cartes de crédit font également partie de l'encaisse. Comme l'encaisse est le poste le plus liquide de l'entreprise, il est toujours le premier à être présenté au bilan, dans l'actif à court terme. Ce poste peut être placé sous la rubrique Espèces et quasi-espèces ou encore sous Trésorerie et équivalents de trésorerie.

Les sommes assorties de restrictions et qui, de ce fait, ne peuvent servir à régler les paiements à court terme doivent être présentées séparément de l'encaisse, sous un libellé approprié. Par exemple, si une somme doit être conservée dans le compte de banque en garantie de l'emprunt bancaire ou de la marge de crédit, elle devient un placement à long terme.

Par ailleurs, quand une entreprise possède plusieurs comptes bancaires dans différentes institutions financières, elle présente normalement le solde net dans l'actif à court terme, dans le poste Encaisse. Inversement, si le solde est négatif, elle le présente avec le passif à court terme, sous le titre Découvert bancaire. Dans le cas de Mega Bloks, le poste se nomme Trésorerie et équivalents de trésorerie. Dans le bilan, c'est le premier poste de l'actif à court terme et il indique un montant de 19 567 $ (en milliers de dollars) au 31 décembre 2005.

### La gestion de l'encaisse

La gestion de l'encaisse s'avère un aspect crucial pour les gestionnaires de l'entreprise. En effet, le contenu de ce poste pouvant être facilement manipulé, il est nécessaire de lui rattacher des mesures de contrôle. Puisque l'encaisse, autrement dit l'argent, est nécessaire au fonctionnement quotidien d'une entreprise, il importe que les gestionnaires implantent des outils de contrôle et de planification des mouvements de liquidités. Le meilleur outil de planification est le budget de caisse. Il s'agit d'un outil prévisionnel nécessaire au bon fonctionnement de l'entreprise.

Le budget de caisse permet aux gestionnaires de prévoir les rentrées et les sorties de fonds futures en fonction de l'expérience passée et des prévisions reliées aux activités futures de l'entreprise. Il permet de prévoir les périodes où l'entreprise disposera d'un surplus d'encaisse et les périodes où, au contraire, elle manquera de liquidités. Les gestionnaires pourront ainsi faire fructifier les surplus d'encaisse sous la forme de placements temporaires et se préparer pour négocier des emprunts à court terme ou demander une augmentation de la marge de crédit de l'entreprise. Pour être utile, le budget devrait établir de façon détaillée tous les encaissements (rentrées d'argent) et tous les décaissements (sorties d'argent) de l'entreprise pour chacun des mois d'un exercice donné. Lorsque le volume des opérations est très élevé, il est possible de produire un budget de caisse sur une base hebdomadaire. Plus la période budgétaire est courte, plus les informations sont précises et pertinentes. Comme il est question de prévisions, le budget doit être revu et corrigé régulièrement pour tenir compte des événements les plus récents.

Il est possible d'instaurer plusieurs mesures de contrôle interne pour protéger l'encaisse, cet actif volatil et convoité. Il faut commencer par s'assurer d'une séparation adéquate des tâches. En effet, une séparation adéquate des fonctions incompatibles permet d'éviter les fraudes (détournements de fonds) et améliore la fiabilité de l'enregistrement des opérations. La séparation des tâches fait en sorte qu'une même personne n'est jamais l'unique responsable d'une opération du début à la fin. Voici quelques exemples de mesures de contrôle des liquidités pouvant réduire au minimum les risques liés à la manipulation de l'encaisse.

■ La personne qui autorise le paiement d'un fournisseur (ou un autre paiement) ne devrait pas être le signataire du chèque.

■ Lorsqu'un paiement est autorisé, les pièces justificatives du paiement devraient être annulées ou estampillées comme payées afin d'éviter qu'elles servent plus d'une fois.

■ Le signataire d'un chèque à l'ordre d'un fournisseur (ou d'une autre partie) ne devrait pas être la même personne que celle qui procède à l'enregistrement du chèque aux registres comptables.

■ La personne qui ouvre le courrier devrait établir une liste des chèques reçus des clients sur un document prévu à cet effet, puis les estampiller avec la mention « pour dépôt seulement ». Cette personne devrait remettre une copie de la liste ainsi préparée au service de la comptabilité, et une autre à la personne qui s'occupe du dépôt.

■ L'employé qui dépose à la banque les sommes reçues ne devrait pas avoir accès à l'enregistrement des opérations aux registres comptables.

■ Toutes les sommes reçues devraient être déposées intégralement et rapidement à la banque.

■ Tous les paiements devraient être effectués par chèque. Ces chèques devraient être numérotés et imprimés à l'avance au nom de l'entreprise. De plus, on devrait prévoir deux signataires.

■ Les entreprises devraient utiliser le plus souvent possible les paiements préautorisés et les virements automatiques (pour les salaires, en particulier). Elles éviteraient ainsi la manipulation d'argent.

■ Les entreprises devraient préparer un état de rapprochement bancaire (ou « conciliation bancaire ») une fois par mois, afin de comparer les écritures enregistrées aux registres comptables avec celles de la banque. Cette mesure permet de détecter rapidement les erreurs et les irrégularités.

■ Les caisses enregistreuses ne devraient s'ouvrir que si une opération est effectuée. En cas d'erreur lors d'une opération, seul un responsable devrait pouvoir autoriser l'annulation de l'opération, procéder au remboursement ou accorder un crédit.

■ Le programmeur de l'entreprise ne devrait pas avoir accès aux ressources de l'entreprise et ne devrait pas participer à l'enregistrement des opérations.

Cette liste des mesures de contrôle qu'une entité peut mettre en place pour gérer et protéger son encaisse n'est pas exhaustive, mais elle mentionne les plus fréquentes. On peut aussi faire appel à d'autres mesures.

## B. LES PLACEMENTS À COURT TERME

Les placements à court terme sont acquis au moyen d'excédents temporaires en vue de maximiser le rendement des ressources. Les règles comptables exigent que les entreprises déterminent dès l'achat d'un placement la catégorie dans laquelle il sera classé. C'est l'intention quant à l'utilisation du placement et sa substance qui déterminent la catégorie. Ce classement déterminera la catégorie dans laquelle il sera présenté au bilan ainsi que l'effet qu'il exercera sur les résultats (résultats nets ou résultats étendus). On retrouve trois catégories de placements désignés comme étant des actifs financiers. Elles sont décrites au tableau 2-5.

Voici un exemple de placements détenus à des fins de transaction.

**EXEMPLE :** Inscription de la valeur marchande (juste valeur) des placements

La société Hexagone a investi ses surplus de liquidités dans un portefeuille d'actions de sociétés cotées en vue d'une prise de bénéfices à court terme. Le coût d'acquisition de ce portefeuille, obtenu en 20_6, est de 250 000 $. Hexagone a acquis ces placements avec l'intention de les revendre à court terme. À la fin de l'exercice de Hexagone, le 31 décembre 20_6, la valeur du marché de ces placements est de 200 000 $.

À cette date, Hexagone devra soustraire 50 000 $ de son poste Placements détenus à des fins de transactions, afin de présenter son placement à sa valeur marchande de 200 000 $ et inscrire une charge de 50 000 $ à l'état des résultats pour refléter cette moins-value.

Par contre, si la valeur marchande du placement avait été de 280 000 $ à la date du bilan, Hexagone aurait présenté au bilan son placement de 280 000 $ et inscrit à l'état des résultats un gain de 30 000 $.

Le lecteur trouvera à la section 2.5.3 un exemple de placements disponibles à la vente.

## C. LES CLIENTS ET AUTRES DÉBITEURS

Les montants classés sous le poste Clients et autres débiteurs représentent des instruments financiers puisqu'ils correspondent à des sommes à recevoir ou au droit d'exiger d'une autre personne, appelée débiteur, une certaine somme

**TABLEAU 2-5** • Catégories de placements désignés comme étant
des actifs financiers

| Dénomination | Placements détenus jusqu'à leur échéance | Placements détenus à des fins de transaction | Placements disponibles à la vente |
|---|---|---|---|
| Court ou long terme | Actif à court terme ou à long terme | Actif à court terme | Actif à court terme ou long terme |
| Nature du placement | Placements comportant une date d'échéance déterminée, et que l'entreprise a l'intention et la capacité de conserver jusqu'à leur échéance. | Placements en actions ou en obligations acquis en vue d'une revente à court terme. Ces placements font partie d'un portefeuille de placements comportant des prises de bénéfices à court terme. | Placements en actions ou obligations qui ne peuvent être classés dans les deux premières catégories, de même que les placements dont on ne peut déterminer la juste valeur marchande avec une certitude suffisante. |
| Évaluation | ■ Initialement, ces placements sont comptabilisés à leur juste valeur (généralement égale au coût d'acquisition). ■ Cette valeur sera maintenue par la suite au bilan. Elle ne sera modifiée que dans le cas d'une baisse de valeur durable. Cette moins-value affectera alors le résultat net. | ■ Initialement, ces placements sont comptabilisés à leur juste valeur (généralement égale au coût d'acquisition). ■ Par la suite, ce placement sera constamment ajusté et présenté à sa juste valeur à la date des états financiers. Les variations de justes valeurs apparaîtront au résultat net. | ■ Initialement, ces placements sont comptabilisés à leur juste valeur (généralement égale au coût d'acquisition). ■ Par la suite, ce placement sera constamment ajusté et présenté à sa juste valeur à la date des états financiers. Toutefois, contrairement aux placements détenus à des fins de transaction, les variations de juste valeur apparaîtront au résultat étendu. Quant aux baisses de valeur durable, elles apparaîtront au résultat net. |

d'argent, des biens, ou la prestation d'un service. Les créances qu'une entreprise pense pouvoir recouvrer au cours du prochain exercice sont classées dans l'actif à court terme. Il existe deux types de créances : les créances sur ventes et les autres débiteurs.

Les clients, aussi appelés « débiteurs », « créances sur ventes » ou « comptes clients », représentent généralement des sommes à recevoir résultant de la vente de biens ou de services vendus à crédit. En effet, lorsqu'une entreprise vend des biens ou rend des services à crédit, elle acquiert le droit de recevoir par la suite une somme d'argent en contrepartie des biens vendus ou des services rendus.

Les autres débiteurs représentent des sommes à recevoir provenant d'opérations qui ne sont pas nécessairement reliées à la vente de biens ni à la prestation de services. Cette catégorie réunit notamment les prêts consentis à des tiers, les demandes de remboursement d'impôts sur les bénéfices payés en trop, les subventions gouvernementales à recevoir au cours du prochain exercice et les autres sommes encaissables à court terme. Les autres débiteurs correspondent aux montants gagnés à la fin de l'exercice, mais non encore encaissés à la date du bilan. Font partie de cette catégorie :

- les « intérêts créditeurs » (ou « revenus d'intérêt »), autrement dit les intérêts à recevoir sur des placements ou sur des prêts consentis à des tiers ;

- les « dividendes à recevoir », c'est-à-dire les dividendes déclarés, mais non encaissés, provenant de placements en actions ;

- les « produits tirés d'activités connexes », par exemple les loyers à recevoir lorsque l'entreprise loue des locaux pour d'autres fins que celles de son exploitation.

Dans le bilan de Mega Bloks, sous l'actif à court terme au 31 décembre 2005, le poste Débiteurs - Clients présente un montant de 167 428 $ (en milliers de dollars) et le poste Débiteurs - Autres indique un montant de 6 238 $. Le premier poste désigne les créances à recevoir sur les ventes alors que le second désigne des entrées de fonds possibles en provenance d'autres débiteurs lesquels ne sont pas nécessairement des acheteurs de produits vendus par Mega Bloks.

### Les créances douteuses

Au bilan, les comptes clients doivent être présentés à leur valeur de réalisation nette, c'est-à-dire au montant qui sera vraisemblablement encaissé. Habituellement, ce montant ne correspond pas à celui qu'indiquent les registres comptables sous le poste Clients. En effet, l'entreprise qui décide de négocier à crédit avec ses clients assume presque toujours le risque de ne pas être payée ; c'est le « risque de crédit ». Il faut donc, en fin d'exercice, estimer les créances qui ne seront probablement pas recouvrées. On qualifie ce processus de « constitution d'une provision pour créances douteuses ».

Il faut estimer cette perte probable afin de respecter l'une des règles de base en comptabilité d'exercice, selon laquelle toutes les charges engagées pour réaliser les produits d'un exercice donné doivent être comptabilisées durant ce même exercice. Appliquée aux comptes clients, cette règle stipule que l'entreprise doit mesurer le risque qu'elle court de ne pas être payée (soit la provision pour créances douteuses) et le comptabiliser dans l'exercice pendant lequel la vente a eu lieu. Dans ce chapitre, nous ferons fréquemment référence à cette règle, appelée « rapprochement des produits et des charges ». (Pour plus d'explications à ce sujet, voir le chapitre 3.)

Il est donc nécessaire d'estimer le montant de la provision pour créances douteuses lors de la préparation de chaque bilan (au moins une fois, à la fin de l'exercice). Il faut ensuite l'inscrire en diminution du montant brut apparaissant au poste Débiteurs. De plus, on inscrira une charge à l'état des résultats sous le poste Créances douteuses (ou mauvaises créances).

**EXEMPLE :** Créance douteuse

À la fin de son premier exercice, le 31 décembre 20_6, Martex inc. affiche un montant à recevoir de 100 000 $ sur ses ventes à crédit. Elle estime que le risque de crédit sur cette somme correspond à un montant de 5 000 $.

Le solde du poste Débiteurs que l'entreprise présentera au bilan du 31 décembre 20_6 sera de 95 000 $ (100 000 $ – 5 000 $), et une charge de 5 000 $ pour créances douteuses sera inscrite à l'état des résultats.

Il existe deux grandes méthodes d'évaluation de la provision pour créances douteuses. L'entreprise peut choisir de faire une *analyse de la liste des comptes clients* à la fin de l'exercice, ou encore calculer un *pourcentage de créances à risque* (ou perte probable) sur les ventes à crédit. Dans les deux cas, le pourcentage retenu pour déterminer la provision est établi en tenant compte de l'historique en matière de recouvrement des créances, des conditions économiques et du jugement de l'analyste. L'exemple suivant permet d'illustrer le calcul de la provision selon les deux méthodes.

**EXEMPLE :** Évaluation de la provision pour créances douteuses au moyen de l'analyse de la liste des comptes clients

Liste des soldes des comptes clients de la société Calitor

| Nom | Courant | De 31 à 60 jours | De 61 à 90 jours | Plus de 90 jours | TOTAL |
|---|---|---|---|---|---|
| Entreprises Louise | 16 000 $ | 4 000 $ | | | 20 000 $ |
| Industries Claude | 10 000 | 5 000 | | | 15 000 $ |
| Placements Johanne | | 12 000 | 15 000 $ | | 27 000 $ |
| La Compagnie Jean-Guy | | | 15 000 | | 15 000 $ |
| La société ER | | | 8 000 | 20 000 $ | 28 000 $ |
| Entreprises PI | | | 3 000 | 13 000 | 16 000 $ |
| Total | 26 000 $ | 21 000 $ | 41 000 $ | 33 000 $ | **121 000 $** |
| Probabilité de non-recouvrement* | 2 % | 5 % | 15 % | 40 % | |
| Provision pour créances douteuses | 520 $ | 1 050 $ | 6 150 $ | 13 200 $ | **20 920 $** |

\* Les différents pourcentages sont établis en fonction de l'expérience passée, des conditions économiques et du jugement de l'analyste. Il serait également possible de procéder à cette analyse en examinant successivement chaque débiteur et en établissant une probabilité de non-recouvrement par client.

Total des comptes clients au 31 décembre 20_6 = 121 000 $
Total de la Provision pour créances douteuses = 520 $ + 1 050 $ + 6 150 $ + 13 200 $ = 20 920 $
Valeur de réalisation nette au 31 décembre 20_6 = 121 000 $ – 20 920 $ = 100 080 $

Dans le bilan de Calitor, le poste Comptes clients indiquera un montant de 100 080 $, et l'état des résultats présentera une charge de 20 920 $ au poste Créances douteuses.

**EXEMPLE :** Évaluation de la provision pour créances douteuses au moyen d'un pourcentage de perte probable sur les comptes clients

La société Miroir évalue ses créances douteuses en fonction de son expérience passée : la direction estime que la provision pour créances douteuses devrait correspondre à 5 % des ventes à crédit de l'exercice.

Les ventes à crédit de l'exercice 20_6 se sont élevées à 2 000 000 $.

La provision pour l'exercice 20_6 s'élève donc à 100 000 $ (2 000 000 $ × 5 %).

Le solde de la provision pour créances douteuses, avant l'ajustement de 20_6, était de 28 000 $.

Puisque le solde de la provision pour créances douteuses est déjà estimé à 28 000 $, il faut ajuster cette somme pour qu'elle totalise le montant estimé à la fin de l'exercice 20_6, soit 100 000 $.

La provision sera ajustée de 72 000 $ (la différence entre les 100 000 $ estimés et les 28 000 $ déjà inscrits), et une charge de créances douteuses de 72 000 $ sera inscrite à l'état des résultats.

### La gestion des créances

Plusieurs entreprises qui effectuent des ventes à crédit reçoivent l'argent de leurs débiteurs par la poste sous forme de chèques. Comme il a été discuté précédemment lors de notre étude de l'encaisse, certaines mesures de contrôle interne devraient être mises en place afin d'éviter les erreurs ou de réduire au minimum les risques de fraude. Dans un premier temps, il faut éviter que la personne chargée d'ouvrir le courrier inscrive les montants dans les registres comptables et s'occupe des dépôts à la banque. Autrement, cette personne pourrait profiter de l'occasion pour encaisser personnellement le chèque d'un client et effacer la créance des registres comptables. La direction de l'entreprise doit s'assurer qu'il y a séparation des fonctions dites « incompatibles », pour éviter qu'une personne contrôle une opération du début à la fin.

### D. LES STOCKS

Les stocks d'une entreprise sont des actifs corporels destinés à la revente ou utilisés pour produire les biens qui seront vendus. Les états financiers des entreprises commerciales et de fabrication présentent généralement un poste Stock puisqu'elles vendent des biens qui doivent d'abord être achetés ou fabriqués.

Les stocks constituent un élément déterminant dans la gestion financière d'une entreprise. Les gestionnaires investissent des sommes importantes pour acheter des marchandises destinées à la revente, car c'est avec ces marchandises qu'ils réaliseront des bénéfices. Ils doivent s'assurer d'un approvisionnement de bonne qualité, à un coût d'achat intéressant, et d'une rotation des stocks suffisante pour permettre le renouvellement des marchandises avant qu'elles ne tombent en désuétude.

Les stocks sont d'abord considérés comme un actif à court terme au moment de leur acquisition, puisqu'ils constituent un bien en attente d'être vendu. Quand le bien est vendu, on réduit le poste Stocks au bilan, et on inscrit une charge équivalente au poste Coût des marchandises vendues (CMV) à l'état des résultats. (Voir l'exemple simple ci-dessous.)

---

**EXEMPLE :** Vente d'un élément en stock

La société CAPLEX achète au coût de 100 $ un produit destiné à la vente. Une semaine plus tard, elle le vend 150 $.

| (1) BILAN | (2) ÉTAT DES RÉSULTATS | |
|---|---|---|
| **Achat de marchandises** | Ventes | 150 $ |
| Stocks 100 $ | Moins : CMV | − **100** |
| | Bénéfice brut | 50 $ |

| Au moment de l'achat | | À la vente | |
|---|---|---|---|
| ACTIF | | ACTIF | Charges |
| Encaisse | Stocks | Stocks | CMV |
| − 100 $ | + 100 $ | − 100 $ | + 100 $ |

En examinant le tableau ci-dessus, on observe que les marchandises destinées à la vente sont d'abord inscrites au bilan (1). Au moment de la vente, elles deviennent une charge inscrite à l'état des résultats (2), soit le coût des marchandises vendues (CMV), qui permet de dégager le bénéfice brut. À la fin de l'exercice, il importe de déterminer le montant des marchandises en stock de même que le coût total des marchandises vendues pendant l'exercice.

### La détermination du nombre d'articles en stock

Pour évaluer les stocks, il faut d'abord procéder au dénombrement physique des articles encore détenus par l'entreprise, de façon à déterminer la quantité de biens en stock à la fin de l'exercice. Ce dénombrement permet de valider les quantités inscrites dans les registres comptables et d'ajuster les soldes en cas de vols, de pertes ou de bris de marchandises. Il existe deux grandes méthodes de comptabilisation des stocks : la méthode de l'inventaire périodique et la méthode de l'inventaire permanent.

La *méthode de l'inventaire périodique* ne permet pas de tenir à jour l'inventaire des marchandises. Une entreprise qui utilise cette méthode ne connaît donc pas, en cours d'exercice, la quantité de marchandises qu'elle possède. Pour le savoir, elle doit toujours effectuer un dénombrement. En termes comptables, cela signifie que chaque achat de marchandises est inscrit au poste Achat de marchandises. Lors du dénombrement physique, on détermine 1) le stock à la fin (le nombre d'articles en stock multiplié par le coût d'achat) et, par conséquent, 2) le coût des marchandises vendues. Voici l'équation utilisée :

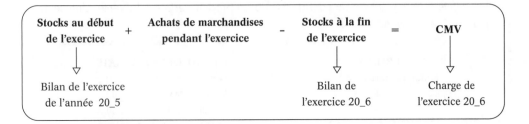

Selon cette méthode, le poste Stocks de marchandises figurant aux registres au cours d'un exercice représente toujours le solde des stocks au début de l'exercice (ou à la fin de l'exercice précédent). La charge correspondant au coût des marchandises vendues n'est connue qu'au moment du dénombrement physique. Bien que cette méthode demande peu d'enregistrements comptables, elle comporte de grandes lacunes du point de vue de la gestion des stocks. En effet, elle ne permet pas aux gestionnaires de prévoir les ruptures de stock ou les situations de surplus. La baisse du prix des systèmes d'information automatisés et les nouveaux logiciels de gestion des stocks en temps réel rendent la méthode de l'inventaire périodique moins attrayante pour les entreprises dont le volume des stocks est important et de nature variée.

Avec la *méthode de l'inventaire permanent*, l'information sur les articles en stock est constamment mise à jour. Chaque fois qu'une entreprise achète des marchandises destinées à la vente, le poste Stocks de marchandises (le nombre d'articles multiplié par le coût d'achat) augmente, et chaque fois que ces marchandises sont vendues, le poste Stocks de marchandises diminue, tandis que le poste CMV augmente du même montant.

De plus, les systèmes comptables informatisés peuvent produire automatiquement un bon de commande des articles dont la quantité en stock atteint un seuil critique, ce qui permet à l'entreprise d'éviter les ruptures de stock. En revanche, l'entreprise qui utilise la méthode de l'inventaire permanent pour comptabiliser ses stocks devra procéder à beaucoup plus d'enregistrements comptables au cours de l'exercice. Et à la fin de l'exercice, il faudra malgré tout effectuer un dénombrement physique des marchandises pour s'assurer que le solde inscrit correspond bien au solde réel, ce qui est rarement le cas, compte tenu des bris, des pertes et des vols.

### La détermination du coût des stocks

Une fois le dénombrement physique terminé, il faut déterminer le coût auquel les marchandises seront comptabilisées. Lors des achats de marchandises, il est plus que probable que le coût d'acquisition des différents articles ait varié d'une fois à l'autre. Par exemple, dans une pharmacie, les stocks d'analgésiques sont renouvelés fréquemment au cours d'une année, et ce, à des coûts d'acquisition différents. Dans ces circonstances, comment faire pour déterminer le coût des produits en magasin à la fin de l'exercice ?

Il existe quatre grandes méthodes comptables pour déterminer le coût des stocks :

1. la méthode du coût propre (coût d'achat réel) ;
2. la méthode du coût moyen ;
3. la méthode de l'épuisement successif (PEPS) ;
4. la méthode de l'épuisement à rebours (DEPS).

Une entreprise doit choisir la méthode d'évaluation qui reflète le mieux sa conception de l'évolution des coûts de ses marchandises. Lorsqu'elle a déterminé la méthode qui lui convient le mieux, elle doit la conserver d'un exercice à l'autre tant que les circonstances sont similaires. Par contre, quand une entreprise acquiert une autre entreprise qui utilisait une méthode différente, elle peut adopter l'une des deux méthodes pour l'ensemble des stocks.

À l'aide d'un exemple simple, analysons chacune des méthodes d'évaluation.

| Société Lévis | Nombre d'unités | Coût unitaire | Total |
|---|---|---|---|
| Stocks au début | 0 | 0 | 0 |
| Plus : Achats – 1$^{er}$ février | 2 | 3 $ | 6 $ |
| – 31 mai | 4 | 4 $ | 16 $ |
| – 15 septembre | 5 | 3 $ | 15 $ |
| – 30 novembre | 2 | 5 $ | 10 $ |
| Unités destinées à la vente | 13 | | 47 $ |
| Moins : Unités vendues en décembre | 10 | | |
| Unités en stock au 31 décembre (fin de l'exercice) | 3 | | |

1. *La méthode du coût propre.* Selon cette méthode, on attribue aux articles en stock et aux marchandises vendues leur coût d'achat réel. Cette méthode peut être utilisée lorsque les articles sont hétérogènes, de grande valeur ou peu nombreux (automobiles, bijoux, moteurs d'avion, etc.) ou qu'ils sont facilement identifiables par un numéro de série ou autrement.

   Dans notre exemple, nous observons qu'il reste trois unités en stock. Celles-ci doivent être rattachées à leur date d'achat. Supposons que deux des unités restantes ont été achetées le 15 septembre, et la troisième, le 30 novembre. Dans ce cas, le coût des stocks au 31 décembre est le suivant :

$$(2 \times 3 \ \$) + (1 \times 5 \ \$) = 11 \ \$$$

   Cette méthode est peu pratique pour l'entreprise qui vend un grand nombre de produits à des prix très variés. En pareil cas, il serait pratiquement impossible de repérer les produits qui ont été vendus. Théoriquement, avec cette méthode, le coût des articles en stock à la fin de l'exercice correspond au coût réel propre à chaque bien. Par ailleurs, cette méthode coûteuse ne s'applique que dans des circonstances très particulières.

2. *La méthode du coût moyen.* Selon cette méthode, on attribue à chaque article en stock (ou vendu) un coût moyen pondéré. Il existe différentes méthodes pour établir un coût moyen (moyenne simple, moyenne mobile, etc.).

$$\text{Coût unitaire moyen} = \frac{\text{Coût des articles destinés à la vente}}{\text{Nombre d'articles destinés à la vente}} = \frac{47 \ \$}{13 \ \text{unités}}$$

Ici, le coût total des articles destinés à la vente est de 47 $, et le nombre d'articles destinés à la vente est de 13 unités. Le coût unitaire moyen est de 3,62 $ l'unité. Dans ce cas, le coût des stocks au 31 décembre est le suivant :

$$3 \times 3,62 \ \$ = 10,86 \ \$$$

3. *La méthode de l'épuisement successif (PEPS).* Selon cette méthode, aussi appelée « méthode du premier entré, premier sorti » (PEPS), on attribue les coûts les plus récents aux articles en stock à la fin de l'exercice, en supposant que les articles les plus anciens ont été vendus en premier. On considère donc que le stock à la fin contient les plus récents achats de l'exercice, même si, dans les faits, on ne vend pas nécessairement les articles dans l'ordre où on les a achetés. C'est dire que l'on souhaite que le bilan reflète la valeur la plus récente.

Dans notre exemple, il reste trois unités à la fin de l'exercice, soit deux unités du lot acheté le 30 novembre à un prix unitaire de 5 $, et une unité du lot acheté le 15 septembre à un prix de 3 $. Dans ce cas, le coût des stocks au 31 décembre est le suivant :

$$(2 \times 5 \ \$) + (1 \times 3 \ \$) = 13 \ \$$$

4. *La méthode de l'épuisement à rebours (DEPS).* Cette méthode, aussi appelée « méthode du dernier entré, premier sorti » (DEPS), permet d'attribuer aux stocks à la fin de l'exercice les coûts les plus anciens. Elle repose sur l'hypothèse que l'entreprise renouvelle son stock de marchandises afin de satisfaire la demande des clients tout en conservant un certain nombre d'articles en magasin (les plus anciens). C'est dire que l'on souhaite que l'état des résultats reflète la valeur la plus récente.

Dans notre exemple, il reste trois unités à la fin de l'exercice, soit deux unités du lot acheté le 1$^{er}$ février au prix unitaire de 3 $ et une unité du lot acheté le 31 mai au prix de 4 $. Dans ce cas, le coût des stocks au 31 décembre est le suivant :

$$(2 \times 3 \ \$) + (1 \times 4 \ \$) = 10 \ \$$$

Après avoir appliqué les quatre méthodes d'évaluation du coût des stocks à notre exemple, on remarque que le montant comptabilisé au poste Stocks au bilan dépend de la méthode choisie. Par ailleurs, ces méthodes permettent d'établir le coût des marchandises vendues qui figurera à l'état des résultats. Le choix de la méthode est important, puisque la valeur obtenue influera directement sur le bénéfice de l'exercice. Le choix de la méthode ne doit pas être fondé sur la chronologie du mouvement des marchandises, mais plutôt sur la conception que l'entreprise se fait du cheminement des coûts de ses marchandises. Au Canada, la méthode de l'épuisement à rebours (DEPS) compte moins de défenseurs, parce que les autorités fiscales ne la reconnaissent pas. (Cela n'empêche pas son utilisation pour la préparation des états financiers, mais il faut procéder à un ajustement à des fins fiscales). Comme les entreprises ont le choix de la méthode à utiliser, elles doivent indiquer celle qu'elles ont retenu par voie de note aux états financiers.

### La valeur marchande des stocks

L'évaluation des stocks se fait au moindre du coût et de la valeur du marché. On doit donc constater une perte dès qu'elle est probable et qu'elle peut faire l'objet d'une estimation raisonnable. Si, pour une raison ou une autre (mode, concurrence, récession, etc.), la valeur des stocks tombe sous le coût d'acquisition, il faut la diminuer pour refléter cette perte. On présume que si la valeur du marché est inférieure au coût, on ne pourra vendre l'article à un prix supérieur à la valeur du marché en question. La perte doit être imputée aux résultats de l'exercice au cours duquel elle survient. Les termes « valeur du marché » ou « valeur marchande » sont vagues et il serait souhaitable de les remplacer par des expressions plus précises. Au Canada, les expressions « coût de remplacement » et « valeur de réalisation nette » servent habituellement à désigner la valeur du marché.

Le coût de remplacement se définit comme le montant que l'entreprise devrait débourser pour acquérir un bien semblable aujourd'hui. Il s'agit donc d'une valeur obtenue à partir des prix du marché sur lequel l'entreprise achète ses marchandises. Quant à la valeur de réalisation nette, elle représente le prix de vente prévu dans le cours normal des affaires moins les frais directs d'achèvement et de mise en vente. Il s'agit donc d'une valeur obtenue d'après les prix ayant cours sur le marché sur lequel l'entreprise vend ses marchandises. Cette valeur repose sur le fait qu'aucune dépréciation n'est nécessaire si les stocks peuvent être vendus à un prix couvrant à la fois les coûts et un certain bénéfice. C'est la méthode la plus fréquemment utilisée dans le cas des produits finis et des produits en cours.

Dans les états financiers de Mega Bloks, il faut se reporter à la note complémentaire 2, intitulée « Principales conventions comptables », pour connaître la méthode d'évaluation du coût des stocks de marchandises et le sens précis attribué au terme « valeur marchande ».

**MEGA BLOKS INC.**
**NOTES COMPLÉMENTAIRES**
des exercices terminés les 31 décembre 2005 et 2004
(les chiffres dans les tableaux sont en milliers de dollars américains, sauf les données sur les actions)

**2. Principales conventions comptables (extrait)**

*Stocks*

Les stocks sont évalués au moindre du coût et de la valeur de marché. Le coût est déterminé selon la méthode du premier entré, premier sorti. La valeur de marché est définie comme le coût de remplacement pour les matières premières et la valeur de réalisation nette pour les produits en cours et les produits finis.

On notera que le bénéfice varie dans le même sens que le stock de la fin (pour une même quantité de stock à une valeur différente), et en sens inverse du stock du début.

Pour compléter cette brève analyse du poste Stocks de marchandises, mentionnons que dans l'entreprise commerciale, qui vend un bien à l'état fini, le seul stock présenté au bilan est le stock de marchandises. Par contre, dans les entreprises de fabrication, il arrive que le bilan présente d'autres catégories de stocks. C'est notamment le cas chez Mega Bloks dont le bilan présente trois grandes catégories de stocks, comme le précise la note complémentaire « 3. Stocks », à savoir :

■ Le stock de « matières premières », qui inclut les matières premières et les matériaux à l'état brut entrant dans la fabrication des produits qui seront destinés à la vente.

■ Le stock de « produits en cours », qui renferme les produits en cours de fabrication que l'entreprise industrielle possède à la fin de l'exercice. Par exemple, dans le cas d'une entreprise qui fabrique des jouets, il peut s'agir de jouets inachevés.

■ Le stock de « produits finis », qui regroupe les marchandises terminées et prêtes à être vendues à la fin de l'exercice.

**MEGA BLOKS INC.**
**NOTES COMPLÉMENTAIRES**
des exercices terminés les 31 décembre 2005 et 2004
(les chiffres dans les tableaux sont en milliers de dollars américains, sauf les données sur les actions)

3. **Stocks**

|  | 2005 $ | 2004 $ |
|---|---|---|
| Matières premières | 18 333 | 1 797 |
| Produits en cours | 12 648 | 6 368 |
| Produits finis | 51 299 | 17 960 |
|  | **82 280** | 26 125 |

Finalement, l'entreprise de services qui ne vend pas de biens physiquement identifiables peut classer le coût de ses services inachevés en fin d'exercice dans une catégorie de stocks incorporels :

■ Les « travaux en cours » représentent la valeur des services dont la prestation n'est pas complètement terminée à la fin de l'exercice.

Un raisonnement analogue s'applique aux entreprises qui réalisent des contrats, comme c'est le cas dans le domaine de la construction. (Voir également le chapitre 3 à ce sujet.)

**E. LES CHARGES PAYÉES D'AVANCE**

Le poste Charges payées d'avance (ou Frais payés d'avance, ou encore Services à recevoir), regroupe les montants qu'a versés l'entreprise en vue d'obtenir des services futurs, comme la prime d'assurance payée pour l'exercice suivant la date du bilan ou les sommes déboursées à la signature d'un contrat d'entretien visant une période ultérieure à la date du bilan. On appelle également ce poste Frais imputables au prochain exercice. Lorsque l'entreprise recevra ou consommera le service comptabilisé au bilan, elle l'éliminera du bilan et le passera en charges à l'état des résultats.

Dans le bilan de Mega Bloks, le poste Frais payés d'avance indique un montant de 8 324 $ (en milliers de dollars). Mega Bloks a donc déboursé environ 8 millions de dollars pour des services non consommés à la date du bilan, soit le 31 décembre 2005. Au cours du prochain exercice, lorsque l'entreprise consommera ou utilisera ces services pour fabriquer des produits, elles les éliminera du bilan et les passera en charges à l'état des résultats pour réaliser un meilleur rapprochement des produits et des charges.

## F. LES INSTRUMENTS FINANCIERS DÉRIVÉS

Un instrument financier dérivé est un instrument financier dont la valeur fluctue en fonction d'un référentiel, tel que le prix d'un titre, le prix d'une marchandise, un taux d'intérêt ou un taux de change. Il existe de nombreux instruments dérivés dont les dérivés de base sont les options, les contrats à terme et les swaps.

Une option consiste en un droit d'effectuer, sans y être obligé, une opération comme l'achat ou la vente d'un bien, à un prix prédéterminé et avant une date donnée. Prenons l'exemple d'une entreprise qui utilise du blé comme matière première pour fabriquer des préparations à base de flocons de céréales. Compte tenu de l'instabilité du prix de ce produit indispensable, l'entreprise décide de prendre une option, négociable sur un marché organisé et appelée option standardisée, en vue de l'achat d'un volume prédéterminé de blé à un prix établi à l'avance, disons 150 $, avant une date donnée. Si le prix du blé dépasse 150 $, c'est-à-dire le prix convenu, la société aura avantage à se prévaloir de l'entente et à payer son blé 150 $ plutôt qu'un prix plus élevé. Par contre si le prix du blé est inférieur à 150 $, la société paiera son blé au prix du marché et l'option standardisée qu'elle avait prise ne lui rapportera aucun avantage.

Un contrat à terme boursier se distingue de l'option standardisée en ce qu'il oblige d'effectuer l'opération faisant l'objet du contrat. Ainsi, dans l'exemple précédent, la société serait obligée de payer 150 $, quelle que soit la valeur du marché du blé. Même si le prix du blé est de 140 $, la société devra payer 150 $ puisque c'est le prix convenu dans le contrat d'achat boursier. Elle subira donc une perte de 10 $.

Un swap consiste en une opération en vertu de laquelle deux parties conviennent d'échanger des flux monétaires selon des modalités prédéterminées. Par exemple, une société A, qui a une dette sur laquelle elle s'est engagée à payer un taux d'intérêt fixe de 8 %, pourrait vouloir échanger son paiement d'intérêt fixe de 8 % avec une autre société B qui, elle, a une dette sur laquelle elle paie un intérêt correspondant au taux de base du Canada plus 1 %. Les deux sociétés demeurent responsables de leurs dettes respectives. Cependant, si ce taux de base se situe à 6 %, la société A tirera un avantage du contrat de swap qu'elle a passé puisqu'elle paiera 7 % (6 % + 1 %) au lieu de 8 %. De son côté, la société B se trouvera désavantagée puisqu'elle devra payer 8 % plutôt que 7 %, comme le stipulait initialement son contrat d'emprunt.

La comptabilisation de tous les instruments dérivés doit se faire à la juste valeur, sans tenir compte de leur nature et de leurs objectifs. La valeur à la cote d'un titre sur un marché actif constitue la juste valeur. Lorsque l'instrument financier ne se négocie pas sur un marché actif, on estime la juste valeur à partir de modèles financiers qui peuvent devenir très complexes. Les variations de valeur paraissent alors au résultat net, s'apparentant ainsi aux placements détenus à des fins de transaction.

Soulignons que certains instruments dérivés sont parfois qualifiés d'instruments de couverture. Cette expression se rapporte aux entreprises qui achètent des instruments financiers dérivés pour réduire ou compenser les risques financiers auxquels elles sont exposées. Les instruments financiers dérivés sont également présentés à leur juste valeur. Les variations de celle-ci paraissent au résultat net, sauf s'il s'agit d'un risque particulier concernant les flux de trésorerie, auquel cas elles paraissent au résultat étendu.

Ces normes de comptabilisation des instruments financiers dérivés entrent en vigueur pour les exercices ouverts à compter du 1er octobre 2006. C'est pourquoi les états financiers de Mega Blocks inc. présentés en annexe ne reflètent pas cette façon de faire.

Toutefois, voici le sens à donner à la note 13 à propos des instruments financiers dérivés de Mega Blocks :

■ Mega Bloks inc. réalise ses ventes en dollars canadiens et américains, en euros, en livres sterling et en pesos mexicains. Puisque Mega Bloks inc. a choisi de préparer ses états financiers en dollars américains, cela signifie, du point de vue de la comptabilité, qu'elle effectue des opérations qui génèrent des devises étrangères, comme le dollar canadien, l'euro et la livre sterling. Au 31 décembre 2005, Mega Bloks inc. détient des contrats à terme sur devises (contrat de change) en vertu desquels elle s'engage à vendre en décembre 2006 des devises étrangères à des taux fixés à l'avance.

■ Ces instruments dérivés permettent à Mega Bloks de fixer à l'avance le taux de conversion des devises qu'elle obtiendra au mois de décembre 2006. Par exemple, le contrat de vente de devises américaines en dollars canadiens obligera Mega Bloks à vendre 7 250 000 $ US au taux de 1,2439 $ CA. Par suite de la récente baisse du taux de change des dollars américains en dollars canadiens, ce contrat à terme s'est apprécié de 534 000 $ US. Autrement dit, si Mega Bloks avait vendu ses dollars américains à la date des états financiers selon les termes de son contrat de change, elle aurait réalisé un gain de 534 000 $ US. Si la tendance se maintient, Mega Bloks inc. pourra échanger ses dollars américains en dollars canadiens à un taux plus avantageux que le taux courant à l'échéance. En fait, comme on peut le constater à la note 13 des états financiers, tous les contrats de change détenus par Mega Bloks inc. au 31 décembre 2005 sont favorables à la société.

■ Mega Bloks inc. gère le risque lié au taux d'intérêt en se livrant à des opérations de swap. Toujours à la note 13, on peut lire que Mega Bloks inc. détient des swaps de taux d'intérêt fixe-variable qui ont une valeur de 1 050 000 $ US. En vertu de l'entente, Mega Bloks inc. versera un taux fixe d'intérêt de 4,66325 %, calculé sur un montant nominal de 150 000 000 $ US jusqu'en juillet 2012. En contrepartie, elle recevra des intérêts variables qui suivront les fluctuations des marchés financiers. Périodiquement, l'écart entre ces taux devra être versé (ou encaissé) par les parties au contrat. La valeur positive du contrat de swap indique que les échanges d'intérêt anticipés jusqu'à l'échéance du swap sont favorables à Mega Bloks inc.

En somme, à compter des exercices ouverts à partir du 1er octobre 2006, le lecteur des états financiers interprétera de la manière suivante les postes des états financiers :

■ Postes du bilan

  ▮ Actif – *Instruments financiers dérivés* (instruments financiers évalués à la juste valeur et représentant un avantage financier potentiel).

  ▮ Passif – *Instruments financiers dérivés* (instruments financiers évalués à la juste valeur et représentant un désavantage financier potentiel).

■ Résultat net et résultat étendu

  ▮ Les variations des justes valeurs de tous les instruments financiers dérivés sont comprises dans le *résultat net…*

  ▮ … sauf si les instruments financiers sont reliés à la couverture d'un risque particulier concernant les flux de trésorerie, auquel cas ces variations sont présentées au *résultat étendu.*

## 2.5.3 L'actif à long terme

Les éléments d'actif à long terme sont classés selon leur nature. On y distingue les placements à long terme, les immobilisations corporelles, les actifs incorporels et l'écart d'acquisition ainsi que les autres actifs.

### A. LES PLACEMENTS À LONG TERME

Les placements à long terme désignent des actifs acquis dont l'entreprise détentrice n'a pas l'intention de se départir dans les 12 prochains mois. Ces placements sont généralement classés en trois grandes catégories :

■ Les placements en actions et en obligations, détenus dans le but de dégager un bénéfice ou de générer des revenus de placements durant plusieurs années.

■ Les placements en actions, qui sont obtenus avec l'intention de créer une relation d'affaires avec l'entreprise acquise.

■ Les autres types de placements, par exemple des placements dans des œuvres d'art, des terrains, etc.

Comme on l'a vu à la section « Les placements à court terme » (page 49), la direction de l'entreprise doit décider au moment de l'acquisition quelle est son intention à l'égard de ces placements. Ainsi, un placement désigné comme un **Placement disponible à la vente** sera comptabilisé à sa juste valeur à l'acquisition et les variations de la juste valeur feront fluctuer le placement. De plus, pour respecter l'identité fondamentale, il faudra créer un poste particulier au résultat étendu, que l'on intitulera, par exemple, Pertes ou gains latents sur placements à long terme disponibles à la vente. Le montant du poste augmentera en cas de hausse de la juste valeur et diminuera en cas de baisse de la juste valeur.

---

**EXEMPLE :** Inscription de la valeur marchande des placements

La société Hexagone a investi dans des actions de la société Technologies IMB pour un montant de 40 000 $. Hexagone n'a pas fait cet investissement dans l'intention d'établir des relations d'affaires avec Technologies IMB, mais plutôt d'obtenir un rendement sur son investissement d'ici deux à trois ans. À la fin de l'exercice de Hexagone, le 31 décembre 20_6, la valeur du marché de ce placement est de 44 000 $.

À la date du bilan, le 31 décembre 2006, Hexagone devra augmenter son poste **Placement disponible à la vente** de l'actif à long terme de 4 000 $ pour présenter son placement à sa valeur marchande de 44 000 $. Elle devra en outre inscrire la plus-value de 4 000 $ au **résultat étendu** sous le poste Gain latent sur placement disponible à la vente.

Par contre, si la valeur marchande du placement avait été de 35 000 $ à la date du bilan, Hexagone aurait présenté son placement à 35 000 $ au bilan et, dans le **résultat étendu,** le poste Perte latente sur placement disponible ferait état d'un montant de 5 000 $.

---

Les placements qui sont achetés avec l'intention de créer une relation d'affaires ne sont pas considérés comme des placements disponibles à la vente. C'est pourquoi, lors de l'achat, il faut les comptabiliser au coût d'acquisition. Par la suite, en fonction du lien qui unit les entités, on doit choisir entre les diverses méthodes de comptabilisation acceptables, qui font partie des normes comptables généralement reconnues. La société peut acheter en vue de faire un placement : 1) dans une filiale ; 2) une coentreprise ; 3) un satellite. Examinons brièvement chacun des types de placements (qui sont par ailleurs décrits en détail à l'annexe 2-1).

- L'expression **placement dans des filiales** signifie que ces entités sont contrôlées par une entreprise que l'on appelle la société mère. Dans les états financiers de la société mère, les filiales sont incluses dans tous les postes des états financiers et font partie intégrante du groupe consolidé[3].

- Dans le cas d'un **placement dans des coentreprises**, le contrôle appartient à plusieurs coentrepreneurs. Le contrôle est conjoint et les états financiers des coentreprises sont consolidés proportionnellement aux investissements respectifs qu'elles ont effectués.

- Le terme **placement dans les satellites** indique que la société qui acquiert une autre entité détient un bloc important d'actions (habituellement entre 20 % et 50 %), mais sans dépasser 50 %. On parle alors d'influence notable. Dans ce cas, la société acquéreuse comptabilise le placement à la valeur de consolidation. (Cette méthode est expliquée à l'annexe 2-1.)

Précisons qu'une société en contrôle une autre lorsqu'elle a le pouvoir d'en définir, de manière durable et sans le concours de tiers, les politiques stratégiques en matière d'exploitation, d'investissement et de financement. Elle a ainsi le droit et la capacité d'en retirer des avantages économiques futurs et assume les risques s'y rattachant[4].

Dans les états financiers de Mega Bloks, la note complémentaire 2, dont un extrait suit, révèle, sous le titre **Principes de consolidation,** que les états financiers présentés sont consolidés et qu'ils comprennent *les comptes de la société et ceux de ses filiales en propriété exclusive.* (Voir l'annexe 2-1 pour les détails concernant la comptabilisation des placements à long terme.)

**MEGA BLOKS INC.**
**NOTES COMPLÉMENTAIRES**
des exercices terminés les 31 décembre 2005 et 2004
(les chiffres dans les tableaux sont en milliers de dollars américains, sauf les données sur les actions)

2.   **Principales conventions comptables (extrait)**

*Principes de consolidation*

Les états financiers consolidés comprennent les comptes de la Société et ceux de ses filiales en propriété exclusive, à compter de la date d'acquisition. Toutes les opérations et tous les soldes intersociétés importants ont été éliminés.

---

3.  Le principe de consolidation est plus amplement expliqué à l'annexe 2-1, à la section A.4.

4.  Institut canadien des comptables agréés, *Manuel de l'ICCA,* chapitre 1590. 03, Toronto, ICCA.

Finalement, les autres types de placements à long terme énumérés au début de cette section (placements dans des œuvres d'art, des terrains, par exemple) sont comptabilisés au coût d'acquisition, et seule une baisse durable de valeur est comptabilisée dans le bilan et à l'état des résultats.

### B. LES IMMOBILISATIONS CORPORELLES

Les immobilisations corporelles se composent de tous les biens matériels qui ont une existence physique, qui ont fait l'objet d'un investissement et qui sont nécessaires à l'exploitation à long terme. Appelées aussi « biens corporels », ces immobilisations comprennent les éléments suivants :

- les terrains et les bâtiments où sont situées les installations : bureaux, entrepôt, usine, stationnement, etc. ;

- les véhicules motorisés (matériel roulant) ;

- le mobilier, les machines et le matériel utilisés pour l'administration, la vente, la fabrication, etc. ;

- le matériel informatique, tels les ordinateurs, les logiciels, les serveurs, etc. ;

- les outils employés pour l'entretien et la réparation des immobilisations ou pour leur fabrication ;

- les aménagements ou « améliorations locatives » effectués par l'entreprise dans le but d'améliorer des locaux situés dans un bâtiment dont elle n'est pas propriétaire, et qui demeureront en place à la fin du bail ;

- les biens loués en vertu de contrats de location-acquisition (voir l'annexe 2-1, sous-section A.1.1) ;

- les biens sujets à épuisement que sont les ressources naturelles (forêts, gisements miniers ou pétrolifères, etc.).

Il est impossible d'établir une liste exhaustive des immobilisations puisque le type d'immobilisations que possède une entreprise dépend de la nature de ses activités. Il importe de comprendre que le bien est classé en fonction de son utilisation par l'entreprise. Par exemple, un ordinateur fera partie des stocks de marchandises dans une entreprise dont l'objectif commercial est de vendre du matériel informatique, alors qu'il sera considéré comme une immobilisation s'il sert à la saisie de données administratives dans une entreprise qui vend des vêtements pour dames.

Les immobilisations sont comptabilisées au bilan, au coût d'acquisition, par grandes catégories. Ce coût comprend le coût d'achat et tous les frais engagés jusqu'à l'utilisation initiale. Dans le cas des biens immobilisés à durée de vie limitée (ce qui est le cas de tous les biens énumérés précédemment, à l'exception des terrains, dont la durée de vie est illimitée lorsque le sol du terrain n'est pas exploité), il faut répartir le coût de chaque bien inscrit au bilan durant les exercices au cours desquels le bien servira à générer des produits. Cette répartition comptable du coût d'un actif dans le temps est appelée « amortissement ». L'amortissement des immobilisations découle de la règle comptable du rapprochement des produits et des charges, qui stipule qu'il faut comptabiliser toutes les charges ayant permis de générer des produits.

### L'amortissement et l'amortissement cumulé

Il existe plusieurs méthodes d'amortissement des immobilisations corporelles. La méthode choisie doit refléter la façon dont l'entreprise utilise l'actif pour générer des produits. Lorsqu'une entreprise choisit d'amortir une catégorie d'actifs selon une méthode donnée, elle ne peut la changer tant que les circonstances entourant l'utilisation de l'actif demeurent les mêmes.

Il importe de noter que le choix de la méthode influe sur la détermination du bénéfice net. En effet, pour un actif de même nature, acquis au même coût et au même moment, deux entreprises peuvent choisir des méthodes ou des périodes d'amortissement différentes et, conséquemment, inscrire une charge différente à l'état des résultats.

L'amortissement (ou « dotation à l'amortissement ») représente la charge annuelle à inscrire à l'état des résultats pour refléter la portion du coût de l'actif utilisée pendant l'exercice pour générer des produits.

L'« amortissement cumulé » est présenté au bilan en diminution du poste d'actif correspondant. Le solde de chaque catégorie d'immobilisations est donc présenté au bilan au montant net, soit le coût moins l'amortissement cumulé.

Prenons un exemple simple pour illustrer le principe de l'amortissement, d'abord selon la *méthode de l'amortissement linéaire*.

**EXEMPLE :** Charge d'amortissement selon la méthode
de l'amortissement linéaire

Le 1er janvier 20_6, Carrousel inc. a acheté un camion au coût de 60 000 $ pour le transport de ses marchandises. Le directeur estime que ce camion sera utilisé pendant les quatre prochaines années, et qu'à l'issue de cette période sa valeur résiduelle sera de 4 000 $.

À la fin de l'exercice, le 31 décembre 20_6, le calcul de l'amortissement selon la méthode de l'amortissement linéaire consiste à répartir le coût uniformément dans le temps en tenant compte de la valeur résiduelle, qui n'a pas à être amortie. Le calcul est le suivant :

$$\text{Charge d'amortissement annuelle} = \frac{\text{Coût} - \text{Valeur résiduelle}}{\text{Durée de vie}} = \frac{60\,000\,\$ - 4\,000\,\$}{4\,\text{ans}} = 14\,000\,\$$$

**Présentation au bilan**

Au 31 décembre 20_6, la valeur comptable du camion sera inscrite au bilan dans la catégorie « Matériel roulant » et présentée comme suit :

| | |
|---|---|
| Matériel roulant | 60 000 $ |
| Moins : Amortissement cumulé | (14 000) |
| Valeur comptable | 46 000 $ |

À l'état des résultats, on inscrira au poste Amortissement – Matériel roulant une charge de 14 000 $.

Le calcul de l'amortissement s'effectue en tenant compte des mois d'utilisation de l'actif au cours d'un exercice donné. Par exemple, si le camion de la Société Carrousel avait été acheté le 1er octobre 20_6, le calcul de l'amortissement aurait été le suivant :

$$\frac{(60\,000\,\$ - 4\,000\,\$)}{4\,\text{ans}} = 14\,000\,\$ \times \frac{3\,\text{mois}}{12\,\text{mois}} = 3\,500\,\$$$

Voyons maintenant comment Carrousel inc. présentera le matériel roulant dans son bilan à la fin du deuxième exercice pendant lequel le camion a été utilisé.

**EXEMPLE (suite) :** Présentation au bilan de l'amortissement
cumulé

Au 31 décembre 20_7, c'est-à-dire à la fin du deuxième exercice, l'amortissement cumulé égale 28 000 $ (14 000 $ × 2 ans). La valeur comptable du camion sera classée dans la catégorie « Matériel roulant » du bilan et présentée comme suit :

| | |
|---|---|
| Matériel roulant | 60 000 $ |
| Moins : Amortissement cumulé | (28 000) |
| Valeur comptable | 32 000 $ |

À l'état des résultats, on inscrira au poste Amortissement – Matériel roulant une charge de 14 000 $.

Le bilan reflète le coût non amorti après le deuxième exercice, alors que le montant de la dotation à l'amortissement figurant à l'état des résultats est le même d'un exercice à l'autre, le coût de l'actif étant ici réparti linéairement dans le temps.

Illustrons maintenant le principe de l'amortissement selon la *méthode de l'amortissement dégressif à taux constant*.

**EXEMPLE :** Charge d'amortissement selon la méthode de
l'amortissement dégressif à taux constant

Karufel inc. achète un camion au coût de 60 000 $ le 1$^{er}$ janvier 20_6. La société choisit l'amortissement dégressif à taux constant de 30 %. Au 31 décembre 20_6, le calcul est le suivant :

$$\frac{\text{Charge d'amortissement}}{\text{annuel}} = \frac{\text{Valeur comptable}}{\text{(ou coût non amorti)}} \times \text{Taux constant} = 60\ 000\ \$ \times 30\ \% = 18\ 000\ \$$$

Au 31 décembre 20_7, le calcul de la charge d'amortissement pour la deuxième année sera le suivant :

$$(60\ 000\ \$ - 18\ 000\ \$) \times 30\ \% = 12\ 600\ \$$$

Le tableau 2-6 montre bien que la méthode de l'amortissement dégressif à taux constant implique que le potentiel d'utilisation de l'actif immobilisé est plus élevé au cours de ses premières années et, par conséquent, que la dotation à l'amortissement diminue avec le temps.

**TABLEAU 2-6** • Comparaison de l'amortissement selon les méthodes linéaire et dégressive à taux constant

| Entreprises | Coût de l'actif | Méthode de l'amortissement | Charge d'amortissement à l'état des résultats Exercice 1 | Charge d'amortissement à l'état des résultats Exercice 2 |
|---|---|---|---|---|
| Carrousel | 60 000 $ | Linéaire | 14 000 $ | 14 000 $ |
| Karufel | 60 000 $ | Dégressif à taux constant | 18 000 $ | 12 600 $ |

**Les dépenses en capital et les dépenses d'exploitation**

Les entreprises renouvellent constamment leur parc d'immobilisations afin de maintenir constante leur cadence de production. Pour les entreprises en expansion, il est courant de constater une augmentation du coût des actifs immobilisés d'un exercice à l'autre. Au moment de l'acquisition de nouveaux actifs ou de la réparation des immobilisations en place, le gestionnaire doit exercer son jugement pour savoir si les acquisitions sont capitalisables, c'est-à-dire s'il s'agit de « dépenses en capital » (aussi appelées « dépenses en immobilisations ») ou plutôt de dépenses d'exploitation.

Une dépense en capital est une dépense portée en augmentation de l'actif visé, puisqu'elle vient augmenter la durée de vie de l'actif ou sa productivité. Une fois portée en augmentation de l'actif, on l'appelle « dépense capitalisée » ou encore « dépense immobilisée », et elle servira à générer des revenus au cours de plusieurs exercices. Elle affectera la base du calcul de l'amortissement.

Une dépense d'exploitation liée aux immobilisations n'augmente en rien la durée de vie d'un actif; il s'agit plutôt de le réparer ou de le rendre conforme à des normes. En ce sens, la dépense d'exploitation est traitée comme toutes les charges d'exploitation et entièrement imputée aux résultats.

Les gestionnaires ont beaucoup de latitude pour choisir entre une dépense en capital et une dépense d'exploitation. Le gestionnaire désireux d'afficher un bénéfice élevé à court terme sera fortement tenté de capitaliser ses dépenses en immobilisations. Au contraire, s'il souhaite réduire ses impôts sur les bénéfices, il cherchera à inscrire le plus de dépenses d'exploitation possible. Il est du devoir des vérificateurs de s'assurer que la substance de ces opérations est respectée. Ainsi, dans certaines sociétés, on adopte des règles internes qui précisent les critères à respecter pour capitaliser une dépense.

Dans les états financiers de Mega Bloks, pour l'exercice terminé le 31 décembre 2005, les immobilisations sont présentées au bilan au montant net (coût moins amortissement cumulé) de 39 351 $ (en milliers de dollars). Pour connaître les détails quant aux règles d'amortissement des immobilisations, il faut se reporter à la note complémentaire 2 reproduite ci-dessous. De plus, le bilan renvoie à la note complémentaire 4 (voir l'annexe 2-2), qui présente le détail des immobilisations par catégorie. La première colonne présente le coût d'acquisition, duquel est soustrait l'amortissement cumulé depuis l'achat des biens immobilisés. La colonne de la valeur nette (coût non amorti) présente le solde de chaque catégorie d'immobilisations, après l'amortissement cumulé.

**MEGA BLOKS INC.**
**NOTES COMPLÉMENTAIRES**
des exercices terminés les 31 décembre 2005 et 2004
(les chiffres dans les tableaux sont en milliers de dollars américains, sauf les données sur les actions)

**2.   Principales conventions comptables (suite) (extrait)**

*Immobilisations*

Les immobilisations sont comptabilisées au coût et amorties en fonction de la méthode linéaire sur la période correspondant au moindre de la durée de vie utile prévue des actifs ou de la durée des contrats de location selon les durées suivantes :

| | |
|---|---|
| Bâtiments | 25 ans |
| Machinerie et équipement | 3 à 15 ans |
| Matériel informatique | 3 à 5 ans |
| Améliorations locatives | sur la durée des baux |

Notons que, lorsqu'une entreprise détient des actifs immobilisés dans le but de les revendre à profit, ces actifs constituent des placements. Ils doivent donc être classés dans l'actif à court terme ou parmi les placements à long terme (par exemple un terrain), selon que la période de détention prévue est plus ou moins longue. Ils n'ont pas à être amortis, car ils ne sont pas utilisés dans le cadre de l'exploitation.

## C. LES ACTIFS INCORPORELS ET L'ÉCART D'ACQUISITION

Un actif incorporel se définit comme un bien qui n'a pas d'existence physique, qui est nécessaire au bon fonctionnement de l'entreprise et qui procure à cette dernière des avantages échelonnés dans le temps. L'écart d'acquisition est un autre élément incorporel créé lorsqu'une entreprise en acquiert une autre. L'écart d'acquisition inscrit dans les registres de l'acquéreur représente l'excédent du coût de l'entreprise acquise sur le montant net des valeurs attribuées à l'actif acquis et au passif pris en charge. Certains actifs incorporels ont une durée de vie limitée, tandis que d'autres semblent avoir une durée de vie indéfinie ou indéterminée. Des règles comptables différentes s'appliquent, selon que la durée de vie est limitée ou indéterminée.

### Les actifs incorporels à durée de vie limitée

Les actifs incorporels à durée de vie limitée comprennent notamment les brevets d'invention, certains droits d'auteur, les marques de commerce, certaines franchises, les dessins industriels, les listes de clients. Ce type d'actifs doit être amorti. Il faut donc en répartir le coût d'acquisition sur leur durée de vie utile pour générer des revenus. La valeur résiduelle d'une immobilisation incorporelle est généralement nulle, puisqu'il est difficile d'en estimer le prix de cession. Pour pouvoir attribuer une valeur résiduelle à une immobilisation incorporelle, il faut que cette immobilisation soit utile à une autre entreprise et qu'un tiers se soit engagé à l'acquérir, ou encore il doit exister un marché pour l'immobilisation incorporelle en question. Étant donné la grande part d'incertitude inhérente aux avantages futurs qu'on peut retirer d'un actif incorporel, il est nécessaire de réexaminer annuellement la méthode d'amortissement et l'estimation de la durée de vie utile d'un actif incorporel. Comme dans le cas des immobilisations corporelles, nous retrouverons dans le bilan le coût des immobilisations incorporelles, déduction faite de l'amortissement cumulé.

### Les actifs incorporels à durée de vie indéfinie

La durée de vie utile d'un actif incorporel est considérée comme indéfinie lorsqu'il n'existe aucun facteur de nature légale, réglementaire, contractuelle, concurrentielle, économique ou d'autre nature susceptible de la réduire. Toutefois, cela ne signifie pas pour autant que cette durée de vie est « infinie ». Parmi les immobilisations incorporelles à durée de vie indéfinie, on peut mentionner certains types de marques de commerce, de licences de radiodiffusion, de franchises, de droits d'exploitation de corridors aériens, de droits d'auteur, etc.

Une entreprise ne peut amortir le coût d'acquisition d'une immobilisation incorporelle dont la durée de vie semble illimitée (indéfinie) tant et aussi longtemps que sa durée de vie n'est pas considérée comme limitée. L'entreprise doit réévaluer annuellement la durée de vie estimative de l'immobilisation incorporelle et faire un test de dépréciation visant à en constater la baisse de valeur, le cas échéant.

L'entreprise doit soumettre toutes ses immobilisations incorporelles non amortissables à un test de dépréciation. Le test doit être effectué une fois par année, ou plus souvent si des événements ou des changements de situation indiquent qu'une immobilisation incorporelle non amortissable pourrait avoir subi une dépréciation. Lors de ce test, il faut déterminer la juste valeur de l'immobilisation incorporelle non amortissable et la comparer avec sa valeur comptable. Si la valeur comptable excède la juste valeur, la réduction de valeur doit être constatée dans l'état des résultats de l'exercice en cours.

L'*écart d'acquisition* est un actif incorporel non identifiable, c'est-à-dire qui ne peut être acheté ni vendu indépendamment de l'entreprise. Cet actif incorporel représente l'excédent du prix payé pour acquérir une entreprise sur la juste valeur des éléments identifiables composant l'actif net de celle-ci à la date d'acquisition. Il désigne donc une valeur abstraite qui fait partie des actifs incorporels. L'écart d'acquisition ne doit pas être amorti. Par contre, il doit faire l'objet d'un test de dépréciation, et sa perte de valeur, le cas échéant, doit être comptabilisée dans l'exercice où elle est constatée.

## La dépréciation d'actifs à long terme

La notion d'amortissement d'un actif immobilisé sert à refléter l'utilisation de l'actif pour générer des produits. Trop souvent, la notion d'amortissement est confondue avec celle de perte de valeur. Dans les faits, il n'y a pas nécessairement de lien entre l'utilisation d'un actif et la dotation à l'amortissement figurant à l'état des résultats. C'est pourquoi il importe de se questionner régulièrement sur le solde non amorti des actifs à long terme. Il faut s'assurer que les montants présentés au bilan pour chacun des postes d'actifs à long terme ne soient pas supérieurs aux avantages futurs que ces actifs peuvent procurer.

Il faut donc veiller à ce que les actifs immobilisés du bilan soient comptabilisés au moindre du coût non amorti (valeur comptable) et de la juste valeur. Les immobilisations corporelles et les immobilisations incorporelles à durée de vie limitée doivent être soumises à un test de dépréciation lorsqu'un événement ou un changement de situation (par exemple une variation de la valeur marchande de l'actif) indique que l'entité pourrait ne pas être en mesure d'en recouvrer la valeur comptable.

On doit également soumettre à un test de dépréciation les actifs à long terme utilisés lorsque des événements ou des changements de situation indiquent que la valeur comptable ou le coût non amorti (coût moins amortissement cumulé) de ces actifs excède leur valeur recouvrable, ou juste valeur. Par exemple, si par suite d'une évolution des conditions économiques une entreprise doit réduire considérablement sa production, il est probable que la valeur comptable de son usine ne sera pas recouvrable. Lorsque la valeur comptable d'un actif à long terme est à la fois irrécouvrable et supérieure à la juste valeur, une perte de valeur doit être constatée ; c'est ce qu'on appelle la « dépréciation de l'actif à long terme ». La perte de valeur à constater à l'état des résultats représente l'excédent de la valeur comptable de l'actif à long terme sur sa juste valeur (ou valeur du marché).

Lorsqu'on réduit la valeur d'un actif immobilisé, la valeur comptable ajustée qui en résulte devient le nouveau coût de base de l'actif en question. L'entreprise ne peut annuler une réduction de valeur déjà comptabilisée ni constater de reprise de valeur si la juste valeur augmente au cours des exercices suivants. Le nouveau coût de base doit ensuite être amorti de manière logique et systématique. Il est fréquent que la réduction de valeur nécessite une révision de la durée de vie utile estimative ou de la méthode d'amortissement. Toutefois, ces révisions ne s'appliquent qu'une fois la réduction de valeur comptabilisée.

Lorsqu'une réduction de valeur est constatée durant l'exercice, il faut décrire, par voie de note complémentaire aux états financiers, l'actif qui a fait l'objet d'une dépréciation ainsi que les faits et les circonstances qui l'expliquent. Il faut aussi préciser, entre autres, les méthodes utilisées pour déterminer la juste valeur de l'actif ainsi déprécié.

Le tableau 2-7 résume les règles à suivre à l'égard des immobilisations corporelles, des immobilisations incorporelles et de l'écart d'acquisition.

**TABLEAU 2-7** • La dépréciation des immobilisations corporelles et incorporelles et de l'écart d'acquisition

| Catégorie d'actifs | Charge d'amortissement | Test de dépréciation |
|---|---|---|
| Immobilisations corporelles | Oui | Oui |
| Immobilisations incorporelles | | |
| à durée de vie limitée | Oui | Oui |
| à durée de vie indéfinie | Non | Oui |
| Écart d'acquisition | Non | Oui |

Pour se conformer aux normes de présentation du *Manuel de l'ICCA*, Mega Bloks présente dans ses notes complémentaires aux états financiers les actifs incorporels amortissables et non amortissables (voir la note 5 à l'annexe 2-2). De plus, dans la note sur les Principales conventions comptables présentée ci-dessous, Mega Bloks mentionne les règles que la société applique aux actifs incorporels à durée de vie limitée et aux actifs incorporels à durée de vie indéterminée.

L'écart d'acquisition au montant de 306 973 $ (en milliers de dollars) fait aussi l'objet d'un poste distinct. Ce montant reflète la plus-value payée par Mega Bloks pour l'acquisition de Rose Art en juillet 2005, comme le précise la note 14 – Acquisition de filiales, à l'annexe 2-2. La note suivante portant sur les Principales conventions comptables précise aussi le traitement réservé à l'écart d'acquisition.

---

**MEGA BLOKS INC.**
**NOTES COMPLÉMENTAIRES**
des exercices terminés les 31 décembre 2005 et 2004
(les chiffres dans les tableaux sont en milliers de dollars américains, sauf les données sur les actions)

**2.** **Principales conventions comptables (suite) (extrait)**

*Actifs incorporels*

Les actifs incorporels dotés d'une durée de vie utile limitée sont comptabilisés au coût. Ils sont composés des relations clients et de la propriété intellectuelle et sont amorties sur une période de vingt ans.

Les actifs incorporels dotés d'une durée de vie utile indéterminée, composés de l'appellation commerciale et de la propriété intellectuelle, sont comptabilisés au coût et ne sont pas amortis. L'appellation commerciale et la propriété intellectuelle sont évaluées à chaque année pour identifier toute dépréciation, ou plus fréquemment si des changements de conjoncture indiquent une dépréciation potentielle. Au 31 décembre 2005, la Société a réalisé un test de dépréciation et aucune réduction de valeur n'a été nécessaire.

*Écart d'acquisition*

L'écart d'acquisition représente l'excédent du coût d'acquisition d'entreprises sur la juste valeur des actifs nets identifiables acquis et n'est pas amorti. L'écart d'acquisition est évalué chaque année pour identifier toute dépréciation, ou plus fréquemment si des changements de conjoncture indiquent une dépréciation potentielle. Au 31 décembre 2005, la Société a réalisé un test de dépréciation et aucune réduction de valeur n'a été nécessaire.

### D. AUTRES POSTES D'ACTIFS

Parmi les autres postes figurant à l'actif de Mega Bloks, notons les impôts futurs, dans l'actif à court terme, et les Frais reportés, figurant comme dernier poste de l'actif.

Pour les actifs d'impôts futurs, le lecteur se reportera à l'annexe 2-1, qui contient une section sur l'impôt sur les bénéfices (section A.2). Retenons simplement pour le moment qu'avec un poste d'impôts futurs de 13 396 $ dans l'actif à court terme, Mega Bloks bénéficiera vraisemblablement dans un avenir rapproché d'un avantage fiscal découlant de frais qui seront déductibles aux fins de l'impôt.

Enfin, avec un montant de 4 708 $ en 2005 (1 789 $ en 2004), le poste Frais reportés ne fait l'objet d'aucune note complémentaire distincte. Il faut se reporter à la note sur les Principales conventions comptables pour connaître la composition de ce poste. Cette note mentionne que les Frais reportés se composent principalement des frais de financement et précise que ces frais sont enregistrés au coût et amortis selon la méthode linéaire sur la durée de vie de la facilité de crédit.

Les frais reportés peuvent aussi inclure tous les frais engagés dans le développement de nouveaux produits, de frais de constitution, de dépôts, etc., mais à la condition de procurer des avantages futurs. L'annexe 2-1 traite des frais de recherche et de développement et présente les conditions auxquelles il est possible d'inscrire à l'actif des frais de développement sous le poste Frais reportés.

### 2.5.4 Le passif à court terme

Les éléments de passif à court terme sont classés suivant leur ordre d'exigibilité. Cette rubrique comprend les postes suivants : les découverts bancaires, les emprunts bancaires, les fournisseurs et charges à payer, les effets à payer, les intérêts à payer, les dividendes à payer, les impôts sur les bénéfices à payer, les produits reportés, les provisions et la tranche de la dette à long terme échéant à moins d'un an.

### A. LES DÉCOUVERTS BANCAIRES

Un découvert bancaire se produit lorsque le solde net des comptes de banque courants est déficitaire.

## B. LES EMPRUNTS BANCAIRES

Les sommes empruntées à la banque pour une période relativement courte sont présentées sous le poste Emprunts bancaires. Les emprunts et les découverts bancaires peuvent être regroupés sous le poste Dette bancaire dans le bilan, car ils sont de même nature.

Pour plusieurs entreprises, les emprunts bancaires à court terme représentent la marge de crédit utilisée à la date du bilan. Lorsqu'une entreprise donne des biens en garantie de ses emprunts bancaires à court terme ou de sa marge de crédit, sa dette doit faire l'objet d'un poste distinct, et la valeur comptable de l'actif donné en garantie doit être précisée par voie de note complémentaire aux états financiers. Dans le cas de la marge de crédit, les stocks et les comptes clients sont généralement donnés en garantie. De plus, certaines institutions financières imposent des clauses restrictives aux termes de conventions de crédit.

## C. LES CRÉDITEURS (FOURNISSEURS) ET CHARGES À PAYER

Le poste Créditeurs et charges à payer comprend les sommes exigibles en échange de biens ou de services reçus encore impayées à la date du bilan. On classe sous le poste Créditeurs ou Fournisseurs les sommes à payer sur les achats de biens destinés à la vente.

Les charges à payer représentent l'ensemble des obligations qu'une entreprise contracte au fil du temps ou au fur et à mesure qu'elle reçoit un service. L'obligation n'est pas légalement exigible à la date du bilan, mais elle constitue un passif comptabilisé à la fin de l'exercice, même si aucune facturation n'a eu lieu. À la date du bilan, on doit constater cette dette en comptabilisant la valeur nominale du montant à payer.

Par exemple, il est très rare que la dernière période de paie corresponde avec la fin de l'exercice. En pareil cas, les salaires gagnés par les employés de l'entreprise avant cette date pourraient être enregistrés lors du versement de la paie, c'est-à-dire au cours de l'exercice suivant. Par contre, ces salaires représentent une charge engagée par l'entreprise dans l'exercice où les employés ont effectivement travaillé. À la fin de l'exercice, il faudra ajuster les registres comptables pour augmenter la charge relative aux salaires gagnés pendant l'exercice mais non déboursés, ainsi que le poste du passif Salaires à payer correspondant à cette portion non déboursée. Voyons un exemple.

**EXEMPLE :** Salaires à payer à la fin de l'exercice

La société Experts affiche un solde de 65 450 $ au poste Salaires et charges sociales en date du 31 décembre 20_6. Par ailleurs, les salaires des deux dernières semaines de l'exercice, d'un montant total de 2 600 $, ne seront payés qu'au début de l'exercice 20_7, bien qu'ils constituent une charge engagée en 20_6. Il faut donc, à la fin de l'exercice, ajuster le solde du poste Salaires et charges sociales pour que ce dernier reflète la charge totale de l'exercice, soit 68 050 $ (65 450 $ + 2 600 $).

L'identité fondamentale se présentera comme suit :

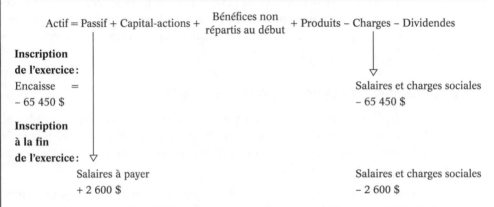

Notons que le montant des salaires et des charges sociales est négatif, parce qu'il fait diminuer l'avoir des actionnaires.

**D.** **LES EFFETS À PAYER**

Les effets à payer représentent des billets à ordre, signés par l'entreprise, sur lesquels sont précisés la somme exigible, la date d'échéance, le taux d'intérêt et le nom du bénéficiaire. L'effet à payer peut résulter de l'achat de marchandises à crédit ou de sommes empruntées par l'entreprise. Lorsque la durée jusqu'à échéance spécifiée est inférieure à douze mois, le poste Effets à payer est classé dans le passif à court terme. Si l'échéance dépasse les douze prochains mois, le poste Effets à payer sera inscrit dans le passif à long terme. (Nous aurions pu faire un raisonnement analogue dans le cas des Effets à recevoir à l'actif.)

### E. LES INTÉRÊTS À PAYER

Les intérêts à payer sont les intérêts non encore exigibles qui n'ont pas été acquittés à la date du bilan. Par contre, comme la charge est engagée au cours de l'exercice qui vient de se terminer, il faut ajuster les états financiers à la fin de l'exercice pour augmenter cette charge et le passif correspondant, selon la même logique que l'exemple précédent portant sur les salaires à payer. Dans les états financiers, les intérêts à payer sont inclus dans le poste Créditeurs et charges à payer.

### F. LES DIVIDENDES À PAYER

Les dividendes à payer représentent les dividendes déclarés à la fin d'exercice, mais n'ayant pas encore été versés aux actionnaires à cette date. D'un point de vue légal, dès qu'ils sont déclarés, les dividendes deviennent une dette réelle pour l'entreprise, qui ne peut se soustraire à cet engagement. Le passif doit donc être enregistré à la date de déclaration et non à la date de versement.

### G. LES IMPÔTS SUR LES BÉNÉFICES À PAYER

Le poste Impôts sur les bénéfices à payer représente les sommes à payer au titre de l'impôt sur le revenu impayées à la date du bilan. Chez Mega Bloks, le poste Impôts sur les bénéfices au montant de 4 744 $ en 2005 (1 111 $ en 2004) signifie que l'entreprise doit payer dans les douze prochains mois la somme de 4 744 $ aux autorités fiscales.

### H. LES PRODUITS REPORTÉS

Le poste Produits reportés renferme les produits perçus avant que la prestation ne soit rendue. Par exemple, lorsqu'une entreprise vend des abonnements d'une durée de douze mois, il arrive qu'à la fin de l'exercice certains abonnements payés en entier par les clients s'échelonnent au-delà du prochain exercice. Il faut donc inscrire les sommes qui se rapportent au prochain exercice sous le poste Produits reportés (ou Produits comptabilisés d'avance au passif), car elles correspondent à des rentrées de fonds reçues en échange d'un bien qui n'était pas encore livré ou d'un service qui n'était pas encore rendu à la date du bilan. Les produits reportés peuvent être inscrits au passif à court terme si la livraison du bien ou la prestation du service aura lieu au cours du prochain exercice, ou dans le passif à long terme, si le délai de livraison ou de prestation dépasse les douze prochains mois.

## I. LES PROVISIONS

Lors de la préparation de leurs états financiers, les entreprises sont appelées à faire certaines estimations pour pouvoir présenter leurs états financiers selon les « principes comptables généralement reconnus ». Nous avons déjà donné comme exemple d'estimations comptables les créances douteuses, la durée de vie utile des immobilisations et la valeur résiduelle des immobilisations. Les provisions qu'on retrouve au passif à court terme du bilan résultent aussi d'estimations comptables effectuées suivant la même logique que l'estimation des créances douteuses. Souvent, ces provisions sont constituées en prévision d'une dette future dont on ignore le montant exact.

Par exemple, lorsqu'une entreprise vend un bien assorti d'une garantie, elle sait qu'elle risque éventuellement de devoir effectuer des réparations pour honorer cette garantie, sans connaître avec certitude toutefois le montant qu'elle devra engager à cette fin. Pour respecter le principe d'inscription, pour un même exercice, des produits et des charges correspondantes, les frais reliés à la garantie doivent être constatés comme charge au cours de l'exercice durant lequel le bien a été vendu. L'entreprise doit estimer ces frais en fonction de son expérience passée lorsqu'elle prépare ses états financiers. Ces frais augmenteront la charge à l'état des résultats et, en contrepartie, il y aura augmentation de la provision pour garanties et éventualités au passif à court terme. Ainsi, lorsque des frais seront engagés pour effectuer des réparations, on affectera la provision, ce qui fera diminuer le compte de passif. Par contre, lorsqu'on estime que les frais à engager seront minimes ou qu'il est impossible d'en faire une estimation raisonnable, aucune provision n'est constituée, et les frais sont passés en charges à mesure qu'ils sont engagés.

## J. LA TRANCHE DE LA DETTE À LONG TERME ÉCHÉANT À MOINS D'UN AN

Au passif à long terme figurent toutes les dettes que l'entreprise devra rembourser après la fin du prochain exercice. Certaines de ces dettes sont remboursables par versements périodiques. Comme le passif à court terme doit comprendre toutes les dettes qui sont remboursables au cours du prochain exercice (habituellement les douze prochains mois), la tranche de capital de la dette à long terme qui sera remboursée d'ici un an doit y être présentée. Il s'agit habituellement du dernier poste au passif à court terme. (Voir l'annexe 2-2, note complémentaire 6.)

## 2.5.5 Le passif à long terme

Les éléments de passif à long terme sont classés selon leur nature et leur date d'échéance. Parmi les postes qui figurent sous cette rubrique, citons les emprunts hypothécaires, les emprunts obligataires, les obligations découlant de contrats de location-acquisition, les impôts sur les bénéfices et les impôts futurs ainsi que la part des actionnaires sans contrôle.

### A. LES EMPRUNTS HYPOTHÉCAIRES

Un emprunt hypothécaire est un emprunt en échange duquel l'emprunteur consent une hypothèque en garantie de ses biens fonciers (terrains ou immeubles). D'un point de vue légal, il s'agit d'une hypothèque immobilière. L'hypothèque constitue pour le prêteur une garantie qu'il sera payé, même au prix d'une vente forcée des biens hypothéqués, si l'emprunteur ne remplit pas ses obligations. Pour Mega Bloks, ce sont les propriétés immobilières qui sont hypothéquées. (Voir l'annexe 2-2, note complémentaire 6.)

Dans les états financiers de l'emprunteur (ou « débiteur »), la dette est présentée sous le poste Emprunt hypothécaire. Pour sa part, le prêteur (ou « créancier hypothécaire ») enregistre sa créance dans l'actif à long terme, sous le poste Prêt hypothécaire.

De nombreux prêts sont consentis en échange de garanties autres que des biens fonciers. Il s'agit d'hypothèques mobilières. Ces garanties portent généralement sur des biens matériels (mobilier, machines, matériel de bureau) ou sur des titres détenus par l'emprunteur (placements à long terme).

### B. LES EMPRUNTS OBLIGATAIRES

Le poste Emprunts obligataires inclut les titres d'emprunt émis par l'entreprise. L'entente contractuelle, appelée « acte de fiducie », prévoit le remboursement par l'entreprise, à une date déterminée, de la somme empruntée, et l'obligation de verser périodiquement jusqu'à cette date les intérêts, à taux fixe ou variable, aux détenteurs des titres, appelés « créanciers obligataires ». Afin de protéger ces créanciers, un fiduciaire est chargé de veiller au respect des modalités de l'acte de fiducie par l'entreprise.

Les obligations garanties sont celles dont le paiement du capital est garanti par des biens de l'emprunteur (les obligations hypothécaires en sont un exemple). Les obligations non garanties sont souvent appelées « débentures ».

## C. LES OBLIGATIONS DÉCOULANT DE CONTRATS DE LOCATION-ACQUISITION

Certaines entreprises préfèrent louer leurs immobilisations plutôt que de les acheter, compte tenu notamment des avantages fiscaux que procure la location et du risque de désuétude inhérent à l'acquisition de biens. Cependant, certains baux à long terme sont conçus de façon telle que, d'un point de vue économique, il s'agit d'achats à crédit revêtant la forme de contrats de location. Ainsi, on peut considérer que la location d'un télécopieur d'une valeur de 1 000 $ avec un bail de trois ans, à raison de 40 $ par mois, et assorti d'une option d'achat au prix de 1 $ à l'échéance, équivaut à un achat à crédit étalé sur trois ans à raison de 40 $ par mois.

On présente donc sous le poste Obligations découlant de contrats de location-acquisition la dette à long terme économique (et non légale) que le locataire contracte lorsqu'il loue une immobilisation aux termes d'un bail assimilable à un achat à crédit. Cette dette fait l'objet des mêmes traitements comptables que les autres dettes à long terme. Le traitement comptable des contrats de location à long terme est expliqué de façon plus approfondie dans l'annexe 2-1, à la section A.1.

À la note 4 des états financiers de Mega Bloks, on peut voir que de telles obligations ont été contractées pour du matériel informatique et des logiciels. Lorsqu'une entreprise signe un contrat de location-acquisition, les actifs loués en vertu de ce contrat doivent faire l'objet d'un poste distinct sous la rubrique Immobilisations corporelles (voir également la note 6 des états financiers).

## D. LES IMPÔTS SUR LES BÉNÉFICES ET LES IMPÔTS FUTURS

À l'origine, on calculait l'impôt des sociétés par actions en multipliant le bénéfice par un taux d'imposition prescrit par la loi. Cependant, les règles comptables et les règles fiscales diffèrent à maints égards, car les normes à suivre pour calculer le bénéfice comptable ont été établies pour faciliter la compréhension des états financiers par les utilisateurs, tandis que les méthodes fiscales l'ont été par les gouvernements pour redistribuer les ressources économiques. Le bénéfice net (comptable) d'une entreprise est donc généralement différent de son bénéfice imposable.

Puisque les états financiers rendent compte des impôts sur les bénéfices attribuables au bénéfice comptable réalisé pour un exercice donné, il s'ensuit que la charge d'impôts présentée dans les résultats est calculée en fonction de la tranche du bénéfice comptable qui sera imposée un jour ou l'autre. Par conséquent, cette charge ne correspondra pas nécessairement à l'impôt exigible par le fisc pour le même exercice. L'écart entre les deux constitue les « impôts futurs ».

Les impôts futurs peuvent être présentés à l'actif ou au passif selon que l'écart résultera en une somme à recevoir (actif d'impôts futurs) ou en une somme à payer (passif d'impôts futurs). Le traitement comptable de l'impôt et des impôts futurs est détaillé dans l'annexe 2-1, à la section A.2.

Dans les états financiers, on retrouve les impôts futurs à l'actif et au passif du bilan. Le détail des ajustements est présenté à la note 11.

### E. LA PART DES ACTIONNAIRES SANS CONTRÔLE

Le poste Part des actionnaires sans contrôle représente la quote-part revenant aux actionnaires minoritaires, dans le cas où la société mère publiante (celle qui présente les états financiers consolidés) ne détient pas ses filiales en propriété exclusive. (La procédure de consolidation et les objectifs sous-jacents sont expliqués à l'annexe 2-1, à la section A.4.) Ce poste résulte de la consolidation des états financiers de la société mère et de ses filiales.

La part des actionnaires sans contrôle ne constitue pas une dette exigible, car ce poste représente la quote-part de l'actif net (l'actif moins le passif) de la filiale qui ne revient pas au groupe consolidé, mais plutôt aux autres actionnaires. Comme nous le verrons plus loin, le poste Part des actionnaires sans contrôle se trouve aussi à l'état des résultats pour refléter, cette fois, la quote-part des bénéfices ne revenant pas au groupe consolidé.

Dans les états financiers de Mega Bloks, le poste Part des actionnaires sans contrôle ne figure ni au passif du bilan ni à l'état des résultats, ce qui indique que la société mère détient ses filiales en propriété exclusive (ou à 100 %).

## 2.5.6 L'avoir des actionnaires

L'avoir des actionnaires (ou les « capitaux propres ») représente le montant résiduel qui reviendrait aux actionnaires si l'entreprise vendait ses actifs (à leur valeur inscrite dans les états financiers) et remboursait ses dettes. Dans une société par actions, l'avoir des actionnaires est généralement composé de quatre éléments : le capital-actions, les bénéfices non répartis, le surplus d'apport et le poste Cumul des autres éléments du résultat étendu.

### A. LE CAPITAL-ACTIONS

Le poste Capital-actions est constitué des mises de fonds des propriétaires, représentées par des certificats d'actions ; il renseigne l'utilisateur des états financiers sur la composition du capital-actions.

Il comprend d'abord la description du capital autorisé en vertu des statuts constitutifs de l'entreprise. Par exemple, la note 7 complémentaire au bilan révèle que Mega Blocks a émis uniquement des actions ordinaires. Au 31 décembre 2005, le nombre d'actions était de 32 105 575, pour une valeur comptable de 231 592 000 $.

### B. LES BÉNÉFICES NON RÉPARTIS

Les bénéfices non répartis sont les bénéfices accumulés depuis la création de l'entreprise qui n'ont pas été distribués aux actionnaires sous forme de dividendes. Lorsque, au fil des années, le total des pertes de l'entreprise excède le bénéfice, on désigne l'excédent par le terme « déficit ». Chez Mega Bloks, on constate que l'entreprise est en situation de déficit accumulé ; donc, l'état financier se nomme État consolidé du déficit.

Les administrateurs peuvent affecter les bénéfices non répartis à un usage particulier. À titre d'exemple, mentionnons les projets d'aménagement et le rachat d'actions en circulation ou d'obligations en cours. Afin de bien signifier aux utilisateurs qu'une partie des bénéfices non répartis est réservée à cet usage (donc qu'elle ne sera pas distribuée sous forme de dividendes), les administrateurs peuvent constituer une réserve et réduire les bénéfices non répartis (bénéfice distribuable) en conséquence. Cette réserve fait alors l'objet d'un poste distinct. Notons que cette pratique tend à être remplacée par l'utilisation de notes complémentaires, sauf si un contrat exige la constitution d'une réserve ou si la loi l'exige. La constitution d'une réserve pour le rachat futur d'obligations aux termes des actes de fiducie y afférant en est un exemple. (La constitution d'une réserve ne signifie pas nécessairement que l'entreprise met de côté les fonds nécessaires à l'opération prévue.)

Un rachat d'actions représente une opération portant sur les capitaux propres de l'entreprise. Par conséquent, les primes versées lors d'un rachat d'actions doivent être portées en déduction des bénéfices non répartis (et non passées en charges à l'état des résultats).

Le tableau 2-8 présente les états consolidés des bénéfices non répartis (déficit) de Mega Bloks.

**TABLEAU 2-8** • Les états consolidés du déficit de la société Mega Bloks inc.

**MEGA BLOKS INC.**
**ÉTATS CONSOLIDÉS DU DÉFICIT**
des exercices terminés les 31 décembre (en milliers de dollars américains)

|  | 2005 | 2004 |
|---|---|---|
|  | $ | $ |
| Solde au début | (52 320) | (77 497) |
| Bénéfice net | 39 608 | 25 177 |
| Solde à la fin | (12 712) | (52 320) |

## C. LE SURPLUS D'APPORT

Le poste Surplus d'apport comprend tous les gains provenant d'opérations réalisées sur les capitaux propres, notamment:

■ les primes à l'émission d'actions avec valeur nominale[5];

■ les gains réalisés à la revente ou à l'annulation d'actions confisquées pour non-paiement ou rachetées par la société;

■ les dons reçus des actionnaires;

■ le coût de la rémunération à base d'actions offerte aux cadres et employés.

Le montant qui découle de l'octroi d'options d'achat d'actions s'explique de la façon suivante. Depuis un certain temps déjà, les sociétés ont mis au point diverses façons de rémunérer leurs cadres, voire leurs employés. Afin d'amener les cadres ou les employés à souscrire aux intérêts de la société, celle-ci met sur pied des plans d'octroi d'options d'achat d'actions. Lorsqu'une société octroie une option, elle donne à un cadre ou à un employé un droit d'acheter à un prix fixé d'avance une action de la société, et ce, pendant une période prédéterminée. Imaginons, par exemple, que le 1er janvier 2005 une société octroie à un employé le droit d'acheter une de ses actions pour 4 $, soit la valeur à la cote de l'action au 1er janvier (la

---

5. Une action avec valeur nominale est une action à laquelle on attribue une valeur fixe au moment de la constitution d'une société par actions. Lors de l'émission d'une telle action, seule la valeur nominale peut être inscrite au compte du capital-actions. Si l'action est émise à un prix supérieur à sa valeur nominale, l'excédent constitue une prime à l'émission. Notons que seules les entreprises constituées en vertu des parties I (article 13) et IA (article 123.38) de la *Loi sur les corporations du Québec* (LCQ) peuvent émettre des actions avec valeur nominale.

date de l'octroi). Le contrat d'option spécifie également que l'employé pourra se prévaloir de ce droit à compter du 1er janvier 2007 seulement. Le 1er janvier 2007, l'employé aura le choix d'acheter ou non une action de la société. Si la valeur à la cote de l'action est supérieure à 4$, l'employé aura avantage à acheter 4 $ une action qui en vaut peut-être 6 $, réalisant ainsi un gain de 2 $. Par contre, si la valeur à la cote de l'action se situe à un niveau inférieur à 4 $, disons 3 $, l'employé n'exercera pas son droit d'achat d'actions. L'octroi de telles options comporte un coût pour la société émettrice, à savoir la valeur sur le marché de la détention de ces options. Il existe des modèles financiers qui permettent d'estimer cette valeur et de comptabiliser une charge de rémunération à la date de l'octroi, la contre-partie étant présentée au surplus d'apport.

La note 8 aux états financiers de Mega Bloks inc. indique que la valeur du coût de la rémunération relative à la charge du programme d'options d'achat d'actions est de 451 000 $ US.

### D. LE POSTE CUMUL DES AUTRES ÉLÉMENTS DU RÉSULTAT ÉTENDU

Ce poste de l'avoir des actionnaires comprend les éléments cumulés du résultat étendu (voir la section 2.4). La nature ainsi que les montants des gains et pertes latents compris dans ce poste doivent être présentés, par exemple dans une note aux états financiers.

## 2.6 LES COMPOSANTES DE L'ÉTAT DES RÉSULTATS

Il existe plusieurs manières d'établir un état des résultats, selon qu'on veut présenter l'information par blocs de produits et de charges ou fournir plus de détails sur chaque catégorie de produits et de charges. La forme que prend l'état des résultats dépend du groupe d'utilisateurs à qui il s'adresse. Lors de la publication de l'état des résultats à l'intention de l'ensemble des actionnaires, comme c'est le cas dans le rapport annuel, l'information publiée sera plutôt condensée, puisque les gestionnaires ne souhaitent pas divulguer de renseigne-ments trop détaillés à la concurrence. Si l'état des résultats s'adresse aux gestionnaires qui doivent prendre des décisions stratégiques et opérationnelles, les postes seront présentés avec beaucoup plus de détails.

Par exemple, dans le rapport annuel, il est assez rare de voir le poste Coût des marchandises vendues à l'état des résultats, puisque ce poste pourrait renseigner les concurrents sur la marge bénéficiaire brute, comme nous le verrons plus loin. Ce poste est souvent amalgamé avec l'ensemble des charges d'exploitation. Dans l'état des résultats consolidés de Mega Bloks, cette charge du coût des marchandises vendues est présentée séparément, sous le nom de Coût des produits vendus, au montant de 220 260 $ (en milliers de dollars).

Le tableau 2-9 présente les états consolidés des résultats de Mega Bloks.

---

**TABLEAU 2-9** • Les états consolidés des résultats de la société Mega Bloks inc.

**MEGA BLOKS INC.**
**ÉTATS CONSOLIDÉS DES RÉSULTATS**
des exercices terminés les 31 décembre
(en milliers de dollars américains, sauf les données par action)

| | 2005 | 2004 |
|---|---|---|
| | $ | $ |
| **Produits d'exploitation nets** | 407 032 | 234 581 |
| Coût des produits vendus | 220 260 | 128 659 |
| Marge brute | 186 772 | 105 922 |
| Frais de marketing, de recherche et développement et de publicité | 50 552 | 33 360 |
| Autres frais de vente, de distribution et administratifs | 73 870 | 34 127 |
| Éléments inhabituels | - | 5 158 |
| Bénéfice d'exploitation | 62 350 | 33 277 |
| Frais d'intérêts | | |
| Dette à long terme | 9 310 | 1 207 |
| Autres (note 10) | 954 | 170 |
| | 10 264 | 1 377 |
| Bénéfice avant impôts sur les bénéfices | 52 086 | 31 900 |
| Impôts sur les bénéfices (note 11) | | |
| Exigibles | 5 473 | 7 427 |
| Futurs | 7 005 | (704) |
| | 12 478 | 6 723 |
| **Bénéfice net** | 39 608 | 25 177 |
| **Bénéfice par action (note 9)** | | |
| de base | 1,35 | 0,93 |
| dilué | 1,26 | 0,86 |

*Voir les notes complémentaires aux états financiers consolidés*

Dans l'état des résultats, la présentation de certains postes doit respecter des exigences minimales. Il s'agit des postes Produits d'exploitation, Revenus de placements, Aide gouvernementale, Amortissement des immobilisations, Amortissement des actifs incorporels et des frais reportés, Intérêts sur la dette à long terme, Part des actionnaires sans contrôle, Impôts sur les bénéfices, Résultats attribuables aux activités abandonnées et Éléments extraordinaires. Chacun de ces postes doit être présenté séparément. Finalement, les sociétés ouvertes (qui émettent des actions sur le marché public), doivent également présenter le calcul du résultat de base par action.

Dans la présente section, nous décrivons les principales composantes de l'état des résultats, à savoir : les produits d'exploitation, le coût des marchandises (ou produits) vendus, les frais de vente, les frais d'administration, les autres produits et charges, l'impôt sur les bénéfices, la part des actionnaires sans contrôle, les activités abandonnées, les éléments extraordinaires. Pour terminer, nous expliquerons les différents types de bénéfices susceptibles d'intéresser le gestionnaire.

### 2.6.1 Les produits d'exploitation

Les produits d'exploitation sont les sommes gagnées en échange des efforts investis dans la poursuite de l'objet commercial principal de l'entreprise. Ainsi, lorsque l'objet commercial est la vente de biens, seuls les montants gagnés en échange des biens vendus sont présentés. Si l'entreprise a gagné d'autres sommes, par exemple, en louant des locaux inutilisés, ces produits sont généralement inscrits sous le poste Autres produits.

Les entreprises doivent comptabiliser leurs produits au moment où il y a transfert du droit de propriété. Ce moment du transfert varie d'une industrie à l'autre et dépend du type de produits ou de services vendus. Une entreprise qui fabrique et vend des biens sur une durée de plus d'un exercice doit répartir ses produits en fonction de critères précis. Nous aborderons en détail les différents critères de constatation des produits dans le chapitre 3.

Quand l'entreprise reprend des marchandises qu'elle avait vendues (rendus sur ventes), ou lorsqu'elle consent des rabais sur le prix de vente initial (rabais sur ventes), elle doit réduire le montant des ventes brutes afin d'en dégager les ventes nettes, aussi appelées « chiffre d'affaires ».

Par ailleurs, lorsque l'entreprise perçoit les taxes (TPS, TVQ) sur la vente de biens ou de services, il ne faut pas les inclure dans les ventes brutes, puisque ces sommes seront finalement remises aux gouvernements. Généralement, seul le montant des ventes nettes figure à l'état des résultats.

### 2.6.2 Le coût des marchandises vendues

Le poste Coût des marchandises vendues fait état du coût rattaché aux biens destinés à la vente d'une entreprise commerciale. Ce coût comprend le prix initial majoré des frais de transport, des frais de dédouanement (dans le cas de biens importés), etc.

Si l'entreprise a retourné des marchandises qu'elle avait achetées ou si elle a obtenu des rabais de ses fournisseurs (par exemple, sur des biens endommagés, ou encore, en raison de la quantité achetée), elle doit soustraire du coût des marchandises le montant de ces retours, qu'on appelle « rendus et rabais ».

Le coût des marchandises achetées durant l'exercice, augmenté du coût des marchandises détenues par l'entreprise au début de l'exercice, donne le coût total des marchandises destinées à la vente durant l'exercice. Afin de connaître le coût des marchandises qui ont effectivement été vendues, on doit retrancher de ce montant les marchandises que possède toujours l'entreprise à la fin de l'exercice.

### 2.6.3 Les frais de vente

Le poste Frais de vente réunit les coûts associés aux efforts de vente, tels que les commissions et les salaires versés aux vendeurs et au personnel du service des ventes (y compris le personnel chargé de la distribution et de l'expédition), les charges sociales, les frais de publicité et de livraison, les frais de déplacement et de représentation des vendeurs, etc. Ce poste inclut la partie des créances dont le recouvrement est incertain. Lorsque l'entreprise a des doutes sur l'encaissement futur de certains comptes clients, elle réduit la valeur de ces créances à l'actif du bilan. En contrepartie, elle inscrit une charge dans l'état des résultats pour refléter cette diminution, que l'on nomme « créances douteuses » ou « mauvaises créances » (voir la section 2.5.2 C).

Les frais de vente comprennent tous les coûts liés à l'entreposage, à la manutention, à l'expédition et à l'étalage des biens destinés à la vente, comme le loyer, les assurances, les coûts d'entretien et de réparation des immobilisations utilisées pour la vente (entrepôt, magasin, matériel, véhicules, etc.), les coûts des fournitures d'emballage, etc.

### 2.6.4 Les frais d'administration

Les frais d'administration se rapportent aux coûts engagés dans la fonction administrative, tels que les salaires et les avantages sociaux du personnel administratif, la papeterie et les fournitures de bureau, ainsi que tous les coûts liés à la détention, à l'entretien et à la réparation des immobilisations utilisées pour effectuer des tâches administratives (terrains, bâtiments, mobilier, matériel de bureau, etc.). Sans en faire une liste exhaustive, signalons toutefois que les frais d'administration comprennent également les impôts fonciers, les assurances, le coût des services de télécommunications, etc.

### 2.6.5 Les autres produits et les autres charges

Ces postes se composent des produits et des charges liés aux autres activités. Les autres produits comprennent notamment :

■ les intérêts et les dividendes gagnés dans le cadre de la détention de placements, ainsi que les gains ou les pertes à la vente d'actifs (placements, immobilisations, actifs incorporels), lorsque la vente de ces actifs n'est pas l'activité principale de l'entreprise ;

■ les loyers gagnés par l'entreprise qui a investi dans des immeubles locatifs ou qui loue temporairement des locaux inoccupés dans ses bâtiments ;

■ les redevances sur les brevets et les procédés de fabrication que l'entreprise détient.

Quant aux **autres charges**, elles peuvent inclure les intérêts sur les emprunts, lesquels peuvent aussi être présentés sous le poste Frais financiers ou Intérêts débiteurs.

### 2.6.6 L'impôt sur les bénéfices

La charge d'impôts sur les bénéfices échappe à la volonté de l'entreprise, puisqu'elle varie selon la politique économique des différents gouvernements. (Cependant, une bonne planification fiscale permet à l'entreprise de réduire partiellement cette charge.) De ce fait, et parce qu'il constitue habituellement une somme importante, l'impôt sur les bénéfices est présenté sous un poste distinct de l'état des résultats, la portion exigible (réellement payable en vertu de la déclaration d'impôt) étant séparée de la portion attribuable aux impôts futurs (voir l'annexe 2-1, section A.2).

### 2.6.7 La part des actionnaires sans contrôle

La part des actionnaires sans contrôle représente la part du bénéfice tiré des activités exercées par les filiales (incluse dans l'état des résultats consolidés) qui revient aux actionnaires autres que la société mère. La prise en compte de la part des actionnaires sans contrôle permet de connaître le bénéfice net des actionnaires du groupe consolidé, c'est-à-dire le bénéfice qui appartient aux actionnaires de la société mère.

## 2.6.8 Les activités abandonnées

Il arrive qu'une entreprise décide de se départir d'une unité d'exploitation ou de la fermer, parce qu'elle n'est plus rentable ou parce que les activités qui y sont exercées ne cadrent plus avec l'orientation ou la stratégie de diversification de l'entreprise. Les résultats des unités d'exploitation abandonnées ont un effet direct sur le bénéfice de l'exercice. Par contre, ces résultats ne permettent pas d'évaluer le rendement futur de l'entreprise. On doit donc pouvoir distinguer les résultats des unités toujours en exploitation de ceux des unités abandonnées.

Les résultats attribuables aux activités abandonnées, diminués des impôts sur les bénéfices applicables, doivent être présentés comme une composante distincte du bénéfice (ou de la perte), tant pour la période considérée que pour les périodes antérieures.

## 2.6.9 Les éléments extraordinaires

Les éléments extraordinaires sont des produits, des charges, des gains ou des pertes découlant de circonstances qui ne sont pas caractéristiques de l'exploitation normale de l'entreprise, ni susceptibles de se répéter fréquemment sur un certain nombre d'exercices et, enfin, qui échappent à la volonté de la direction de l'entreprise, que ce soit directement ou indirectement.

Les événements suivants sont habituellement considérés comme des circonstances extraordinaires : tremblement de terre, inondation, expropriation et sinistres imputables à l'erreur humaine, comme l'explosion d'un réacteur nucléaire ou les actes de terrorisme. Le fait qu'ils ne s'inscrivent pas dans l'exploitation normale de l'entreprise, qu'ils échappent à la volonté de celle-ci et qu'ils ne risquent pas de survenir fréquemment, justifie qu'on présente ces charges ou ces produits séparément dans l'état des résultats. Cette façon de faire permet d'analyser les résultats réels de l'exercice. Comme dans le cas des activités abandonnées, ces événements doivent être présentés après déduction des impôts, puisqu'ils sont présentés après le calcul des impôts sur les activités normales de l'entreprise.

On confond souvent les éléments extraordinaires avec les éléments inhabituels. Bien que ces derniers constituent des charges ou des produits inhérents à l'exploitation normale de l'entreprise, ils sont toutefois le fruit de circonstances inhabituelles et prennent des proportions considérables. Ils font souvent l'objet d'un poste distinct dans l'état des résultats ; ils figurent avant le bénéfice avant impôts, sans faire partie des éléments extraordinaires.

## 2.6.10 Les bénéfices

L'état des résultats présenté dans les rapports annuels permet principalement de présenter le bénéfice avant impôts, le bénéfice net et le résultat (ou bénéfice) par action.

Le *bénéfice avant impôts* tient compte de toutes les charges, y compris celles qui ne sont pas liées à l'exploitation. Ce bénéfice reflète l'ensemble des coûts, incluant les coûts de financement. Pour sa part, le *bénéfice net* est le résultat final. C'est celui qui apparaît dans l'état des bénéfices non répartis et parfois au bilan, avec les capitaux propres. Quant au *résultat par action*, il représente la part du bénéfice ou de la perte attribuable à chaque action ordinaire.

Le résultat ainsi obtenu indique le montant du bénéfice (ou de la perte) attribuable à une action ordinaire, celle-ci étant définie comme une action conférant le droit de participer sans restriction aux bénéfices, une fois exercés tous les privilèges rattachés aux autres catégories d'actions, telles que les actions privilégiées.

Le *résultat par action dilué* (ou « après dilution ») représente la part du bénéfice ou de la perte attribuable à chaque action ordinaire dans l'hypothèse où tous les titres convertibles en actions ordinaires sont effectivement convertis.

Voir la note 9 des états financiers de Mega Bloks, qui montre le calcul du nombre d'actions utilisé pour déterminer le bénéfice par action présenté à l'état des résultats.

Par ailleurs, lorsqu'il est destiné à un usage interne, l'état des résultats présente au moins trois autres aspects du bénéfice qui peuvent être utiles pour le gestionnaire. Décrivons-les brièvement au moyen de l'exemple suivant.

On obtient le montant de *bénéfice brut* en soustrayant des ventes uniquement le coût des marchandises vendues, ce qui donne la marge brute (70 %, dans notre exemple). Le bénéfice brut s'avère un indice intéressant lorsqu'il est comparé d'une période à l'autre ou d'une entreprise à l'autre. Les gestionnaires souhaitent maintenir cette marge relativement stable ou cherchent à l'améliorer. En cas de baisse, ils peuvent se questionner sur la hausse des coûts d'achat ou encore sur la baisse des prix de vente.

---

**EXEMPLE :** Présentation des bénéfices à l'état des résultats

**ÉTAT DES RÉSULTATS**

| | |
|---|---|
| Chiffre d'affaires | 1 000 000 $ |
| Moins : Coût des marchandises vendues | 300 000 |
| **Bénéfice brut** | **700 000** |
| Frais d'exploitation et frais administratifs | 400 000 |
| **Bénéfice d'exploitation avant intérêt, impôts et amortissement (BAIIA)** | **300 000** |
| Amortissement | 100 000 |
| **Bénéfice d'exploitation avant intérêt et impôts (BAII)** | **200 000** |
| Intérêts | 25 000 |
| **Bénéfice avant impôts** | **175 000** |
| Impôts | 40 000 |
| **Bénéfice net** | **135 000 $** |

Le *bénéfice d'exploitation avant intérêt, impôts et amortissement* (BAIIA) tient compte de tous les frais directement engagés pour réaliser les ventes. On dit que le gestionnaire peut maîtriser le BAIIA, car celui-ci est fonction des charges sur lesquelles le gestionnaire a une emprise. Puisque les politiques en matière d'emprunt (intérêts), d'amortissement et de fiscalité sont habituellement fixées par la haute direction, plusieurs gestionnaires de divisions préfèrent se reporter au BAIIA plutôt qu'au bénéfice net.

On obtient le *bénéfice d'exploitation avant intérêt et impôts* (BAII) en soustrayant l'amortissement du BAIIA ; il reflète mieux le résultat obtenu après déduction de toutes les charges liées à l'exploitation et au maintien des actifs.

Le bénéfice avant impôt et le bénéfice net ont déjà été présentés au début de la présente sous-section.

## 2.7 LES NOTES COMPLÉMENTAIRES AUX ÉTATS FINANCIERS

Les notes complémentaires aux états financiers permettent aux sociétés de fournir aux lecteurs des renseignements particuliers qui complètent les données chiffrées du bilan, de l'état des bénéfices non répartis et de l'état des résultats.

### 2.7.1 Les engagements et les éventualités

Dans certains états financiers, les renseignements relatifs aux engagements et aux éventualités sont présentés sous forme de notes distinctes. Dans le cas de Mega Bloks, la note 15 regroupe les deux types d'obligations.

Tout engagement contractuel important doit faire l'objet d'une note complémentaire aux états financiers, afin d'en décrire la nature ainsi que les montants engagés. Ainsi en est-il des contrats qui comportent un risque spéculatif eu égard aux activités d'exploitation habituelles de l'entreprise, qui fixent le montant des décaissements ou des dépenses futures ou qui se rattachent à l'émission d'actions.

Les éventualités découlent de faits passés dont l'issue ultime dépend d'événements futurs. Les retombées financières rattachées au respect des normes environnementales sont un exemple d'éventualité. La violation de ces normes risque d'entraîner des pertes éventuelles pour une entreprise, qu'il est souvent difficile d'estimer. Parmi les autres types d'éventualités, mentionnons les garanties données en nantissement de prêts consentis à des filiales, à des franchisés ou à d'autres parties.

La note complémentaire 15 des états financiers de Mega Bloks présente les garanties et les éventualités de l'entreprise. Nous discuterons en détail de cette notion au chapitre 3, en abordant la description du concept de prudence. Dans cette note, vous remarquerez que les points a) et b) concernent des éventualités alors que les points c), d) et e) traitent des engagements.

**MEGA BLOKS INC.**
**NOTES COMPLÉMENTAIRES**
des exercices terminés les 31 décembre 2005 et 2004
(les chiffres dans les tableaux sont en milliers de dollars américains, sauf les données
sur les actions)

## 15. Engagements et éventualités

a) Le 17 novembre 2005, La Cour suprême du Canada a rendu un jugement rejetant l'appel logé
par Kirkbi AG et Lego Canada Inc. (« Lego ») à l'égard de la décision rendue le 14 juillet 2003
par la Cour d'appel fédérale du Canada, dans une action pour substitution lancée en 1996 par
Lego contre Mega Bloks, alors connue sous Ritvik Holdings Inc.

La décision de la Cour suprême marque la fin du litige sur les marques déposées que Mega
Bloks a maintenant remporté à tous les niveaux de tribunaux. Lego alléguait que Mega Bloks
avait enfreint les soi-disant droits de propriété intellectuelle et commerciale en common law que
Lego prétendait détenir sur l'aspect des tenons de ses blocs de construction emboîtables.

b) La Société est également défenderesse dans d'autres causes survenant dans le cours normal de
ses activités. La Société est d'avis que la conclusion de toute cause individuelle ou de
l'ensemble de telles causes n'aura aucune incidence importante sur les activités de la Société,
sur sa situation financière ou sur ses résultats d'exploitation.

c) La Société a conclu des contrats de location-exploitation pour des locaux qu'elle occupe pour
un montant de 40 579 000 $. Les loyers annuels minimaux (excluant certains frais
d'occupation) à payer pour les cinq prochaines années s'établissent comme suit :

|  | $ |
|---|---|
| 2006 | 9 134 |
| 2007 | 9 954 |
| 2008 | 8 131 |
| 2009 | 7 012 |
| 2010 | 6 348 |

d) Un montant total de 3 900 000 $ CA a été octroyé à la Société sur une période de trois ans
relativement à une entente avec Investissement Québec. Cette subvention est conditionnelle à
l'acquisition d'un certain montant en immobilisations et à la création et au maintien d'un
certain nombre d'emplois pour une période de cinq ans se terminant en 2006.

En 2001, 2002 et 2003, la Société a reçu des subventions totalisant 1 856 000 $ pour
l'acquisition d'immobilisations de même que la création d'emplois. Une tranche équivalant à
61 % des subventions reçues en 2001, 2002 et 2003 a été portée en réduction des
immobilisations. La tranche résiduelle des subventions est comptabilisée dans les résultats
lorsque les conditions sont remplies (se reporter à la note 2).

e) Au 31 décembre 2005, la Société avait des lettres de garantie en cours d'un montant de
2 377 000 $ (1 246 000 $ en 2004) relatives à des cautionnements financiers émis dans le cours
normal de ses activités. Ces garanties sont émises en vertu de facilités mises à la disposition de
la Société dans le cadre de la nouvelle facilité de crédit.

## 2.7.2 Les événements postérieurs à la date du bilan

Certains événements survenus entre la fin de l'exercice et l'approbation de la version définitive des états financiers ont parfois des conséquences financières importantes pour une société. Il peut s'agir du remboursement de la dette à long terme, de la modification du capital-actions, de l'acquisition ou de la cession d'actifs, du regroupement d'entreprises, etc. Si de tels événements découlent de situations qui existaient déjà à la fin de l'exercice, le redressement des états financiers est nécessaire. Dans d'autres cas, l'événement survient après la date du bilan et ne concerne pas une situation qui existait à la date du bilan. Dans de tels cas, une note complémentaire aux états financiers devra décrire la nature et l'incidence financière de l'événement en cause.

Chez Mega Bloks, la note complémentaire 17 traite d'un événement postérieur à la date du bilan. Cet événement concerne une acquisition d'entreprise effectuée après la fin d'exercice du 31 décembre 2005, mais connu au moment de la vérification des états financiers. La note avise le lecteur que Mega Blok a fait l'acquisition d'une nouvelle entreprise avant la date de signature du rapport du vérificateur, le 23 mars 2006.

---

**MEGA BLOKS INC.**
**NOTES COMPLÉMENTAIRES**
des exercices terminés les 31 décembre 2005 et 2004
(les chiffres dans les tableaux sont en milliers de dollars américains, sauf les données sur les actions)

---

### 17. Évènement postérieur à la date du bilan

Le 24 janvier 2006, la Société a conclu une entente par l'entremise de sa filiale Rose Art, pour effectuer l'acquisition de The Board Dudes, Inc. (« Board Dudes »), une société privée établie à Corona, en Californie, en contrepartie d'un montant total de 17 millions $ en espèces sujet à ajustements, financée à même la facilité de crédit renouvelable. The Board Dudes conçoit et distribue une gamme novatrice de produits destinés aux marchés scolaire, résidentiel et de fournitures de bureau, parmi lesquels les tableaux blancs, les tableaux de liège, les tableaux de styromousse, des produits scolaires et des accessoires pour les casiers. Une contrepartie additionnelle pouvant s'élever à 7 millions $ deviendra payable aux principaux dirigeants du vendeur entre 2006 et 2009 en fonction de l'atteinte de certains objectifs de rendement. La transaction a été conclue le 1er février 2006.

### 2.7.3 Les opérations entre apparentés

Les entreprises peuvent conclure des opérations avec des personnes morales ou physiques qui entretiennent un lien de dépendance. Bien que ces opérations soient effectuées dans des conditions normales, elles doivent être présentées distinctement aux états financiers. Illustrons en premier lieu les liens d'apparentés les plus fréquemment rencontrés :

- une société mère et sa filiale ;

- deux sociétés contrôlées par la même société ou par la même personne ;

- une coentreprise et ses coentrepreneurs ;

- une personne et ses proches parents, et la société qu'ils contrôlent ;

- les membres de la direction et leurs proches parents respectifs, et la société qu'ils dirigent ;

- un particulier et la société sur laquelle il exerce une influence notable ou un contrôle conjoint ;

- la société gestionnaire et la société gérée unies par un contrat de gestion ou d'administration.

Par ailleurs, soulignons que les opérations entre apparentés peuvent être effectuées dans des conditions avantageuses pour l'une ou l'autre des parties. Des normes comptables établissent les règles quant à la mesure de telles opérations et aux renseignements à fournir à leur sujet. Habituellement, une note décrit l'étendue de telles opérations et les modalités dont elles sont assorties.

## CONCLUSION

L'étude des éléments composant les états financiers visait à familiariser le lecteur avec le contenu de l'information financière. On peut maintenant se poser les questions suivantes : D'où proviennent les sommes inscrites dans les états financiers ? À quel moment peut-on considérer un produit comme gagné et une charge comme engagée ? Comment les règles sont-elles élaborées ? Le chapitre suivant présente un aperçu des principes comptables fondamentaux qui président à l'établissement des états financiers.

# La comptabilisation de certains postes particuliers

Dans cette annexe, nous revenons sur plusieurs postes des états financiers que nous avons décrits au chapitre 2, car leur présentation et l'information à fournir requièrent une analyse plus élaborée. Il s'agit des postes suivants :

1. Contrats de location

2. Impôt sur les bénéfices

3. Avantages sociaux futurs (incluant les avantages découlant des régimes de retraite)

4. Participations dans d'autres entités (placements à long terme)

5. Écarts de conversion

6. Rémunération et autres paiements à base d'actions

7. Frais de recherche et développement

8  Informations sectorielles

## A.1 LES CONTRATS DE LOCATION

On pourrait penser que les biens loués par une entreprise ne font pas partie de son actif, du point de vue de la propriété légale des biens, puisque le locataire (le preneur) des biens n'en est pas le propriétaire légal. Par le fait même, la somme des loyers futurs exigibles aux termes du bail ne serait pas immédiatement considérée comme une dette de l'entreprise, chacun de ces loyers ne devant légalement payable qu'au fur et à mesure que le droit faisant l'objet du loyer est cédé au locataire.

Or, au fil des années, on a vu se dessiner, parmi les entreprises, une tendance à considérer la location à long terme comme un outil de financement. En effet, au lieu d'acquérir un bien à crédit et d'acquitter les remboursements y afférents, il arrive que des entreprises préfèrent louer le bien à long terme et en assumer les loyers périodiques, car la location procure plusieurs avantages fiscaux et financiers, comme la possibilité d'obtenir facilement un financement intégral.

Dans ce contexte, doit-on comptabiliser différemment un achat d'actif à crédit par remboursements périodiques et une location d'actif à long terme ? En vertu du principe de la primauté de la substance économique sur la forme juridique, que nous évoquerons dans le chapitre 3, la réponse est négative.

### A.1.1 Le contrat de location-acquisition

Lorsqu'un bail transfère au preneur la quasi-totalité des risques et des avantages liés à la détention d'un bien, le preneur comptabilise l'opération comme un achat à crédit. Le bien est donc inclus dans l'actif du bilan, et une dette correspondante est enregistrée dans le passif du bilan. Une telle opération est appelée « contrat de location-acquisition » pour le preneur.

Les loyers que le preneur paiera par la suite seront considérés comme un remboursement progressif de la dette (incluant les intérêts). Cependant, tous les contrats de location ne transfèrent pas au preneur les risques et les avantages liés à la détention d'un bien. Pour être considéré comme un contrat de location-acquisition, un bail à long terme doit respecter au moins une des trois conditions suivantes.

- Il est certain que le preneur deviendra le propriétaire légal du bien à l'échéance du bail (exemple : option d'achat à un prix préférentiel pour le preneur à l'échéance du bail).

- Le bail couvre la quasi-totalité (au moins 75 %) de la durée de vie économique du bien.

- La somme actualisée des loyers échelonnés sur la durée du bail dépasse la valeur marchande du bien au début du bail.

### A.1.2 Le contrat de location-exploitation

Les trois conditions énumérées ci-dessus ont pour objectif commun de distinguer les contrats de location assimilables, en substance, à des opérations d'achat. Les contrats de location qui ne répondent à aucune de ces trois conditions sont appelés « contrats de location-exploitation ». Les contrats de location-exploitation s'appliquent souvent à la location de locaux. Il est à noter que l'entreprise peut alors utiliser des actifs sans avoir à en faire l'acquisition. Les états financiers ne montrent pas d'actif ni de dette dans le cadre de cet engagement.

### A.1.3 Des exemples

Illustrons, par un exemple simple, les répercussions de ces deux types de contrats de location sur les états financiers du preneur. Commençons par illustrer la présentation des montants relatifs au contrat de location-acquisition.

**EXEMPLE :** Contrat de location-acquisition

Le bail, qui prend effet le 1$^{er}$ janvier 20_6, comporte les caractéristiques suivantes :

| | |
|---|---|
| Type de bien | Photocopieur |
| Valeur marchande du bien au 1$^{er}$ janvier 20_6 | 3 500 $ |
| Loyer mensuel (payé à la fin du mois) | 100 $ |
| Durée du bail | 36 mois (3 ans) |
| Durée de vie économique du bien | 10 ans |
| Taux d'intérêt pour le preneur | 9 % |
| Option d'achat | 1 $ |

Le bail est un contrat de location-acquisition, car il répond à la première condition. En effet, en raison du prix de l'option d'achat (1 $), le preneur se prévaudra sûrement de son droit d'acquérir le photocopieur.

Il en découle les conséquences suivantes :

■ Même si, d'un point de vue légal, il n'appartient pas au preneur, le photocopieur est inclus dans son actif (immobilisations) au bilan.

■ Le solde qui figure à l'actif sous le poste Matériel de bureau loué en vertu d'un contrat de location-acquisition correspond au montant qu'il aurait fallu emprunter à un taux de 9 % pour être assujetti à 36 paiements mensuels de 100 $ (incluant les intérêts). Dans cet exemple, le solde en question s'élève à 3 144 $. Autrement dit, si le preneur avait voulu emprunter à la banque 3 144 $ au taux de 9 %, il aurait été assujetti à des remboursements mensuels de 100 $ pendant 36 mois, incluant les intérêts. En fait, les 3 144 $ représentent le coût réel du photocopieur pour le preneur.

■ La somme de 3 144 $ figure également dans le passif du bilan sous le poste Obligation en vertu du contrat de location-acquisition.

■ Chaque loyer de 100 $ versé par le preneur se répartit en intérêts et en capital. Durant l'année 20_6, le preneur aura acquitté en loyers la somme de 1 200 $. De ce montant, environ 245 $ représentent les intérêts ; le solde, soit 955 $, est appliqué au remboursement du capital de la dette, ramené de 3 144 $ à 2 189 $.

■ Le bien loué, comme toutes les autres immobilisations (sauf les terrains), doit être amorti (voir les chapitres 2 et 3). L'amortissement annuel pourrait être de 314 $ (3 144 $ / 10 ans).

• • • ▶

• • • ▶

Les extraits ci-dessous du bilan et de l'état des résultats permettent de résumer la situation.

---

**Extraits du bilan au 31 décembre 20_6**

**ACTIF**

| | |
|---|---:|
| Mobilier de bureau loué en vertu d'un contrat de location-acquisition | 3 144 $ |
|     Amortissement cumulé | (314) |
| | 2 830 $ |

**PASSIF**

| | |
|---|---:|
| Obligation en vertu d'un contrat de location-acquisition | 2 189 $ |

**Extrait de l'état des résultats pour l'exercice terminé le 31 décembre 20_6**

| | |
|---|---:|
| Charge d'intérêts | 245 $ |
| Amortissement | 314 $ |

---

Poursuivons notre illustration, avec un autre exemple, en comparant la présentation des montants relatifs au contrat de location-acquisition avec celle des montants relatifs au contrat de location-exploitation.

**EXEMPLE :** Contrat de location-exploitation

Reprenons le bail de l'exemple précédent, en enlevant la clause d'option d'achat au prix de 1 $ à l'échéance. Comme le bail ne répond à aucune des trois conditions caractéristiques d'un contrat de location-acquisition, il s'agit d'un contrat de location-exploitation. Le preneur devra rendre le photocopieur à son propriétaire (le bailleur) à l'échéance. Aucun bien ne sera comptabilisé à l'actif du preneur, ni aucune dette au passif. La totalité du loyer sera passée en charges dans l'état des résultats du preneur.

Le tableau A-1 illustre les inscriptions à faire aux différents postes du bilan et de l'état des résultats selon qu'il s'agit d'un contrat de location-acquisition ou de location-exploitation.

TABLEAU A-1 • Comparaison entre la comptabilisation des différents
contrats de location

| Postes des états financiers du preneur | Location-acquisition | Location-exploitation |
|---|---|---|
| **BILAN** au 31 décembre 20_6 | | |
| **ACTIF** | | |
| Matériel de bureau loué en vertu d'un contrat de location-acquisition | 2 830 $ | s.o. |
| **PASSIF** | | |
| Obligation en vertu d'un contrat de location-acquisition | 2 189 $ | s.o. |
| **ÉTAT DES RÉSULTATS** de l'exercice terminé le 31 décembre 20_6 | | |
| Loyer | s.o. | 1 200 $ |
| Charge d'intérêts | 245 $ | s.o. |
| Amortissement | 314 $ | s.o. |

Il faut noter que, sur la durée de vie du bien (10 ans), les charges totales imputées à l'état des résultats seront équivalentes, quelle que soit la catégorie dans laquelle entre le bail. Dans les deux cas, une charge totale de 3 600 $ sera imputée à l'état des résultats sur 10 ans, comme le montre le tableau A-2.

TABLEAU A-2 • Comparaison entre les charges relatives aux contrats de location

| (en dollars) | Location-acquisition | | | | | Location-exploitation | | | |
|---|---|---|---|---|---|---|---|---|---|
| Charges | 20_6 | 20_7 | 20_8 | 20_9 à 20_15 | Total | 20_6 | 20_7 | 20_8 | Total |
| **Intérêts** | 245 | 155 | 56 | – | **456** | – | – | – | **–** |
| **Amortissement** | 314 | 314 | 314 | 2 202 | **3 144** | – | – | – | **–** |
| **Loyer** | – | – | – | – | **–** | 1 200 | 1 200 | 1 200 | **3 600** |
| **Total** | 559 | 469 | 370 | 2 202 | **3 600** | 1 200 | 1 200 | 1 200 | **3 600** |

Cependant, le fait de comptabiliser un actif et une dette supplémentaires dans le bilan modifie l'image financière de la société. Lorsqu'une société comme Air Canada loue une part importante de ses immobilisations, la catégorisation des baux entraîne des répercussions évidentes sur les ratios financiers, notamment le ratio d'endettement. Nous aborderons ces notions dans le chapitre 5.

Pour le bailleur, les critères de classification des baux sont sensiblement les mêmes que pour le preneur. Cependant, plutôt que de parler de contrats de location-acquisition, on parlera de contrats de location-vente ou de location-financement.

Si le bailleur est une institution financière, un bail désigné comme une location-acquisition pour le preneur sera considéré comme une location-financement[1] pour le bailleur. En pareil cas, l'institution financière achète le bien à un fabricant ou à un distributeur dans le seul but de le louer immédiatement au preneur. L'opération s'apparente, par essence, à un prêt que le bailleur consent au preneur pour que celui-ci acquière (d'un point de vue économique) le bien. Chaque loyer perçu représente donc un remboursement partiel de ce prêt (incluant les intérêts). Dans les états financiers du bailleur, le bien est remplacé à l'actif du bilan par un poste généralement appelé « Investissement net dans un contrat de location-financement ». La tranche de chaque encaissement de loyer représentant les intérêts sur le prêt est inscrite à l'état des résultats comme revenu d'intérêts, et le solde de l'encaissement est porté en déduction de l'investissement consenti par l'institution financière pour finalement atteindre zéro lors de l'encaissement du dernier loyer.

Si le bailleur est un fabricant ou un distributeur, un bail considéré comme une location-acquisition pour le preneur devient une location-vente pour le bailleur. Le fabricant ou le distributeur se sert de la location pour faciliter la vente de ses produits, en offrant à son client (le preneur) une solution de financement. L'opération s'apparente donc à une vente assortie d'un prêt consenti par le bailleur. À l'entrée en vigueur du bail, une vente sera inscrite dans les registres comptables, comme si le bien avait réellement été vendu. À l'actif du bilan, le prêt correspondant sera nommé « Investissement net dans un contrat de location-vente ». L'encaissement des loyers se fera exactement comme dans le cas des contrats de location-financement : la portion « intérêts » est inscrite à l'état des résultats, tandis que le solde est porté en diminution du prêt au bilan.

---

1. En de très rares occasions, il peut arriver qu'un bail de location-aquisition pour le preneur soit considéré comme une location-exploitation pour le bailleur, notamment lorsque la solvabilité du preneur est précaire.

Généralement, lorsque le bail est considéré comme une location-exploitation pour le preneur, il en est de même pour le bailleur. Le bien demeure à l'actif dans le bilan du bailleur. Le bailleur n'enregistre aucun prêt ; toutefois, il inscrit des loyers et un amortissement à l'état des résultats.

La note 4 des états financiers de Mega Bloks inc. présente le détail du poste *Immobilisations* du bilan au 31 décembre 2005. On remarque que cette société loue son matériel informatique, ainsi que sa machinerie et son équipement. En effet, les postes *Matériel informatique loué en vertu de contrats de location-acquisition* et *Machinerie et équipement loués en vertu de contrats de location-acquisition* indiquent des valeurs comptables respectives de 584 $ et 918 $. En contrepartie, la note 6 décrit la dette de Mega Bloks inc., laquelle s'élève à 1 341 $, relativement à ces contrats de location comme des *Obligations en vertu de contrats de location-acquisition, échéant à diverses dates jusqu'en mai 2008.*

## A.2 L'IMPÔT SUR LES BÉNÉFICES

La comptabilisation de l'impôt n'est pas aussi simple qu'on l'imagine. En effet, dans l'état des résultats, on ne peut se contenter de présenter le montant d'impôt auquel l'entreprise est assujettie selon ses déclarations fiscales fédérale et provinciale pour l'exercice, car il est nécessaire d'effectuer des redressements.

Au départ, on calcule l'impôt sur le revenu des sociétés en multipliant le revenu imposable par le taux d'imposition auquel l'entreprise est assujettie. Le revenu imposable est calculé, en grande partie, d'après le bénéfice de l'entreprise indiqué dans l'état des résultats. Cependant, il faut effectuer certains redressements pour rendre ce bénéfice comptable conforme à la législation fiscale. Il existe des différences entre la *Loi de l'impôt sur le revenu* et les principes comptables généralement reconnus relatifs au calcul du bénéfice, car les objectifs du législateur fiscal (équité entre contribuables, incitations à investir ou à épargner, etc.) ne sont pas les mêmes que ceux des comptables (comparabilité, neutralité, utilité à la prise de décisions, etc.). Ces redressements donnent donc lieu à des écarts entre le bénéfice avant impôts présenté à l'état des résultats et le bénéfice imposable calculé à des fins fiscales.

Pour traiter ces écarts, on utilise la *méthode du passif fiscal*, qui repose, entre autres, sur le fait que les écarts entre la valeur comptable et la valeur fiscale se résorbent avec le temps. Ainsi, on crée un passif d'impôts futurs chaque fois que survient une charge d'impôts futurs. On enregistre au bilan un actif d'impôts futurs si on prévoit plutôt une économie d'impôts futurs.

Pour calculer les impôts futurs, il faut d'abord comparer la valeur comptable avec la valeur fiscale de chacun des actifs et des passifs à la date de l'établissement des états financiers. Ensuite, on détermine les écarts dits « temporaires », puis on calcule les impôts futurs, généralement en fonction du taux d'imposition en vigueur à cette date.

L'écart temporaire le plus fréquent a trait à l'amortissement des immobilisations. Les règles fiscales liées à l'amortissement sont différentes des règles admises en comptabilité. Cependant, sur le plan de la fiscalité et de la comptabilité, le montant total de l'amortissement sur la durée de vie économique du bien est le même. Seule la répartition de ce montant global entre les exercices varie, d'où l'emploi de l'adjectif « temporaire ».

Par exemple, une entreprise achète un camion coûtant 30 000 $. On estime la durée de vie utile de ce camion à 10 ans. Si l'entreprise utilise la méthode d'amortissement linéaire, la charge d'amortissement annuel figurant aux états financiers sera donc de 3 000 $. Or, aux fins fiscales, l'amortissement autorisé doit être calculé selon la méthode de l'amortissement dégressif au taux de 30 % sur le solde non amorti. Le tableau A-3 fait ressortir l'écart annuel entre l'amortissement comptable et l'amortissement fiscal et illustre ainsi la nature temporaire de cet écart.

**TABLEAU A-3** • Comparaison entre l'amortissement comptable et l'amortissement fiscal

| Année | Amortissement comptable | Amortissement fiscal | Écart temporaire |
|:---:|:---:|:---:|:---:|
| 1 | 3 000 $ | 9 000 $* | (6 000)$ |
| 2 | 3 000 | 6 300 ** | (3 300) |
| 3 | 3 000 | 4 410 | (1 410) |
| 4 | 3 000 | 3 087 | (87) |
| 5 | 3 000 | 2 161 | 839 |
| 6 | 3 000 | 1 513 | 1 487 |
| 7 | 3 000 | 1 059 | 1 941 |
| 8 | 3 000 | 741 | 2 259 |
| 9 | 3 000 | 519 | 2 481 |
| 10 | 3 000 | 363 | 2 637 |
| Suivantes | 0 | 847 | (847) |
| **Total** | **30 000 $** | **30 000 $** | **0 $** |

\* 30 % × 30 000 $
\*\* 30 % × (30 000 $ – 9 000 $)

Quel est le lien entre les écarts temporaires et la charge totale d'impôts présentée dans l'état des résultats ? La charge d'impôts présentée aux états financiers sera constituée de deux montants : les impôts payables au cours de l'exercice et appelés « charge d'impôts exigibles », ainsi que les impôts futurs résultant des écarts temporaires appelés « passif d'impôts futurs »[2].

Mentionnons également qu'il arrive que des charges comptables ne soient pas déductibles aux fins de l'impôt, de la même façon que certains produits ne sont pas imposables. Elles sont alors ajoutées au revenu comptable ou en sont déduites aux fins du calcul de l'impôt exigible.

Illustrons ces notions par un exemple simple.

---

**EXEMPLE :** Impôt sur les bénéfices

Voici quelques données concernant une société sur une période de trois ans :

|  | 20_6 | 20_7 | 20_8 |
|---|---|---|---|
| Bénéfice avant impôts dans l'état des résultats | 100 000 $ | 100 000 $ | 100 000 $ |
| Amortissement comptable | 20 000 $ | 20 000 $ | 20 000 $ |
| Amortissement fiscal | 27 000 $ | 21 000 $ | 12 000 $ |
| Charge non déductible | 5 000 $ | 5 000 $ | 5 000 $ |
| Taux d'imposition effectif[3] | 40 % | 40 % | 40 % |

Supposons que la société a acquis les immobilisations au coût de 100 000 $ au début de l'exercice 20_6. Elle n'a fait aucune autre acquisition par la suite.

■ En 20_6, le bénéfice imposable de cette société s'élève à 98 000 $, soit :

|  | 20_6 | 20_7 | 20_8 |
|---|---|---|---|
| Bénéfice avant impôts | 100 000 $ | 100 000 $ | 100 000 $ |
| Plus : Charge non déductible | 5 000 | 5 000 | 5 000 |
| Bénéfice avant impôts rajusté, avant écarts temporaires | 105 000 | 105 000 | 105 000 |
| Plus : Amortissement comptable | 20 000 | 20 000 | 20 000 |

• • • ▶

---

2. La charge d'impôts futurs découlant des changements de taux d'imposition doit être présentée distinctement de celle relative aux écarts temporaires eux-mêmes.
3. Le taux d'imposition effectif représente le taux d'imposition réel auquel est assujettie l'entreprise compte tenu de l'ensemble des considérations fiscales.

• • • ▶

| | | | |
|---|---|---|---|
| Moins : Amortissement fiscal | (27 000) | (21 000) | (12 000) |
| Bénéfice imposable | 98 000 $ | 104 000 $ | 113 000 $ |

■ L'écart de 2 000 $ entre le bénéfice comptable de 100 000 $ et le bénéfice imposable de 98 000 $ s'explique comme suit :

5 000 $     Écart attribuable à la charge non déductible sur le plan fiscal.
(7 000 $)   Écart temporaire attribuable à la différence entre les amortissements comptable et fiscal.

La charge d'impôts exigibles est donc de 39 200 $, soit 98 000 $ × 40 %. Cette somme constitue le montant à verser aux autorités fiscales pour l'exercice 20_6.

Le calcul de la charge totale d'impôts doit également tenir compte des écarts temporaires donnant lieu aux impôts futurs. En 20_6, l'entreprise a droit, sur le plan fiscal, à une déduction pour amortissement de 27 000 $, alors que sur le plan comptable l'amortissement s'élève à 20 000 $. La valeur comptable des immobilisations est donc supérieure de 7 000 $ à leur valeur fiscale.

| | Valeur comptable | Valeur fiscale |
|---|---|---|
| Coût | 100 000 $ | 100 000 $ |
| Moins : Amortissement comptable | (20 000) | |
| Moins : Déduction pour amortissement | | (27 000) |
| Valeur nette | 80 000 $ | 73 000 $ |

Cela signifie que, en 20_6, l'entreprise paie 2 800 $ d'impôts de moins que s'il n'y avait eu aucun écart entre la valeur comptable et fiscale des immobilisations (80 000 $ – 73 000 $ = 7 000 $ × 40 %). Comme cette diminution résulte de l'écart temporaire entre le traitement comptable et le traitement fiscal de l'amortissement, l'entreprise devra inévitablement finir par payer les impôts payés en moins en 20_6, d'où l'obligation de comptabiliser un passif d'impôts futurs de 2 800 $.

La charge totale d'impôts présentée dans l'état des résultats de 20_6 sera donc de 42 000 $, présentée comme suit :

Charge d'impôts exigibles          39 200 $
Plus : Passif d'impôts futurs       2 800 $

Le même raisonnement s'applique aux deux autres exercices. Le tableau suivant illustre le processus d'établissement du passif d'impôts futurs.

• • • ▶

• • • ▶

| (en dollars) | Valeur comptable | Valeur fiscale | Écart temporaire | Taux d'imposition | Passif d'impôts futurs |
|---|---|---|---|---|---|
| Coût d'acquisition | 100 000 | 100 000 | 0 | | |
| Amortissement – année 1 | 20 000 | 27 000 | 7 000 | | |
| Valeur nette – année 1 | 80 000 | 73 000 | 7 000 | × 40 % | 2 800 |
| Amortissement – année 2 | 20 000 | 21 000 | 1 000 | | |
| Valeur nette – année 2 | 60 000 | 52 000 | 8 000 | × 40 % | 3 200 |
| Amortissement – année 3 | 20 000 | 12 000 | (8 000) | | |
| Valeur nette – année 3 | 40 000 | 40 000 | 0 | × 40 % | 0 |

Il en découle les conséquences suivantes sur la charge d'impôts à l'état des résultats.

| (en dollars) | 20_6 | 20_7 | 20_8 |
|---|---|---|---|
| Bénéfice avant impôts | 100 000 | 100 000 | 100 000 |
| Bénéfice imposable | 98 000 | 104 000 | 113 000 |
| Charge (économie) d'impôts : | | | |
| – exigibles (bénéfice imposable × 40 %) | 39 200 | 41 600 | 45 200 |
| – futurs | 2 800 | 400 * | (3 200)** |
| – totale | 42 000 | 42 000 | 42 000 |
| Solde des passifs d'impôts futurs (bilan) | 2 800 | 3 200 | 0 |

\* Passif d'impôt futur An 2 – Passif d'impôt futur An 1 = 3 200 $ – 2 800 $

\** Passif d'impôt futur An 3 – passif d'impôt futur An 2 = 0 $ – 3200 $

Les tableaux précédents nous permettent de noter les faits suivants :

■ La charge totale d'impôts est restée constante pour les trois années, bien que l'impôt exigible ait crû au cours des trois exercices.

■ Le solde des impôts futurs dans le bilan est nul après la troisième année, puisque les écarts sont temporaires, c'est-à-dire qu'ils se résorbent avec le temps.

On pourra se reporter aux notes 2 et 11 des états financiers consolidés de Mega Bloks inc. (annexe 2-2) pour connaître la répartition de la charge d'impôts de l'exercice entre les impôts exigibles et les impôts futurs ainsi que tous les actifs et passifs à la source d'écarts temporaires.

## A.3 LES AVANTAGES SOCIAUX FUTURS

Le régime d'avantages sociaux futurs représente une entente conclue entre la société et ses salariés, en vertu de laquelle la société s'engage, en échange des services rendus par les salariés, à leur procurer des avantages après leur période d'emploi. Les avantages comprennent généralement les régimes de retraite (qui représentent l'avantage futur le plus courant), l'assurance vie, l'assurance frais médicaux, les indemnités de départ, les congés parentaux, les indemnités pour invalidité, etc.

Pour l'entreprise, ces coûts constituent des charges importantes qu'elle doit inscrire aux états financiers pour l'exercice pendant lequel les salariés ont rendu les services leur donnant droit à ces avantages, dans le but de constater un passif et une charge durant l'exercice en question. En substance, les régimes d'avantages sociaux font partie de la rémunération du salarié.

Or, en vertu de certains de ces régimes, l'entité est tenue de fournir au salarié, au cours d'exercices financiers futurs, des avantages en contrepartie de services rendus par le salarié durant l'exercice courant. Le coût relatif à ces avantages futurs est constaté dans l'exercice au cours duquel le salarié gagne ces avantages, étant donné que l'obligation de verser les prestations se constitue à mesure que le salarié rend les services.

Les avantages sociaux se divisent en deux groupes distincts : les prestations de retraite et les autres avantages postérieurs à l'emploi, appelés « avantages complémentaires de retraite ». Notons que ces derniers n'incluent pas les avantages sociaux que l'entité fournit à ses salariés au cours de leur période d'emploi, tels que les salaires, les primes, les gratifications, les congés de maladie occasionnels et les vacances payées qui ne s'accumulent pas ou ne s'acquièrent pas au-delà des 12 mois suivant la date de clôture de l'exercice considéré. Voyons, dans ce qui suit, les caractéristiques liées à la comptabilisation des éléments liés aux prestations de retraite et aux avantages complémentaires de retraite.

### A.3.1 Les prestations de retraite

De nombreuses sociétés ont instauré des régimes de retraite au profit de leurs employés. Ces régimes servent à accumuler des fonds provenant de cotisations du personnel, de l'employeur (la société) ou des deux, dans le but de verser à l'employé une rente, appelée « prestations », lorsqu'il atteindra l'âge de la retraite.

Il existe deux types de régimes de retraite : les régimes de retraite à « cotisations déterminées » et les régimes de retraite à « prestations déterminées ».

## A. LES RÉGIMES À COTISATIONS DÉTERMINÉES

Un régime de retraite à cotisations déterminées est une entente contractuelle qui oblige l'employeur à verser chaque année une cotisation égale à un pourcentage fixé d'avance du salaire annuel de chaque employé. Selon le régime, l'employé peut aussi être amené à cotiser. Dans ce cas, on parle de « régime contributif ». Les fonds sont confiés à un fiduciaire, qui les fait fructifier pour le compte de l'employé. Au moment de sa retraite, ce dernier se voit remettre le solde de son compte ou, s'il préfère, il peut acheter en contrepartie de ce solde une rente viagère dont l'importance sera en grande partie proportionnelle au solde en question.

Dans ce type de régime, l'employé court un risque : la rente de retraite est fonction des intérêts (dividendes, gains de capital) générés par le fonds durant ses années de service. Ainsi, un krach boursier pourrait diminuer sa rente de retraite. Inversement, dans des circonstances très favorables, l'employé bénéficie des rendements exceptionnels de son fonds.

## B. LES RÉGIMES À PRESTATIONS DÉTERMINÉES

Dans un régime à prestations déterminées, ce ne sont pas les cotisations qui sont fixées d'avance, mais les rentes (ou prestations) de retraite versées aux salariés. Par exemple, le régime peut garantir une rente de retraite annuelle équivalant à 2 % du salaire moyen gagné durant les trois années de service au cours desquelles l'employé a été le mieux rémunéré, multiplié par le nombre total d'années de service. Dès lors, un employé ayant travaillé 30 ans et dont le salaire moyen des trois dernières années est de 50 000 $ recevra une rente de retraite annuelle de 30 000 $ (30 × 2 % × 50 000 $).

Théoriquement, l'employeur n'est pas obligé de cotiser annuellement au régime. Sa seule obligation est de s'assurer que le retraité reçoit la rente garantie par le régime. Cependant, la Régie des rentes du Québec (RRQ) oblige les employeurs à verser une cotisation annuelle minimale.

Dans le cas des régimes à prestations déterminées, l'employeur s'engage à payer non des cotisations, mais des prestations. Souvent, la date de paiement de ces prestations est très éloignée. La charge de retraite annuelle au titre des prestations versées pour les services rendus au cours d'une année donnée ne sera donc plus égale au montant cotisé au régime, car celui-ci est établi par l'employeur. Cette charge sera plutôt égale au « coût actualisé » de la proportion de la rente que l'employé a gagnée par son travail durant l'exercice. En d'autres termes, la charge annuelle équivaudra à la somme qu'il faudrait investir aujourd'hui pour que le fonds dispose d'assez d'argent pour payer annuellement, à compter du départ à la retraite de l'employé, la portion de rente gagnée par l'employé durant l'année, et ce, jusqu'à son décès.

Ce montant est estimé par un actuaire, à partir des hypothèses qu'il juge les plus probables en matière de taux d'intérêt futurs, de mortalité, de roulement du personnel de l'entreprise, etc. Toute différence entre le montant estimatif et la cotisation que l'employeur a réellement versée au régime durant l'année est cumulée dans le bilan. Cette différence apparaîtra soit dans le passif sous le poste Charge de retraite à payer (si la cotisation versée est inférieure au coût actualisé), soit dans l'actif sous le poste Charge de retraite reportée (si la cotisation versée est supérieure au coût actualisé). Il s'agit du seul montant au titre du régime de retraite que présentera le bilan de l'employeur.

Les fonds cumulés dans le régime de retraite ne sont pas inclus dans le bilan de l'employeur, puisque celui-ci ne peut pas utiliser ces sommes à d'autres fins que le paiement de rentes de retraite. Les fonds cumulés sont la propriété du régime de retraite, qui constitue une entité juridique distincte produisant ses propres états financiers. Néanmoins, la valeur de l'actif total du régime de retraite est présentée en annexe des états financiers de l'employeur. Par ailleurs, une note donne des renseignements sur la « valeur actuarielle des prestations constituées ». Cette valeur correspond au coût actualisé de la proportion des rentes cumulée par les employés depuis leur date d'embauche jusqu'à la date du bilan. En d'autres termes, il s'agit du montant que le fonds devrait contenir aujourd'hui, compte tenu des taux d'intérêt prévus, afin de pouvoir payer la proportion des rentes à laquelle les employés ont droit, compte tenu du travail qu'ils ont accompli jusqu'à présent. Voyons un exemple.

**EXEMPLE :** Valeur actuarielle des prestations constituées

La société XYZ a un seul employé, qui compte 10 ans d'ancienneté. Il prendra sa retraite dans 15 ans, et le régime de retraite à prestations déterminées de XYZ lui garantit une rente de retraite égale à 2 % de son salaire de fin de carrière, multiplié par le nombre d'années de service. L'actuaire prévoit que cet employé vivra 12 ans après son départ à la retraite, que le taux d'intérêt à long terme sera de 10 % et que l'employé gagnera un salaire de 50 000 $ au moment de sa retraite.

La valeur actuarielle des prestations constituées à ce jour correspond donc au coût actualisé de la proportion des rentes déjà acquise par l'employé. La rente déjà acquise par l'employé est de 10 000 $ (10 ans × 2 % × 50 000 $). Il est donc assuré d'une rente de retraite de 10 000 $ par an. Puisque l'espérance de vie de cet employé est de 12 ans après son départ à la retraite et que le taux d'intérêt est de 10 %, le coût actualisé de cette proportion des rentes s'élève à 16 345 $. Théoriquement, cela signifie que, si le fonds de retraite renferme aujourd'hui 16 345 $ (investi à un taux de 10 %), celui-ci contiendra dans 15 ans des sommes suffisantes pour verser à l'employé 10 000 $ par année pendant 12 ans.

La comparaison de l'actif du fonds et de la valeur actuarielle des prestations constituées permet donc au lecteur de juger de la santé du régime de retraite. Si l'actif du fonds est supérieur à la valeur actuarielle des prestations constituées, on est en présence d'un « surplus actuariel », ce qui est le cas de certains régimes de retraite. Dans le cas contraire, on parle de « déficit actuariel ». En théorie, si l'employeur versait toujours à la caisse de retraite le strict montant de la charge annuelle calculée par l'actuaire et si les hypothèses de celui-ci se révélaient exactes, il n'y aurait ni surplus ni déficit : l'actif du fonds serait égal à la valeur actuarielle des prestations constituées. Cependant, en pratique, ces montants ne sont jamais parfaitement égaux en raison des facteurs suivants :

■ les cotisations excédentaires ou insuffisantes de la part de l'employeur ;

■ les écarts entre la réalité et les hypothèses actuarielles ;

■ la révision des hypothèses actuarielles ;

■ les modifications apportées au régime, avec effet rétroactif.

## A.3.2 Les avantages complémentaires de retraite

Outre les prestations de retraite, les salariés partis à la retraite bénéficient parfois d'autres avantages postérieurs à l'emploi (appelés aussi « avantages sociaux futurs »). Il s'agit des avantages complémentaires de retraite, comprenant notamment les indemnités pour soins de santé, pour assurance vie, etc.

De plus, d'autres avantages sociaux futurs peuvent être offerts aux salariés actuels, aux anciens salariés ou aux employés inactifs. En voici quelques exemples.

■ Les prestations d'invalidité à court et à long terme, les indemnités de cessation d'emploi, les prestations complémentaires de chômage ainsi que le maintien des indemnités pour soins de santé et assurance.

■ Les absences et les congés pendant lesquels les salariés reçoivent une rémunération de leur employeur, tels les congés parentaux, les congés de maladie qui s'accumulent ou qui sont payés s'ils sont inutilisés par le salarié, ainsi que les congés sabbatiques.

■ Les rentes anticipées, accordées lors d'un départ anticipé à la retraite, qu'il soit volontaire ou involontaire.

Tous ces autres avantages sociaux font partie intégrante du régime de rémunération des employés. Ils doivent être comptabilisés en fonction des « avantages gagnés » par les salariés et non en fonction des décaissements. Il faut donc, pour chaque exercice, déterminer la base d'avantages gagnés par les employés et en déterminer le montant, lequel sera comptabilisé comme charge de l'exercice. Il importe de mentionner que les entreprises ont fréquemment recours à des spécialistes afin de déterminer l'ensemble des montants liés aux avantages sociaux futurs.

## A.4 LES PARTICIPATIONS DANS D'AUTRES ENTITÉS

Une des stratégies de développement pour une entreprise qui souhaite prendre de l'expansion consiste à acquérir une participation dans d'autres entreprises. Il existe différents types de placements, qui sont classés selon le degré d'influence qu'exercera l'entité qui achète le placement dans la société dite « émettrice ». Ce degré d'influence dépend principalement du pourcentage d'actions avec droit de vote que détient la société acheteuse ou l'entité dite « participante ». Par exemple, une entité qui détient plus de 50 % des actions avec droit de vote est présumée exercer un contrôle sur la société émettrice, laquelle est, dans ce cas, considérée comme sa filiale.

Par ailleurs, il faut déterminer si, dans les faits, il existe d'autres facteurs que la détention d'actions avec droit de vote permettant à la société participante d'exercer une influence sur la société émettrice. Ainsi, pour déterminer le degré d'influence qu'elle exerce sur une entité émettrice, la société participante doit considérer son pouvoir de déterminer, de manière durable et sans le concours de tiers, les politiques stratégiques de cette entité. La présence de membres communs au sein des deux conseils d'administration peut dénoter l'exercice d'une certaine influence.

Du point de vue de la comptabilité, le degré d'influence détermine la méthode de comptabilisation du placement dans les états financiers de l'entité participante.

Après avoir énuméré chaque type de placements que peut effectuer une entité participante, nous présenterons la méthode de comptabilisation qui convient à chacun d'eux.

- Un placement dans une société émettrice qui représente l'acquisition de 20 % à 50 % des actions avec droit de vote est appelé *placement dans une société satellite*.

- Un placement dans une société émettrice qui représente l'acquisition de plus de 50 % des actions avec droit de vote est appelé *placement dans une filiale*.

■ Un placement dans une société émettrice où au moins deux partenaires exercent un contrôle conjoint sur une activité économique précisée par voie d'accord contractuel est appelé *placement dans une coentreprise*.

### A.4.1 La comptabilisation d'un placement dans une société satellite

Une entité participante effectue un placement dans une société satellite lorsqu'elle est en mesure d'exercer une influence notable sur les décisions financières et administratives de la société émettrice, sans toutefois en avoir le contrôle. Il est habituellement considéré que l'entité participante qui détient entre 20 % et 50 % des actions avec droit de vote en circulation de la société émettrice est en mesure d'exercer une influence notable. Encore une fois, ce pourcentage sert de balise. Il faut vérifier les rapports existants entre l'entité participante et la société émettrice et évaluer l'influence globale exercée. L'entité participante en mesure d'exercer une influence notable sur une société émettrice pour en faire un satellite doit comptabiliser sa participation dans la société satellite à la valeur de consolidation.

Ainsi, dans un premier temps, on trouve au bilan de la société participante le poste Placements à long terme, dans lequel est comptabilisé le coût d'acquisition du placement). Par la suite, on ajuste la valeur d'acquisition du placement. Pour ce faire, on commence par ajouter au coût d'acquisition du placement dans la société émettrice la quote-part du bénéfice de la société satellite revenant à l'entité participante ; après quoi, on diminue la valeur du placement de la quote-part des dividendes déclarés par la société émettrice revenant à la société participante. De la même manière, advenant une perte de la société émettrice, on diminuera le coût du placement dans la société satellite de la quote-part de la perte revenant à la société participante.

Selon cette méthode, le dividende déclaré par la société émettrice n'est pas considéré comme un revenu de placement. Le revenu de placement correspond à la quote-part du bénéfice ou des pertes du satellite revenant à la société participante. Voici un exemple.

**EXEMPLE:** Méthode de comptabilisation à la valeur
de consolidation

Une société participante, la société A, achète 30 % des actions avec droit de vote d'une société B. Le coût d'acquisition de ce placement est de 50 000 $. À la fin du premier exercice, la société B réalise un bénéfice net de 10 000 $ et déclare un dividende de 1 000 $.

Aux états financiers de la société A, le poste Placement à long terme sera de 52 700 $, soit :

| | |
|---|---:|
| Coût d'acquisition du placement | 50 000 $ |
| Plus : Quote-part du bénéfice net de la société B (30 % × 10 000 $) | 3 000 |
| Moins : Dividende versé par la société B à la société A (30 % × 1 000 $) | (300) |
| | 52 700 $ |

### A.4.2 La comptabilisation d'un placement dans une filiale

Dans le cas d'un placement dans une filiale, l'acquéreur, appelé « société mère », sera considéré comme ayant le contrôle de la société émettrice, appelée sa « filiale », puisque la société mère contrôle la majorité des droits de vote rattachés aux actions de la filiale en question. Il arrive aussi qu'une société qui détient moins de 50 % des actions avec droit de vote doive tout de même considérer la société émettrice comme une filiale lorsque le degré d'influence qu'elle exerce sur cette dernière fait en sorte que, dans les faits, elle la contrôle.

Ce mode d'acquisition est prisé des investisseurs en raison de sa relative simplicité administrative, car la société acquise conserve la propriété de ses actifs. Légalement, les deux sociétés subsistent. Aucune ressource ne change de propriétaire légal ; seules les actions de la société acquise font l'objet d'un transfert entre les détenteurs précédents et l'acquéreur.

Pour refléter ce contrôle, on a recours à un processus comptable plutôt complexe nommé « consolidation ». En résumé, ce procédé consiste à regrouper en un seul jeu les états financiers de toutes les filiales et ceux de la société mère, puisque, dans les faits, tous les actifs et les passifs des filiales appartiennent à cette dernière.

Dans les états financiers consolidés, les placements dans la filiale ne figurent pas au bilan sous le poste Placements à long terme. Le principe de base consiste à additionner tous les postes de l'état des résultats, du bilan, des bénéfices non répartis et des flux de trésorerie des filiales avec ceux de la société mère peu importe que, dans les faits, les filiales soient détenues à moins de 100 %. Ce processus est appelé « consolidation intégrale ». Pour justifier ce traitement, il importe de comprendre que, dès que la société mère détient plus de 50 % des actions avec droit de vote d'une filiale (ou qu'elle exerce un contrôle de fait en raison d'autres facteurs), elle est en mesure d'exploiter la totalité des actifs et des activités de cette filiale, même si elle ne la détient qu'à 80 %, par exemple. Cela veut aussi dire que le groupe d'actionnaires minoritaires (détenant, dans ce cas-ci, 20 % des actions avec droit de vote), appelés aussi actionnaires sans contrôle (voir la section 2.5.6 E), doit se soumettre à la volonté de la société mère en ce qui concerne la totalité des biens investis. Ainsi, le processus de consolidation intégrale permet à l'utilisateur de mesurer plus précisément le risque d'un placement de la société mère dans ses filiales.

Sans entrer dans le processus technique de consolidation, voici comment interpréter les postes des états financiers consolidés.

## A. L'ÉTAT DES RÉSULTATS

Les produits et les charges (ventes, coût des marchandises vendues, frais de vente et d'administration, etc.) inscrits dans l'état consolidé des résultats représentent la somme de ces postes pour toutes les sociétés du groupe consolidé.

Par ailleurs, toutes les opérations internes (entre les entreprises du groupe) sont éliminées. Par exemple, les ventes de la filiale à la société mère sont exclues des ventes consolidées. De même, les dividendes que la société mère reçoit de ses filiales ne figurent pas dans l'état consolidé des résultats. En somme, on ne présente dans cet état que les opérations effectuées avec des intervenants externes, considérant le groupe de sociétés comme une entité économique en soi.

Il serait faux de dire d'une société mère qui détient moins de 100 % des actions de sa filiale qu'elle en possède 100 % des résultats. Pour cette raison, le poste Part des actionnaires sans contrôle ou Participation minoritaire est présenté à l'état des résultats. Il s'agit de la part des résultats qui revient, légalement, aux actionnaires minoritaires des filiales (voir la section 2.6.7).

Comme il est décrit à la note 2 aux états financiers consolidés de Mega Bloks inc. reproduite ci-dessous, la société détient ses filiales en propriété exclusive (100 % des actions avec droit de vote). Pour cette raison, le poste Part des actionnaires sans contrôle ne figure pas à l'état consolidé des résultats du groupe.

**MEGA BLOKS INC.**
**NOTES COMPLÉMENTAIRES**
des exercices terminés les 31 décembre 2005 et 2004
(les chiffres dans les tableaux sont en milliers de dollars américains, sauf les données sur les actions)

2. **Principales conventions comptables (extrait)**

*Principes de consolidation*

Les états financiers consolidés comprennent les comptes de la Société et ceux de ses filiales en propriété exclusive, à compter de la date d'acquisition. Toutes les opérations et tous les soldes intersociétés importants ont été éliminés.

Par ailleurs, dans l'hypothèse où une filiale de Mega Bloks inc. afficherait à elle seule un bénéfice de 10 000 000 $, et où la société mère détiendrait 80 % des actions avec droit de vote en circulation de cette société, une somme de 2 000 000 $ (soit 20 % × 10 000 000 $) reviendrait légalement aux autres actionnaires de la filiale plutôt qu'à la Société. On présenterait donc 2 000 000 $ dans le poste Part des actionnaires sans contrôle (ou Participation minoritaire) de l'état consolidé des résultats afin de compenser l'inscription de la totalité des produits et des charges de la filiale à l'état des résultats de la Société, lors de la consolidation. Rappelons qu'il s'agit ici d'une hypothèse, puisque Mega Blocks détient ses filiales en propriété exclusive.

## B. LE BILAN

Il faut additionner la totalité des actifs et les passifs (encaisse, stocks, immobilisations, fournisseurs, dettes à long terme, etc.) du bilan des filiales et ceux de la société mère. Ainsi, le bilan consolidé de Mega Bloks inc. représente la somme des postes figurant au bilan de chacune des sociétés du groupe. Par ailleurs, lors de la consolidation, on élimine les dettes ou les montants à recevoir d'une autre société du groupe.

Dans le cas d'une filiale détenue à moins de 100 %, il est à noter que les actifs et passifs sont repris en totalité dans le bilan consolidé. Toutefois, le processus de consolidation intégrale oblige à reconnaître la quote-part des éléments du bilan n'appartenant pas au groupe consolidé. Nous retrouvons alors le poste *Part des actionnaires sans contrôle* ou *Participation minoritaire*, qui représente la part des actifs nets (actifs moins passifs) du groupe consolidé appartenant aux actionnaires minoritaires.

### A.4.3 La comptabilisation d'un placement dans une coentreprise

Une coentreprise est un groupement par lequel plusieurs personnes ou entités s'associent selon des modalités diverses. À l'issue de cet accord, elles s'engagent à mener en coopération une activité industrielle ou commerciale, ou encore elles décident de mettre en commun leurs ressources et d'exercer un contrôle conjoint sur cette activité en vue d'atteindre un objectif particulier, tout en prévoyant de partager les frais et les bénéfices. Il peut s'agir aussi d'une activité économique que deux coentrepreneurs ou plus contrôlent conjointement en vertu d'un accord contractuel. Le contrôle conjoint d'une activité économique est le pouvoir, exercé collectivement, de définir de manière durable les politiques stratégiques en matière d'exploitation, d'investissement et de financement d'une société. Les participations dans des coentreprises doivent être constatées dans les états financiers du coentrepreneur selon la méthode de la consolidation proportionnelle.

Avec cette méthode, on ne trouve pas au bilan, sous le poste Placements à long terme, la participation dans la coentreprise. Ce type de placement est décrit dans la note qui détaille les conventions comptables utilisées, sous la rubrique Placements. De fait, pour appliquer la méthode de la consolidation proportionnelle, on additionne les postes des états financiers de la coentreprise à ceux des états financiers du coentrepreneur en tenant compte de la part que ce dernier détient dans la coentreprise. Ainsi, chacun des actifs, des passifs, des produits et des charges placés sous contrôle conjoint sont inscrits proportionnellement dans les postes correspondants des états financiers de l'un et l'autre des coentrepreneurs. Cette méthode diffère de la consolidation intégrale, puisqu'aucun des partenaires n'exerce d'influence dominante. Il n'y a donc pas de participation minoritaire pour ce type de placement.

La méthode de la consolidation proportionnelle permet au coentrepreneur de mieux rendre compte de la substance de sa participation dans la coentreprise et de la réalité économique. En effet, il ne contrôle pas les ressources de la coentreprise, car le contrôle est partagé ; son droit à l'actif, au passif et aux bénéfices est limité à sa quote-part. L'information ainsi fournie permet aux utilisateurs de bien évaluer le risque auquel s'expose le coentrepreneur, car elle reflète fidèlement la part des activités qu'il exerce et des ressources financières dont il dispose.

Lorsqu'on utilise la méthode de la consolidation proportionnelle, on considère que les postes des états financiers du coentrepreneur et la part qui lui revient des postes de la coentreprise relèvent d'une seule entité économique. Les états financiers consolidés sont le fruit d'une opération extra-comptable qui consiste à combiner, moyennant certains redressements, les postes des états financiers du coentrepreneur et la part lui revenant des postes de la coentreprise.

Cette méthode doit être appliquée uniformément à tous les états financiers du coentrepreneur (état des résultats, état des bénéfices non répartis, bilan et état des flux de trésorerie).

## A.5 LES ÉCARTS DE CONVERSION

Le phénomène d'acquisition de filiales étrangères débouche sur un autre problème comptable. En effet, pour la consolidation, il est nécessaire de convertir les états financiers des filiales libellés dans une monnaie autre que le dollar canadien ou le dollar retenu aux fins de présentation des états financiers. C'est d'ailleurs le cas de Mega Bloks inc., qui présente ses états financiers consolidés en dollars américains.

De plus, le processus de conversion des monnaies s'applique aux opérations effectuées en devises. En effet, il arrive fréquemment qu'une entité effectue des opérations en devises pour acheter ou vendre des biens ou des services, même si elle n'a pas de filiales à l'étranger.

Les états financiers doivent rendre compte de manière uniforme des états financiers de filiales étrangères et des opérations effectuées en devises. Pour ce faire, il existe deux méthodes de conversion, que nous présentons brièvement ci-dessous : la méthode du taux courant et la méthode temporelle.

### A.5.1 La méthode du taux courant

La méthode du taux courant s'applique uniquement aux filiales dites « entités étrangères autonomes », c'est-à-dire aux entités qui agissent de manière indépendante par rapport à la société mère en matière de gestion financière et d'exploitation. De fait, ces filiales autonomes équivalent à des placements à long terme pour la société mère, et les variations de la valeur relative de la devise n'ont pas d'effet quotidien sur la situation financière de la société mère. Le taux de change n'a d'influence que pour l'évaluation de la valeur globale, en dollars canadiens, de la filiale étrangère.

Pour ces raisons, la méthode du taux courant est utilisée pour convertir les états financiers des entités étrangères autonomes. Selon cette méthode :

■ Aucun gain ni perte de change n'est constaté dans l'état des résultats.

■ Tous les postes du bilan sont convertis au taux de change en vigueur à la fin de l'exercice (taux courant), sauf les postes de capitaux propres, qui sont convertis au taux initial.

■ Les postes de l'état des résultats sont convertis au taux de change moyen en vigueur durant l'exercice.

■ Toutes les variations du change (ou écarts de conversion) seront présentées au poste Gains et pertes de change latents sur conversion des états financiers d'établissements étrangers autonomes à l'état du résultat étendu. Cette dernière disposition entrera en vigueur le 1er octobre 2006.

## A.5.2 La méthode temporelle

La méthode temporelle a pour objectif d'harmoniser les opérations effectuées en devises des établissements étrangers intégrés (filiales étrangères non autonomes) avec celles de la société mère. Une filiale dite intégrée se caractérise par des liens étroits entre la société mère et sa filiale, comme si la filiale était le prolongement de la société mère. Cette méthode a donc pour but de convertir les postes des états financiers en dollars canadiens afin d'obtenir les mêmes montants, dans les états financiers, que si les opérations avaient toutes été conclues au Canada en dollars canadiens. Cette méthode s'applique à la fois aux opérations conclues en devises et à la conversion des états financiers des établissements étrangers intégrés.

### A. LES OPÉRATIONS CONCLUES EN DEVISES

Dans le bilan, les actifs comme les stocks et les immobilisations sont convertis en dollars canadiens en fonction du taux de change en vigueur au moment de leur acquisition ou de leur fabrication (taux historique). Ce traitement sert à exprimer en dollars canadiens le coût historique réel des stocks et des immobilisations, comme si ceux-ci avaient été achetés (ou produits) directement au Canada en dollars canadiens. Il en est ainsi de tous les autres actifs et passifs dits « non monétaires ». Un élément est monétaire si le nombre d'unités de monnaie qui y est associé est fixé d'avance par contrat ou autrement. Inversement, les stocks et les immobilisations sont des éléments non monétaires, car le nombre d'unités de monnaie (dollars américains ou autres devises) associé à ces éléments n'est pas fixé d'avance et varie selon la conjoncture économique (inflation, etc.).

Des éléments comme l'encaisse, les comptes clients et les dettes diverses sont considérés pour leur part comme monétaires. En effet, peu importe la situation, une dette d'un million de dollars exigera toujours un remboursement d'un million de dollars. Les postes monétaires devront donc être convertis au taux de change en vigueur à la fin de l'exercice. Exprimée en dollars canadiens, la valeur de tels postes varie dans le temps en fonction des taux de change. Le fait de régulariser périodiquement la valeur de ces postes d'après le nouveau taux de change amène à constater des gains ou des pertes de change à l'état des résultats.

Dans l'état des résultats, les postes de produits et de charges sont donc convertis selon le taux de change en vigueur à la date des opérations. (Un taux de change moyen pour l'exercice est couramment utilisé comme approximation du taux de change historique des produits et des charges.)

## B. LA CONVERSION DES ÉTATS FINANCIERS DES ÉTABLISSEMENTS ÉTRANGERS INTÉGRÉS

On utilise la méthode temporelle pour convertir les états financiers des établissements étrangers intégrés comme si ceux-ci avaient été exploités au Canada. Cependant, les résultats obtenus ne sont qu'approximatifs. Dans l'état des résultats, les produits et les charges sont convertis en dollars canadiens à l'aide du taux de change en vigueur à la date des opérations. Dans le bilan, les postes non monétaires sont convertis au taux historique. (Leur valeur en dollars canadiens est donc fixée dès la date d'achat.) Quant aux postes monétaires, périodiquement réévalués en fonction des nouveaux taux de change, ils sont présentés selon le taux de change en vigueur à la fin de l'exercice. Au cours d'un exercice, les variations de la valeur des postes monétaires sont présentées dans l'état des résultats de ce même exercice sous le poste Gains (pertes) de change.

Sont considérées comme des établissements étrangers intégrés toutes les filiales entretenant des liens relativement étroits avec la société mère. C'est le cas d'une filiale exploitée sur le même marché que la société mère avec laquelle elle conclut fréquemment des opérations ou dont elle dépend pour son exploitation courante.

Dans le cas de Mega Bloks inc., la note 2 précise que la société convertit les opérations conclues en devises étrangères selon la méthode temporelle. Voici la disposition en question.

**MEGA BLOKS INC.**
**NOTES COMPLÉMENTAIRES**
des exercices terminés les 31 décembre 2005 et 2004
(les chiffres dans les tableaux sont en milliers de dollars américains, sauf les données sur les actions)

**2.   Principales conventions comptables (suite) (extrait)**

*Conversion des devises*

Les actifs et les passifs monétaires libellés en devises autres que le dollar américain (devises étrangères) et les actifs et passifs monétaires des filiales étrangères intégrées sont convertis au taux de change en vigueur à la date du bilan. Les éléments non monétaires du bilan libellés en devises étrangères et les éléments non monétaires du bilan des filiales étrangères intégrées sont convertis au taux de change en vigueur à la date des opérations. Les produits et les charges découlant d'opérations conclues en devises étrangères et ceux provenant des filiales étrangères intégrées sont convertis en dollars américains aux taux moyens en vigueur au cours des périodes correspondantes. Les gains ou les pertes de change résultant de ces opérations sont imputés aux états consolidés des résultats.

Tous les gains et les pertes de change non matérialisés sur des actifs et des passifs libellés en devises sont inclus dans les résultats de l'exercice.

## A.6  LA RÉMUNÉRATION ET LES AUTRES PAIEMENTS À BASE D'ACTIONS

Il est courant que les entreprises offrent à leurs salariés occupant des postes clés une partie de leur rémunération sous forme d'actions de la société. Il s'agit d'un des moyens employés pour motiver les employés. En effet, lier la rémunération au rendement des actions vise à aligner les intérêts des employés sur ceux de l'entreprise. Car plus le cours des actions de la société monte, mieux se portent les employés qui sont détenteurs d'actions ou qui le deviendront. La forme la plus courante de rémunération à base d'actions est l'option d'achat d'actions, ou « option sur actions ».

Quand elle octroie une option d'achat d'actions à un employé, l'entreprise donne à cet employé le droit d'acheter des actions à un prix prédéterminé, qui correspond généralement au cours du titre au moment de l'octroi. Ainsi, si le cours augmente, l'employé paiera moins que le cours pour acheter les titres, ce qui constitue un gain pour lui. Voyons un exemple.

Le 4 janvier 2006, une société octroie à un employé le droit d'acheter 10 actions de la société à la fin de l'année, soit le 30 décembre 2006, au cours des actions en date du 4 janvier 2006, c'est-à-dire 2,50 $. Si, le 30 décembre 2006, le cours est de 3 $, l'employé aura avantage à verser 25 $ ($10 \times 2,50$ $) pour acquérir 10 actions qui valent en réalité 30 $ ($10 \times 3,00$ $).

À quoi reconnaît-on cette forme de rémunération dans les états financiers d'une société ? Les normes comptables obligent les sociétés qui octroient des options d'achat d'actions à comptabiliser, à la date d'octroi, une charge liée à la rémunération à un montant correspondant à la juste valeur de l'option d'achat d'actions. Pour estimer cette *juste valeur*, on a recours à des modèles financiers plutôt complexes. Ainsi, pour une option d'achat d'actions qui, au 4 janvier 2006, a une juste valeur de 0,40 $ sur le marché, on doit enregistrer à ce moment à l'état des résultats une charge de 4 $ (10 × 0,40 $), ce qui réduit le bénéfice de 4 $ ; on augmente d'autant les capitaux propres à titre de surplus d'apport.

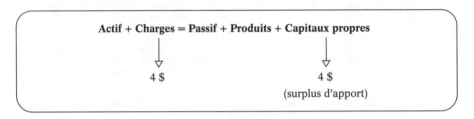

Au 30 décembre 2006, si l'employé décide d'acheter les 10 actions à 2,50 $, il versera pour ce faire un montant de 25 $ à la société.

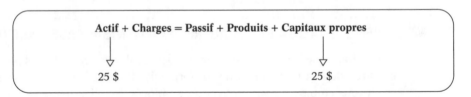

Les normes comptables obligent également les sociétés qui offrent une rémunération à base d'actions à décrire par voie de notes complémentaires aux états financiers les modalités des régimes en vigueur. Cette note doit notamment indiquer le nombre d'options octroyées, la date de levée et les conditions rattachées à la levée des options. Ce sont là autant de renseignements et de conditions qui rendent la comptabilisation de tels régimes fort complexe.

Mega Bloks inc. offre une rémunération à base d'actions. Elle décrit celle-ci ainsi que son mode de comptabilisation à la note 2 de ses états financiers consolidés (annexe 2-2).

## A.7 LES FRAIS DE RECHERCHE ET DE DÉVELOPPEMENT

L'étude de la section 2.4.2, et notamment celle des sujets touchant « Les dépenses en capital et les dépenses d'exploitation », ainsi que « Les autres actifs », nous conduit à nous pencher sur la comptabilisation des frais de recherche et de développement. En effet, bien que les gestionnaires des sociétés utilisent souvent l'expression R & D (pour recherche et développement), il est à noter que, du point de vue de la comptabilité, les frais de recherche et les frais de développement sont traités différemment.

Nous verrons dans ce qui suit que l'on considère les frais de recherche comme des dépenses d'exploitation, alors que, sous certaines conditions, les frais de développement représentent des dépenses en capital.

Le *Manuel de l'ICCA* définit ainsi les activités de recherche et de développement[4] :

■ Recherche : investigation planifiée entreprise dans l'espoir d'acquérir de nouvelles connaissances scientifiques ou techniques. Il peut s'agir de recherche appliquée, orientée vers un but ou une application pratique bien définis, ou de recherche pure.

■ Développement : travail de transposition des résultats de la recherche, ou d'autres connaissances, qui se situe avant le commencement de la production ou de l'utilisation commerciales et qui consiste à mettre au point des matières, appareils, produits, procédés, systèmes ou services nouveaux ou sensiblement améliorés.

Le traitement comptable des frais liés à la recherche et au développement comporte deux difficultés. Tout d'abord, la mesure proprement dite des frais de recherche et de développement, et, deuxièmement, la répartition de ces coûts entre ce qui revient à la recherche et ce qui constitue du développement.

La mesure ou le coût des frais de recherche et de développement doit comprendre tous les frais directement engagés pour mener à bien ces activités, qu'il s'agisse des salaires des chercheurs et concepteurs, du coût du laboratoire, ou plutôt son amortissement, etc.

La répartition entre frais de recherche et frais de développement repose sur les avantages futurs qui découleront éventuellement de ces frais. Puisqu'il est impossible de déterminer avec précision les avantages futurs que pourraient apporter les coûts engagés pour effectuer de la recherche, ni même le moment

---

4. *Manuel de l'ICCA*, Toronto, ICCA, chap. 3450.02.

où se matérialiseront les résultats, il importe de passer en charges tous les frais de recherche au moment où ils sont encourus.

Quant aux frais de développement, ils sont engagés pour mettre au point la commercialisation d'un bien ou d'un service. Il est donc possible d'en mesurer les avantages futurs. Ainsi, on pourra capitaliser les frais de développement à l'actif du bilan (ou reportés au bilan) si, et seulement si, *toutes* les conditions suivantes, tirées du *Manuel de l'ICCA* (chapitre 3450.21), sont respectées :

- le produit ou le procédé en question est bien défini et on peut établir les coûts qui lui sont afférents ;

- du point de vue technique, la faisabilité du produit ou du procédé a été démontrée ;

- la direction de l'entreprise a indiqué son intention de produire et de commercialiser, ou d'utiliser le produit ou le procédé ;

- le marché potentiel du produit ou du procédé est clairement défini ou, dans le cas où l'entreprise compte s'en servir pour son propre usage, il est établi que le produit ou le procédé sera utile à l'entreprise ;

- l'entreprise dispose déjà, ou prévoit pouvoir disposer, des ressources nécessaires pour mener le projet à terme.

Lorsque les frais de développement satisfont à ces cinq conditions, ils sont d'abord inscrits au bilan à titre d'actif (principalement sous le poste Frais reportés ou Autres actifs). Ils sont ensuite imputés aux résultats comme charges à partir du moment où la Société commence à en tirer des avantages, c'est-à-dire quand l'entité inscrit les ventes liées au bien ou au service développé. Les frais de développement capitalisés ne peuvent excéder le montant des avantages futurs que l'on croit pouvoir récupérer dans les exercices à venir. Si les avantages futurs sont trop incertains, les frais de développement doivent être passés en charges dans l'exercice où ils ont été engagés.

La note 2 aux états financiers consolidés de Mega Bloks inc., reproduite ci-dessous, décrit le mode de comptabilisation des frais de recherche et de développement de la société.

**MEGA BLOKS INC.**
**NOTES COMPLÉMENTAIRES**
des exercices terminés les 31 décembre 2005 et 2004
(les chiffres dans les tableaux sont en milliers de dollars américains, sauf les données
sur les actions)

2.    **Principales conventions comptables (suite) (extrait)**

*Frais de recherche et développement*

Les frais de recherche sont imputés aux résultats déduction faite des crédits d'impôt s'y rapportant.
Les frais de développement sont comptabilisés aux résultats, déduction faite des crédits d'impôt s'y
rapportant, à moins qu'ils ne satisfassent aux critères de report selon les principes comptables
généralement reconnus du Canada. Les crédits d'impôt enregistrés en réduction des frais de
recherche et développement représentent un montant de 0,9 million $ pour l'exercice terminé le 31
décembre 2005 (1,5 million $ en 2004).

## A.8  LES INFORMATIONS SECTORIELLES

Il n'est pas rare qu'une entreprise œuvre dans plusieurs secteurs d'activités. Elle
peut offrir des biens et services différents ou encore vendre dans des secteurs
géographiques diversifiés. C'est le cas de Mega Bloks inc., qui diversifie ses
opérations entre la vente de jouets et la vente de papeterie. De plus, Mega Bloks
inc. vend ses jouets et de la papeterie en Amérique du Nord et dans différentes
régions du monde. Afin de mieux informer les utilisateurs sur sa performance
financière, une entreprise qui œuvre dans plusieurs secteurs est tenue de donner
des informations sur chacun d'eux. Comme les états financiers d'une entreprise
révèlent, certes, sa situation financière et ses résultats d'exploitation de façon
globale, elle doit ajouter par voie de notes aux états financiers certains renseignements sur ses secteurs d'activités.

Aux fins comptables, un secteur d'activité est appelé secteur d'exploitation.
Chaque secteur d'exploitation englobe une partie des activités de l'entreprise qui
permet de générer des ventes et à laquelle il est possible d'associer des charges.
Le *Manuel de l'ICCA* définit comme *isolable* le secteur qu'il est possible de
définir. L'entreprise doit donc obtenir les informations pertinentes relatives à ses
différents secteurs isolables. En fait, un secteur d'exploitation ou isolable reflète
la façon de gérer d'une entreprise. Pour qu'un gestionnaire puisse prendre de
bonnes décisions, il a besoin d'informations sur les opérations dont il est responsable. C'est une partie de cette information qu'une entreprise a le devoir de
communiquer par voie de note aux états financiers.

Pour se conformer aux normes en vigueur, une entreprise doit notamment
fournir les informations suivantes relativement à chaque secteur d'exploitation :

■ les produits provenant de clients externes, et ce, pour chaque catégorie de biens et services ;

■ la mesure de leur résultat ;

■ le total de leur actif ;

■ tous les éléments dont le responsable de l'exploitation tient compte aux fins de prise de décisions concernant l'attribution des ressources au secteur et de l'évaluation de la performance du secteur, ou qui lui sont transmis régulièrement.

Quant au détail des informations à fournir, ils doivent, dans la mesure du possible, dépendre de l'information financière utilisée pour les états financiers de l'entreprise. Il va de soi que la somme des renseignements sectoriels doit correspondre au total des postes présentés aux états financiers de l'entreprise.

La note 16 aux états financiers consolidés de Mega Bloks inc., reproduite ci-dessous, présente les informations relatives aux informations sectorielles.

**MEGA BLOKS INC.**
**NOTES COMPLÉMENTAIRES**
des exercices terminés les 31 décembre 2005 et 2004
(les chiffres dans les tableaux sont en milliers de dollars américains, sauf les données sur les actions)

## 16. Information sectorielle

La Société est en cours d'établir ses secteurs d'exploitation. Le tableau ci-dessous présente l'information sectorielle par secteur d'exploitation telle qu'elle est actuellement planifiée :

| *Information sectorielle* | 2005 | 2004 |
|---|---|---|
| | $ | $ |
| Produits d'exploitation nets | | |
| Jouets | 312 842 | 234 581 |
| Papeterie et activités | 94 190 | - |
| | 407 032 | 234 581 |

a) Le tableau suivant présente certaines données géographique basées sur la localisation de clients :

| *Information par région géographique* | 2005 | 2004 |
|---|---|---|
| | $ | $ |
| Produits d'exploitation nets | | |
| Amérique du Nord [(1)] | 263 473 | 132 744 |
| International | 143 559 | 101 837 |
| | 407 032 | 234 581 |

[(1)] Inclut les produits d'exploitation nets pour le Canada en 2005 de 29,1 millions $ (20,3 millions $ en 2004).

| | 2005 | 2004 |
|---|---|---|
| | $ | $ |
| Bénéfice d'exploitation | | |
| Amérique du Nord | 40 252 | 22 721 |
| International | 22 098 | 10 556 |
| | 62 350 | 33 277 |

| | 2005 | 2004 |
|---|---|---|
| | $ | $ |
| Immobilisations, actifs incorporels et écart d'acquisition | | |
| Amérique du Nord [(1)] | 412 752 | 31 721 |
| International | 5 802 | 500 |
| | 418 554 | 32 221 |

[(1)] Inclut les immobilisations au Canada de 31,4 millions $ en 2005 (31,7 millions $ en 2004).

b) Les produits d'exploitation nets des deux principaux clients de la Société s'élèvent à 96,4 millions $ (49,4 millions $ en 2004) et 52,2 millions $ (47,5 millions $ en 2004).

# États financiers consolidés de
# MEGA BLOKS INC.
**(en dollars américains)**

**31 décembre 2005 et 2004**

# Deloitte.

Deloitte & Touche, s.r.l.
1, Place Ville Marie
Bureau 3000
Montréal QC  H3B 4T9
Canada

Tél. : (514) 393-7115
Téléc. : (514) 390-4113
www.deloitte.ca

## Rapport des vérificateurs

Aux actionnaires de
Mega Bloks inc.

Nous avons vérifié les bilans consolidés de Mega Bloks inc. aux 31 décembre 2005 et 2004 et les états consolidés des résultats, du déficit et des flux de trésorerie des exercices terminés à ces dates. La responsabilité de ces états financiers incombe à la direction de la Société. Notre responsabilité consiste à exprimer une opinion sur ces états financiers en nous fondant sur nos vérifications.

Nos vérifications ont été effectuées conformément aux normes de vérification généralement reconnues du Canada. Ces normes exigent que la vérification soit planifiée et exécutée de manière à fournir l'assurance raisonnable que les états financiers sont exempts d'inexactitudes importantes. La vérification comprend le contrôle par sondages des éléments probants à l'appui des montants et des autres éléments d'information fournis dans les états financiers. Elle comprend également l'évaluation des principes comptables suivis et des estimations importantes faites par la direction, ainsi qu'une appréciation de la présentation d'ensemble des états financiers.

À notre avis, ces états financiers donnent, à tous les égards importants, une image fidèle de la situation financière de la Société aux 31 décembre 2005 et 2004 ainsi que des résultats de son exploitation et de ses flux de trésorerie pour les exercices terminés à ces dates selon les principes comptables généralement reconnus du Canada.

*Deloitte & Touche s.r.l.*

Comptables agréés

Le 23 mars 2006

Membre de
**Deloitte Touche Tohmatsu**

# MEGA BLOKS INC.
## États consolidés des résultats
### des exercices terminés les 31 décembre
**(en milliers de dollars américains, sauf les données par action)**

| | 2005 | 2004 |
|---|---|---|
| | $ | $ |
| **Produits d'exploitation nets** | **407 032** | 234 581 |
| Coût des produits vendus | **220 260** | 128 659 |
| Marge brute | **186 772** | 105 922 |
| Frais de marketing, de recherche et | | |
| développement et de publicité | **50 552** | 33 360 |
| Autres frais de vente, de distribution et administratifs | **73 870** | 34 127 |
| Éléments inhabituels | - | 5 158 |
| Bénéfice d'exploitation | **62 350** | 33 277 |
| Frais d'intérêts | | |
| Dette à long terme | **9 310** | 1 207 |
| Autres (note 10) | **954** | 170 |
| | **10 264** | 1 377 |
| Bénéfice avant impôts sur les bénéfices | **52 086** | 31 900 |
| Impôts sur les bénéfices (note 11) | | |
| Exigibles | **5 473** | 7 427 |
| Futurs | **7 005** | (704) |
| | **12 478** | 6 723 |
| **Bénéfice net** | **39 608** | 25 177 |
| **Bénéfice par action (note 9)** | | |
| de base | **1,35** | 0,93 |
| dilué | **1,26** | 0,86 |

*Voir les notes complémentaires aux états financiers consolidés*

Page 2 de 26

# MEGA BLOKS INC.
**États consolidés du déficit**
des exercices terminés les 31 décembre
(en milliers de dollars américains)

|  | 2005 | 2004 |
|---|---|---|
|  | $ | $ |
| Solde au début | (52 320) | (77 497) |
| Bénéfice net | 39 608 | 25 177 |
| Solde à la fin | (12 712) | (52 320) |

*Voir les notes complémentaires aux états financiers consolidés*

## MEGA BLOKS INC.
**Bilans consolidés**
**aux 31 décembre**
**(en milliers de dollars américains)**

| | 2005 | 2004 |
|---|---|---|
| | $ | $ |
| **Actif** | | |
| À court terme | | |
| Trésorerie et équivalents de trésorerie | 19 567 | 5 607 |
| Débiteurs - clients | 167 428 | 101 984 |
| Débiteurs - autres | 6 238 | 9 898 |
| Stocks (note 3) | 82 280 | 26 125 |
| Impôts futurs (note 11) | 13 396 | 1 838 |
| Instruments financiers dérivés (note 13) | - | 1 184 |
| Frais payés d'avance | 8 324 | 4 347 |
| | 297 233 | 150 983 |
| | | |
| Immobilisations (note 4) | 39 351 | 32 221 |
| Actifs incorporels (note 5) | 72 230 | - |
| Écart d'acquisition | 306 973 | - |
| Frais reportés | 4 708 | 1 789 |
| | 720 495 | 184 993 |
| | | |
| **Passif** | | |
| À court terme | | |
| Créditeurs et charges à payer | 108 025 | 41 622 |
| Contrepartie additionnelle liée aux acquisitions (note 14) | 74 075 | - |
| Instruments financiers dérivés (note 13) | - | 4 757 |
| Impôts sur les bénéfices | 4 744 | 1 111 |
| Tranche de la dette à long terme échéant à moins d'un an (note 6) | 8 784 | 563 |
| | 195 628 | 48 053 |
| | | |
| Dette à long terme (note 6) | 292 169 | 24 009 |
| Impôts futurs (note 11) | 12 682 | 10 132 |
| | 500 479 | 82 194 |
| | | |
| **Avoir des actionnaires** | | |
| Capital-actions (note 7) | 231 592 | 154 434 |
| Surplus d'apport | 1 136 | 685 |
| Déficit | (12 712) | (52 320) |
| | 220 016 | 102 799 |
| | 720 495 | 184 993 |

Engagements et éventualités (note 15)

*Voir les notes complémentaires aux états financiers consolidés*

**Au nom du conseil**

............................................................, administrateur

............................................................, administrateur

# MEGA BLOKS INC.
### États consolidés des flux de trésorerie
**des exercices terminés les 31 décembre**
**(en milliers de dollars américains)**

|  | 2005 | 2004 |
|---|---|---|
|  | $ | $ |
| **Activités d'exploitation** | | |
| Bénéfice net | 39 608 | 25 177 |
| Ajustements pour : | | |
| Amortissement des immobilisations | 10 343 | 8 515 |
| Amortissement des frais reportés | 1 538 | 361 |
| Amortissement des actifs incorporels | 161 | - |
| Régime de rémunération à base d'actions | 451 | 423 |
| Impôts futurs | 7 005 | (704) |
| Perte (gain) de change | 2 796 | (3 117) |
|  | 61 902 | 30 655 |
| Variation des éléments hors caisse du fonds | | |
| de roulement d'exploitation (note 12) | (36 861) | (9 362) |
|  | 25 041 | 21 293 |
| **Activités de financement** | | |
| Produit de la dette à long terme | 300 000 | - |
| Remboursement de la dette à long terme | (49 791) | (12 940) |
| Variation de la facilité de crédit renouvelable | (11 000) | 1 000 |
| Émission d'actions (note 7) | 57 158 | 705 |
| Augmentation des frais reportés | (4 457) | (845) |
|  | 291 910 | (12 080) |
| **Activités d'investissement** | | |
| Acquisition de filiales (déduction faite de | | |
| l'encaisse acquise) (note 14) | (291 623) | - |
| Acquisition d'immobilisations | (9 977) | (7 201) |
| Acquisition d'actifs incorporels | (1 391) | - |
|  | (302 991) | (7 201) |
| Augmentation de la trésorerie et équivalents de trésorerie | 13 960 | 2 012 |
| Trésorerie et équivalents de trésorerie au début | 5 607 | 3 595 |
| **Trésorerie et équivalents de trésorerie à la fin** | 19 567 | 5 607 |

Information supplémentaire sur les flux de trésorerie (note 12)

*Voir les notes complémentaires aux états financiers consolidés*

# MEGA BLOKS INC.
**Notes complémentaires**
des exercices terminés les 31 décembre 2005 et 2004
(les chiffres dans les tableaux sont en milliers de dollars américains, sauf les données sur les actions)

## 1. Nature des activités

Mega Bloks inc. (la « Société ») conçoit, fabrique et commercialise des ensembles de jeux de construction et magnétiques, des articles d'art et de dessin, de papeterie, des fournitures scolaires et des instruments d'écriture. La Société vend et distribue ses produits dans plus de 100 pays sous les marques MEGA BLOKS ® et ROSE ART ®.

## 2. Principales conventions comptables

Les états financiers consolidés sont présentés en dollars américains (monnaie fonctionnelle) et ont été dressés selon les principes comptables généralement reconnus du Canada (« PCGR »).

*Utilisation d'estimations*

La préparation des états financiers conformément aux PCGR exige que la direction procède à des estimations et établisse des hypothèses qui ont une incidence sur les montants des actifs et passifs présentés, ainsi que sur les montants des produits d'exploitation et des charges constatés au cours de la période visée par les états financiers. Les résultats réels peuvent différer de ces estimations. Les estimations les plus importantes de la direction incluent l'évaluation des stocks, des provisions de fin d'année relatives aux débiteurs-clients, des impôts futurs, des actifs incorporels, de l'écart d'acquisition, des provisions relatives au plan d'intégration, des créditeurs et des impôts sur les bénéfices.

*Principes de consolidation*

Les états financiers consolidés comprennent les comptes de la Société et ceux de ses filiales en propriété exclusive, à compter de la date d'acquisition. Toutes les opérations et tous les soldes intersociétés importants ont été éliminés.

*Trésorerie et équivalents de trésorerie*

Les trésoreries et équivalents de trésorerie incluent l'encaisse et les placements temporaires dans des instruments du marché monétaire dont les échéances sont de trois mois ou moins.

*Stocks*

Les stocks sont évalués au moindre du coût et de la valeur de marché. Le coût est déterminé selon la méthode du premier entré, premier sorti. La valeur de marché est définie comme le coût de remplacement pour les matières premières et la valeur de réalisation nette pour les produits en cours et les produits finis.

## MEGA BLOKS INC.
### Notes complémentaires
des exercices terminés les 31 décembre 2005 et 2004
(les chiffres dans les tableaux sont en milliers de dollars américains, sauf les données sur les actions)

2.    **Principales conventions comptables (suite)**

*Immobilisations*

Les immobilisations sont comptabilisées au coût et amorties en fonction de la méthode linéaire sur la période correspondant au moindre de la durée de vie utile prévue des actifs ou de la durée des contrats de location selon les durées suivantes :

| | |
|---|---|
| Bâtiments | 25 ans |
| Machinerie et équipement | 3 à 15 ans |
| Matériel informatique | 3 à 5 ans |
| Améliorations locatives | sur la durée des baux |

*Actifs incorporels*

Les actifs incorporels dotés d'une durée de vie utile limitée sont comptabilisés au coût. Ils sont composés des relations clients et de la propriété intellectuelle et sont amorties sur une période de vingt ans.

Les actifs incorporels dotés d'une durée de vie utile indéterminée, composés de l'appellation commerciale et de la propriété intellectuelle, sont comptabilisés au coût et ne sont pas amortis. L'appellation commerciale et la propriété intellectuelle sont évaluées à chaque année pour identifier toute dépréciation, ou plus fréquemment si des changements de conjoncture indiquent une dépréciation potentielle. Au 31 décembre 2005, la Société a réalisé un test de dépréciation et aucune réduction de valeur n'a été nécessaire.

*Écart d'acquisition*

L'écart d'acquisition représente l'excédent du coût d'acquisition d'entreprises sur la juste valeur des actifs nets identifiables acquis et n'est pas amorti. L'écart d'acquisition est évalué chaque année pour identifier toute dépréciation, ou plus fréquemment si des changements de conjoncture indiquent une dépréciation potentielle. Au 31 décembre 2005, la Société a réalisé un test de dépréciation et aucune réduction de valeur n'a été nécessaire.

*Frais reportés*

Les frais reportés se composent principalement de frais de financement. Les frais de financement sont enregistrés au coût et amortis selon la méthode linéaire sur la durée de la facilité de crédit.

*Dépréciation d'actifs à long terme*

Les actifs à long terme sont soumis à un test de dépréciation lorsque des événements ou des changements de situation indiquent que leur valeur comptable pourrait ne pas être recouvrable. Une perte de valeur est constatée lorsque leur valeur comptable excède les flux de trésorerie non actualisés découlant de leur utilisation et de leur sortie éventuelle (valeur recouvrable nette). La perte de valeur constatée est mesurée comme étant l'excédent de la valeur comptable de l'actif sur sa juste valeur.

## MEGA BLOKS INC.
**Notes complémentaires**
des exercices terminés les 31 décembre 2005 et 2004
(les chiffres dans les tableaux sont en milliers de dollars américains, sauf les données sur les actions)

### 2.    Principales conventions comptables (suite)

*Impôts futurs*

La Société utilise la méthode de l'actif et du passif fiscal pour la comptabilisation des impôts sur les bénéfices. En vertu de cette méthode, les actifs et passifs d'impôts futurs sont déterminés à partir des écarts temporaires déductibles ou taxables entre les montants inscrits pour la présentation des états financiers et la valeur fiscale des actifs et des passifs, et en utilisant les taux en vigueur ou pratiquement en vigueur pendant l'année où il est prévu que ces différences seront renversées. Une provision pour moins-value est constatée dans la mesure où il est plus probable qu'improbable qu'une partie de l'actif des impôts futurs ne pourra pas être réalisée.

*Constatation des produits*

Les produits d'exploitation sont constatés lorsqu'il y a (1) une preuve convaincante de l'existence d'un accord, (2) que les produits ont été livrés et que les avantages et les risques inhérents à la propriété sont transférés à l'acheteur, (3) que l'encaissement du débiteur est probable et, (4) que le prix de vente est déterminé ou déterminable. Les provisions pour rabais et réductions accordées aux clients ainsi que les provisions pour produits défectueux sont comptabilisées au moment où les produits correspondants sont constatés.

*Contreparties reçues d'un fournisseur*

La Société a adopté l'Abrégé 144 (CPN-144), « Comptabilisation par un client (y compris un revendeur) de certaines contreparties reçues d'un fournisseur ». Le CPN-144 stipule que la contrepartie en espèces reçue d'un fournisseur par une entreprise est présumée constituer une réduction des prix des produits ou des services du fournisseur et devrait en conséquence être comptabilisée en réduction du coût des produits vendus et des stocks connexes lors de la constatation dans l'état des résultats et dans le bilan. Certaines exceptions s'appliquent lorsque la contrepartie en espèces reçue représente, soit un remboursement des coûts différentiels engagés par le client pour vendre les produits des fournisseurs, soit un paiement au titre de biens livrés ou des services fournis.

*Frais de recherche et développement*

Les frais de recherche sont imputés aux résultats déduction faite des crédits d'impôt s'y rapportant. Les frais de développement sont comptabilisés aux résultats, déduction faite des crédits d'impôt s'y rapportant, à moins qu'ils ne satisfassent aux critères de report selon les principes comptables généralement reconnus du Canada. Les crédits d'impôt enregistrés en réduction des frais de recherche et développement représentent un montant de 0,9 million $ pour l'exercice terminé le 31 décembre 2005 (1,5 million $ en 2004).

# MEGA BLOKS INC.
**Notes complémentaires**
**des exercices terminés les 31 décembre 2005 et 2004**
**(les chiffres dans les tableaux sont en milliers de dollars américains, sauf les données sur les actions)**

## 2. Principales conventions comptables (suite)

*Conversion des devises*

Les actifs et les passifs monétaires libellés en devises autres que le dollar américain (devises étrangères) et les actifs et passifs monétaires des filiales étrangères intégrées sont convertis au taux de change en vigueur à la date du bilan. Les éléments non monétaires du bilan libellés en devises étrangères et les éléments non monétaires du bilan des filiales étrangères intégrées sont convertis au taux de change en vigueur à la date des opérations. Les produits et les charges découlant d'opérations conclues en devises étrangères et ceux provenant des filiales étrangères intégrées sont convertis en dollars américains aux taux moyens en vigueur au cours des périodes correspondantes. Les gains ou les pertes de change résultant de ces opérations sont imputés aux états consolidés des résultats.

Tous les gains et les pertes de change non matérialisés sur des actifs et des passifs libellés en devises sont inclus dans les résultats de l'exercice.

*Instruments financiers dérivés*

La Société a appliqué la Note d'orientation comptable 13, « Relations de couverture », au 1ᵉʳ janvier 2004. La Société utilise plusieurs instruments dérivés pour gérer les risques de taux d'intérêt et les risques de taux de change, et documente de façon méthodique toutes les relations entre les instruments dérivés et les éléments qu'ils servent à couvrir, ainsi que son objectif de gestion de risque et sa stratégie d'utilisation des différentes couvertures. Les instruments dérivés qui servent de couverture économique, sans réunir les conditions de la comptabilité de couverture, sont constatés à la juste valeur et les changements de juste valeur sont constatés dans les résultats. La Société n'utilise pas d'instruments dérivés à des fins spéculatives ou de transaction.

La Société détermine de façon méthodique, lors de la mise en place de la couverture et par la suite, si les dérivés utilisés dans les opérations de couverture permettent de compenser de façon très efficace les variations des justes valeurs ou des flux de trésorerie des éléments couverts. Les gains et les pertes découlant des instruments financiers dérivés sont constatés dans les résultats et compensent généralement les gains et les pertes liés aux flux de trésorerie sous-jacents libellés en monnaie étrangère ou la charge d'intérêts qu'ils visent à couvrir.

Les gains ou les pertes rattachés aux instruments dérivés qui ont pris fin ou qui ont cessé d'être efficaces avant l'échéance sont reportés dans les autres actifs ou passifs et constatés dans l'état des résultats de la période au cours de laquelle l'opération couverte sous-jacente est constatée. Si un élément couvert désigné est vendu, éteint ou vient à échéance avant que l'instrument dérivé connexe ne prenne fin, un gain ou une perte sur cet instrument dérivé est constaté dans l'état des résultats.

## MEGA BLOKS INC.
### Notes complémentaires
des exercices terminés les 31 décembre 2005 et 2004
(les chiffres dans les tableaux sont en milliers de dollars américains, sauf les données sur les actions)

### 2.    Principales conventions comptables (suite)

*Options d'achat d'actions et unités d'actions*

La Société enregistre les transactions de rémunération à base d'actions selon la méthode de la juste valeur. Cette méthode requiert que les attributions d'options soient mesurées à la juste valeur à la date de l'octroi. La valeur des options octroyées est comptabilisée comme une charge et la contrepartie est créditée au surplus d'apport sur la période d'acquisition du droit de levée des options. Lors de l'exercice des droits d'option, ce crédit est reclassifié au capital-actions.

Le programme d'unités d'actions de la Société, entré en vigueur le 24 février 2005, permet au conseil d'administration d'accorder des primes sous forme d'unités d'actions qui deviennent acquises après trois ans, en fonction du temps et du rendement. Le programme ne crée aucune dilution et sera réglé en actions acquises sur le marché secondaire ou en espèces, au gré de la Société. Les unités d'actions sont comptabilisées en fonction de la valeur à la cote des actions ordinaires à la fin de chaque période. Elles sont passées en charge et créditées aux charges à payer sur la période d'acquisition.

*Bénéfice par action*

Le bénéfice de base par action est établi en fonction de la moyenne pondérée du nombre d'actions en circulation au cours de la période. L'effet dilutif des options d'achat d' actions est établi en utilisant la méthode du rachat d'actions.

*Subventions gouvernementales*

Les subventions gouvernementales visant les acquisitions d'immobilisations sont portées en réduction des immobilisations et sont amorties selon la même méthode que l'actif connexe. Les subventions gouvernementales visant la création d'emplois sont constatées dans les résultats en diminution des charges connexes lorsque les conditions sont remplies (se reporter à la note 15).

*Récentes modifications comptables*

L'ICCA a publié les nouveaux chapitres suivants :

a)    Le chapitre 3855, « Instruments financiers – Comptabilisation et évaluation », s'applique aux périodes intermédiaires et aux exercices débutant le 1er octobre 2006 ou après cette date. Ce chapitre établit les normes de comptabilisation et d'évaluation des actifs financiers, des passifs financiers et des dérivés non financiers. Tous les actifs financiers, sauf ceux classés comme détenus jusqu'à leur échéance, et les instruments financiers dérivés doivent être mesurés à leur juste valeur. Tous les passifs financiers doivent être mesurés à leur juste valeur lorsqu'ils sont classés comme détenus aux fins de transaction, sinon ils sont mesurés au coût. L'incidence de l'adoption de cette nouvelle norme sur les états financiers consolidés ne peut être établie en ce moment et sera tributaire de nos positions en cours et de leur juste valeur au moment de la transition.

# MEGA BLOKS INC.
**Notes complémentaires**
des exercices terminés les 31 décembre 2005 et 2004
(les chiffres dans les tableaux sont en milliers de dollars américains, sauf les données sur les actions)

## 2. Principales conventions comptables (suite)

*Récentes modifications comptables (suite)*

b) Le chapitre 1530, « Résultat étendu », et le chapitre 3251, « Capitaux propres », s'appliquent aux périodes intermédiaires et aux exercices débutant le 1er octobre 2006 ou après cette date. Le résultat étendu représente la variation de l'actif net d'une entreprise au cours d'une période découlant d'opérations et d'autres événements et circonstances sans rapport avec les actionnaires de l'entreprise. Il comprend des éléments qui seraient normalement exclus du bénéfice net, notamment les variations de l'écart de conversion liées à des établissements étrangers autonomes et les gains ou les pertes non réalisés sur des placements susceptibles de vente. Cette norme établit la manière de présenter et divulguer le résultat étendu et ses composantes. Le chapitre 3251, « Capitaux propres », remplace le chapitre 3250, « Surplus », et décrit les modifications concernant la présentation et la divulgation des capitaux propres et des variations des capitaux propres qui découlent des nouvelles exigences du chapitre 1530, « Résultat étendu ». À la suite de l'adoption de ces normes, les états financiers consolidés vont inclure un résultat étendu. L'incidence de l'adoption de cette nouvelle norme sur les états financiers consolidés ne peut être établie en ce moment et sera tributaire de nos positions en cours et de leur juste valeur au moment de la transition.

c) Le chapitre 3865, « Couvertures », s'applique aux périodes intermédiaires débutant le 1er octobre 2006 ou après cette date. Ce chapitre établit des normes qui précisent quand il convient d'appliquer la comptabilité de couverture. L'objectif de la comptabilité de couverture est d'assurer que tous les gains, les pertes, les produits et les charges liés à un dérivé et à l'élément qu'il couvre sont comptabilisés à l'état des résultats au cours de la même période. L'incidence de l'adoption de cette nouvelle norme sur les états financiers consolidés ne peut être établie en ce moment et sera tributaire de nos positions en cours et de leur juste valeur au moment de la transition.

d) Le chapitre 3831, « Opérations non monétaires », s'applique à toutes les opérations non monétaires engagées dans les périodes ouvertes à compter du 1er janvier 2006. Ce chapitre établit que des opérations non monétaires doivent être évaluées à la juste valeur sauf si l'opération ne présente aucune substance commerciale, qu'elle constitue un échange de stocks, ou un transfert non monétaire et non réciproque au profit des propriétaires, et si elle ne peut être mesurée de façon fiable. La Société ne croit pas que l'adoption de ce chapitre aura une incidence importante sur les états financiers consolidés.

e) L'abrégé des délibérations du CPN 156, « Comptabilisation par un fournisseur d'une contrepartie consentie à un client (y compris un revendeur des produits du fournisseur) », fournit des indications aux sociétés qui donnent des incitatifs aux clients ou aux revendeurs sous forme d'argent comptant, de capitaux propres, de cadeaux gratuits, de coupons et autres. L'adoption du CPN 156 s'applique aux périodes intermédiaires et exercices débutant le 1er janvier 2006 ou après cette date. La Société évalue actuellement l'incidence de l'adoption de cette norme sur les états financiers consolidés.

**MEGA BLOKS INC.**
**Notes complémentaires**
des exercices terminés les 31 décembre 2005 et 2004
(les chiffres dans les tableaux sont en milliers de dollars américains, sauf les données sur les actions)

### 3. Stocks

|  | 2005 | 2004 |
|---|---|---|
|  | $ | $ |
| Matières premières | 18 333 | 1 797 |
| Produits en cours | 12 648 | 6 368 |
| Produits finis | 51 299 | 17 960 |
|  | 82 280 | 26 125 |

### 4. Immobilisations

|  | 2005 | | |
|---|---|---|---|
|  | Coût | Amortissement cumulé | Valeur comptable nette |
|  | $ | $ | $ |
| Terrains | 44 | - | 44 |
| Bâtiments | 889 | 7 | 882 |
| Machinerie et équipement | 73 908 | 44 287 | 29 621 |
| Matériel informatique | 7 298 | 4 227 | 3 071 |
| Améliorations locatives | 6 127 | 1 896 | 4 231 |
| Matériel informatique loué en vertu de contrats de location-acquisition | 1 996 | 1 412 | 584 |
| Machinerie et équipement loués en vertu de contrats de location-acquisition | 1 472 | 554 | 918 |
|  | 91 734 | 52 383 | 39 351 |

|  | 2004 | | |
|---|---|---|---|
|  | Coût | Amortissement cumulé | Valeur comptable nette |
|  | $ | $ | $ |
| Machinerie et équipement | 61 183 | 36 108 | 25 075 |
| Matériel informatique | 5 335 | 3 280 | 2 055 |
| Améliorations locatives | 4 876 | 1 128 | 3 748 |
| Matériel informatique loué en vertu de contrats de location-acquisition | 1 480 | 1 227 | 253 |
| Machinerie et équipement loués en vertu de contrats de location-acquisition | 1 472 | 382 | 1 090 |
|  | 74 346 | 42 125 | 32 221 |

## MEGA BLOKS INC.
**Notes complémentaires**
des exercices terminés les 31 décembre 2005 et 2004
(les chiffres dans les tableaux sont en milliers de dollars américains, sauf les données sur les actions)

### 5. Actifs incorporels

| | 2005 | | |
|---|---|---|---|
| | Coût | Amortissement cumulé | Valeur comptable nette |
| | $ | $ | $ |
| Appellation commerciale [1] | 64 500 | – | 64 500 |
| Propriété intellectuelle [1] | 1 500 | – | 1 500 |
| Propriété intellectuelle | 1 391 | 36 | 1 355 |
| Relation clients | 5 000 | 125 | 4 875 |
| | 72 391 | 161 | 72 230 |

[1] actifs incorporels à durée de vie indéfinie et non amortis.

La Société a fait l'acquisition d'actifs incorporels pour un montant de 72,4 millions $ duquel 71,0 millions $ sont relatifs à l'acquisition de Rose Art, tel que décrit dans la note 14.

### 6. Dette à long terme

Simultanément à l'acquisition du groupe Rose Art, la Société a conclu une nouvelle facilité de crédit avec un syndicat bancaire.

| | 2005 | 2004 |
|---|---|---|
| | $ | $ |
| Emprunt à terme, 260,0 millions $, garanti, échéant en juillet 2012 [1] | 259 350 | – |
| Emprunt à terme, 40,0 millions $, garanti, échéant en juillet 2010 [2] | 40 000 | – |
| Obligations en vertu de contrats de location-acquisition, échéant à diverses dates jusqu'en mai 2008 [3] | 1 341 | 1 197 |
| Emprunt hypothécaire, garanti, échéant en décembre 2010 [4] | 262 | – |
| Emprunt à terme, garanti, remboursé en 2005 [5] | – | 12 375 |
| Facilité de crédit renouvelable, garantie, remboursée en 2005 [5] | – | 11 000 |
| | 300 953 | 24 572 |
| Tranche échéant à moins d'un an | 8 784 | 563 |
| | 292 169 | 24 009 |

[1] Portant intérêt à des taux variables établis en fonction du taux de base américain ou du taux TIOL majoré de 1,75 %, remboursable par versements trimestriels de 0,25 % et 93,25 % à l'échéance, garanti par une hypothèque mobilière grevant tous les actifs de la Société.

[2] Portant intérêt à des taux variables établis en fonction du taux de base américain majoré de 0,25 % à 1,25 % ou du taux TIOL majoré de 1,25 % à 2,25 %, au gré de la Société, remboursable par versements trimestriels variant entre 2,00 % à 4,00 % et 30,00 % à l'échéance, garanti par une hypothèque mobilière grevant tous les actifs de la Société.

[3] Contrats de location-acquisition libellés en dollars canadiens (1,6 million $ CA), portant intérêt à des taux variant de 3,74 % à 10,57 %.

## MEGA BLOKS INC.
**Notes complémentaires**
des exercices terminés les 31 décembre 2005 et 2004
(les chiffres dans les tableaux sont en milliers de dollars américains, sauf les données sur les actions)

### 6. Dette à long terme (suite)

(4) Portant intérêt au taux fixe de 6,00 %.

(5) Le 26 juillet 2005, une partie des emprunts en vertu de la nouvelle facilité de crédit a été affectée au remboursement du solde de l'emprunt à terme en vertu de la facilité de crédit précédente. La Société a engagé les charges de 4,4 millions $ pour la conclusion de la nouvelle facilité de crédit incluant des frais payés aux prêteurs et des honoraires professionnels.

Selon les conditions de la nouvelle facilité de crédit, la Société est soumise à certaines clauses restrictives en ce qui concerne le maintien de ratios financiers.

Au 31 décembre 2005, la Société a une facilité de crédit renouvelable de 100,0 millions $ non utilisée, pour laquelle la période de renouvellement échoit en juillet 2010. Cette facilité de crédit renouvelable porte intérêt à des taux variables établis en fonction du taux de base américain majoré de 0,25 % à 1,25 % ou du taux TIOL majoré de 1,25 % à 2,25 %, au gré de la Société et est garantie par une hypothèque mobilière grevant tous les actifs de la Société.

Les versements requis au cours des cinq prochains exercices sur la dette à long terme sont de :

| Exercices | Obligations en vertu de contrats de location-acquisition | | | Hypothèque | Emprunts à terme | Total |
|---|---|---|---|---|---|---|
| | Versements minimaux | Intérêts | Capital | Capital | Capital | Remboursements de capital requis |
| | $ | $ | $ | $ | $ | $ |
| 2006 | 602 | 65 | 537 | 47 | 8 200 | 8 784 |
| 2007 | 641 | 33 | 608 | 50 | 9 000 | 9 658 |
| 2008 | 200 | 4 | 196 | 52 | 9 000 | 9 248 |
| 2009 | - | - | - | 56 | 9 000 | 9 056 |
| 2010 | - | - | - | 57 | 17 800 | 17 857 |
| Par la suite | - | - | - | - | 246 350 | 246 350 |
| | 1 443 | 102 | 1 341 | 262 | 299 350 | 300 953 |

## MEGA BLOKS INC.
**Notes complémentaires**
des exercices terminés les 31 décembre 2005 et 2004
(les chiffres dans les tableaux sont en milliers de dollars américains, sauf les données sur les actions)

### 7.   Capital-actions

Le tableau ci-dessous présente un résumé des actions ordinaires de la Société pour l'exercice terminé le 31 décembre :

| | 2005 | | 2004 | |
| --- | --- | --- | --- | --- |
| | Actions | Valeur comptable | Actions | Valeur comptable |
| | | $ | | $ |
| **Actions ordinaires** | | | | |
| Solde au début de l'exercice | 27 292 469 | 154 434 | 27 119 532 | 153 729 |
| Émises en vertu d'un placement privé [(1)] | 3 100 000 | 54 513 | - | - |
| Émises aux principaux dirigeants de Rose Art | 1 285 894 | 20 000 | - | - |
| Émises en vertu de la levée des options d'achat d'actions | 427 212 | 2 645 | 172 937 | 705 |
| **Solde à la fin de l'exercice** | **32 105 575** | **231 592** | **27 292 469** | **154 434** |

[(1)]  3,1 millions de reçus de souscription ont été échangés sur la base de 1 pour 1 contre des actions ordinaires. Ces reçus de souscription avaient été originalement vendus par l'entremise d'un placement privé le 11 juillet 2005 à 22,25 $ CA pour un montant de 68 975 000 $ CA avant les frais de 2,3 millions $.

### 8.   Options d'achat d'actions, unités d'actions et surplus d'apport

a) La Société propose deux régimes de rémunération à base d'actions. En vertu de ces régimes, des options peuvent être octroyées à des dirigeants et à d'autres employés clés de la Société et de ses filiales visant l'achat d'actions ordinaires de la Société.

En vertu du régime d'options d'achat d'actions initial, le prix de souscription de chaque option correspondait à la juste valeur estimative d'une action de la Société à la date de l'octroi.

Immédiatement avant la clôture du premier appel public à l'épargne de 2002, la Société a présenté un nouveau régime d'options d'achat d'actions ordinaires. Conformément à ce régime, les options visant l'achat d'actions ordinaires de la Société sont octroyées à un prix de souscription correspondant à 100 % du cours du marché. La valeur de marché est établie comme étant le cours de clôture des actions ordinaires négociées à la Bourse de Toronto le dernier jour de séance précédant la date de prise d'effet de l'octroi.

Au 31 décembre 2005, un total de 5 552 215 actions ordinaires demeuraient autorisées en vue d'être émises dans le cadre des régimes de rémunération à base d'actions de la Société. Les options peuvent être levées au cours d'une période ne dépassant pas dix ans après la date d'octroi. Le droit de lever des options est acquis sur une période de trois ans d'emploi continu. Toutefois, si le contrôle de la Société change, les options pourront être immédiatement levées. Le nombre d'options est ajusté proportionnellement en fonction des dividendes en actions et des fractionnements d'actions touchant les actions ordinaires de la Société.

**MEGA BLOKS INC.**
**Notes complémentaires**
des exercices terminés les 31 décembre 2005 et 2004
(les chiffres dans les tableaux sont en milliers de dollars américains, sauf les données sur les actions)

### 8.   Options d'achat d'actions, unités d'actions et surplus d'apport (suite)

Le 24 mars 2004, le conseil d'administration a adopté une recommandation du comité de rémunération selon laquelle la Société doit restreindre volontairement l'octroi d'options à un maximum de 15 % du nombre d'actions ordinaires en circulation, et cela même si le régime d'options d'achat d'actions, tel qu'approuvé par les autorités réglementaires compétentes, permet une dilution beaucoup plus élevée quand les octrois d'options disponibles en vertu de ce régime sont combinés aux octrois d'options en vertu du régime initial.

Le tableau ci-dessous présente un résumé des options d'achat d'actions en cours aux 31 décembre en vertu des régimes de rémunération à base d'actions de la Société :

|  | 2005 | | 2004 | |
|---|---|---|---|---|
|  | Nombre d'options | Moyenne pondérée de prix de levée | Nombre d'options | Moyenne pondérée de prix de levée |
|  |  | $ CA |  | $ CA |
| Options en cours au début de l'exercice | 3 702 541 | 8,93 | 3 866 825 | 8,66 |
| Octroyées | - | - | 98 586 | 20,72 |
| Levées | (427 212) | 7,31 | (172 937) | 5,31 |
| Annulées | (41 471) | 19,38 | (89 933) | 17,58 |
| Options en cours à la fin de l'exercice | 3 233 858 | 9,01 | 3 702 541 | 8,93 |
| Options pouvant être levées à la fin de l'exercice | 3 009 997 | 8,12 | 2 765 843 | 6,40 |

Le tableau ci-dessous présente un résumé des informations relatives aux options d'achat d'actions en cours au 31 décembre 2005 :

| Fourchette de prix de levée | Nombre d'options en cours | Moyenne pondérée de la durée de vie contractuelle restante | Moyenne pondérée de prix de levée | Nombre d'options pouvant être levées | Moyenne pondérée de prix de levée |
|---|---|---|---|---|---|
| $ CA |  |  | $ CA |  | $ CA |
| 3,85 | 1 817 456 | 3,8 | 3,85 | 1 817 456 | 3,85 |
| 14,50 à 25,65 | 1 416 402 | 6,6 | 15,62 | 1 192 541 | 14,63 |
| Total | 3 233 858 | 5,0 | 9,01 | 3 009 997 | 8,12 |

## MEGA BLOKS INC.
### Notes complémentaires
des exercices terminés les 31 décembre 2005 et 2004
(les chiffres dans les tableaux sont en milliers de dollars américains, sauf les données sur les actions)

8.  **Options d'achat d'actions, unités d'actions et surplus d'apport (suite)**

La juste valeur des options octroyées au cours de l'exercice 2005 a été estimée à la date d'octroi au moyen du modèle d'évaluation du prix des options de Black et Scholes et selon les hypothèses suivantes :

|                                           | 2005   | 2004       |
|-------------------------------------------|--------|------------|
| Taux d'intérêt sans risque                | -      | 4,56 %     |
| Durée de vie prévue                       | -      | 6 ans      |
| Volatilité prévue                         | -      | 27 %       |
| Taux de dividendes prévus                 | -      | 0 %        |
| Moyenne pondérée de la juste valeur       | -      | 7,56 $ CA  |
| Charge de rémunération à base d'actions   | 451 $  | 423 $      |

b) Le programme d'unités d'actions de la Société, entré en vigueur le 24 février 2005, permet au conseil d'administration d'accorder des primes sous forme d'unités d'actions qui deviennent acquises, selon le temps et le rendement, après trois ans. Le programme ne crée aucune dilution et sera réglé en actions acquises sur le marché secondaire, ou en espèces, au gré de la Société.

Le tableau suivant présente un résumé des unités d'actions en cours au 31 décembre 2005 en vertu du programme d'unités d'actions de la Société :

|                                                | Nombre d'unités |
|------------------------------------------------|-----------------|
| Unités en cours au début de l'exercice         | -               |
| Octroyées                                       | 65 768          |
| Unités en cours à la fin de l'exercice          | 65 768          |
| Charge de rémunération à base d'unités d'actions | 281 $          |

c) Surplus d'apport

Le tableau suivant résume les variations du surplus d'apport :

|                                                                                          |          |
|------------------------------------------------------------------------------------------|----------|
| Solde au 31 décembre 2003                                                                | 262 $    |
| Valeur du coût de la rémunération relative à la charge du programme d'options d'achat d'actions | 423 $    |
| Solde au 31 décembre 2004                                                                | 685 $    |
| Valeur du coût de la rémunération relative à la charge du programme d'options d'achat d'actions | 451 $    |
| **Solde au 31 décembre 2005**                                                            | 1 136 $  |

## MEGA BLOKS INC.
### Notes complémentaires
**des exercices terminés les 31 décembre 2005 et 2004**
**(les chiffres dans les tableaux sont en milliers de dollars américains, sauf les données sur les actions)**

### 9.    Bénéfice par action

Le rapprochement entre le bénéfice par action de base et le bénéfice par action dilué est le suivant :

|  | 2005 | 2004 |
|---|---|---|
| Numérateur pour le bénéfice par action de base et bénéfice par action dilué : | | |
| Bénéfice net attribuable aux porteurs d'actions ordinaires | 39 608 $ | 25 177 $ |
| Dénominateur pour le bénéfice par action de base : | | |
| Nombre moyen pondéré d'actions en circulation | 29 281 145 | 27 185 175 |
| Bénéfice par action de base | 1,35 $ | 0,93 $ |
| Dénominateur pour le bénéfice par action dilué : | | |
| Nombre moyen pondéré d'actions dilué | 29 281 145 | 27 185 175 |
| Majoration pour incidence des options d'achat d'actions | 2 109 311 | 2 146 440 |
| Nombre moyen pondéré d'actions ordinaires | 31 390 456 | 29 331 615 |
| Bénéfice par action dilué | 1,26 $ | 0,86 $ |

L'information pro forma requise est présentée comme si les recommandations du chapitre 3870 en matière de constatation avaient été appliquées aux attributions octroyées avant 2003 :

|  | Tel que déclaré | | Pro forma [1] | |
|---|---|---|---|---|
|  | 2005 | 2004 | 2005 | 2004 |
|  | $ | $ | $ | $ |
| Bénéfice net | 39 608 | 25 177 | 38 703 | 22 763 |
| Bénéfice par action | | | | |
| de base | 1,35 | 0,93 | 1,32 | 0,84 |
| dilué | 1,26 | 0,86 | 1,23 | 0,78 |

[1]  Selon la méthode d'évaluation fondée sur la juste valeur, la charge de rémunération est constatée sur la période d'acquisition du droit de lever des options d'achat d'actions s'y rapportant. Par conséquent, les données pro forma obtenues au moyen de cette méthode ne sont peut-être pas représentatives des résultats futurs.

## MEGA BLOKS INC.
### Notes complémentaires
**des exercices terminés les 31 décembre 2005 et 2004**
**(les chiffres dans les tableaux sont en milliers de dollars américains, sauf les données sur les actions)**

### 10.  Frais d'intérêts - autres

|  | 2005 | 2004 |
|---|---|---|
|  | $ | $ |
| Radiation des frais reportés reliés à la facilité de crédit précédente | 727 | - |
| Frais pour crédit-relais | 188 | - |
| Frais de facilité de crédit, nets de produits d'intérêts | 39 | 170 |
|  | 954 | 170 |

### 11.  Impôts sur les bénéfices

a) Le tableau suivant présente le rapprochement des écarts entre la charge d'impôts déterminée en fonction du taux d'imposition statutaire et du taux d'imposition effectif :

|  | 2005 | 2004 |
|---|---|---|
|  | $ | $ |
| Charge d'impôts de l'exercice au taux statutaire canadien | 16 303 | 9 984 |
| Éléments non déductibles | 266 | 159 |
| Bénéfice résultant du placement dans des filiales | (2 085) | - |
| Incidence des écarts des taux d'imposition étrangers | (2 300) | (2 233) |
| Gain de change non réalisé | 50 | 27 |
| Autres | 244 | (1 214) |
| Charge d'impôts | 12 478 | 6 723 |

b) Au 31 décembre, les impôts futurs s'établissaient de la façon suivante :

|  | 2005 | 2004 |
|---|---|---|
|  | $ | $ |
| **Actifs d'impôts futurs** |  |  |
| Passifs liés à l'intégration et charges à payer | 11 631 | - |
| Coût d'émission d'actions | 1 202 | 1 101 |
| Perte de change non réalisée | - | 942 |
| Autres | 1 557 | 748 |
|  | 14 390 | 2 791 |
| **Passifs d'impôts futurs** |  |  |
| Immobilisations | 7 048 | 8 210 |
| Actifs incorporels et écart d'acquisition | 4 230 | - |
| Gain de change non réalisé | 314 | - |
| Autres | 2 084 | 2 875 |
|  | 13 676 | 11 085 |
| Impôts futurs, montant net | 714 | (8 294) |
| **Présentés dans les états financiers à titre de :** |  |  |
| Actifs d'impôts futurs à court terme | 13 396 | 1 838 |
| Passifs d'impôts futurs à long terme | (12 682) | (10 132) |
| Impôts futurs, montant net | 714 | (8 294) |

## MEGA BLOKS INC.
**Notes complémentaires**
des exercices terminés les 31 décembre 2005 et 2004
**(les chiffres dans les tableaux sont en milliers de dollars américains, sauf les données sur les actions)**

### 12. État des flux de trésorerie

|  | 2005 | 2004 |
|---|---|---|
|  | $ | $ |
| a) Variation des éléments hors caisse du fonds de roulement d'exploitation : | | |
| Débiteurs - clients | **(1 560)** | (8 567) |
| Débiteurs - autres | **3 739** | (5 281) |
| Stocks | **(2 694)** | (1 685) |
| Frais payés d'avance | **(400)** | (524) |
| Créditeurs et charges à payer | **(31 203)** | (1 160) |
| Impôts sur les bénéfices | **1 626** | 1 135 |
| Instruments financiers dérivés | **(3 573)** | 1 135 |
| Variation de change relative aux éléments du fonds de roulement | **(2 796)** | 6 720 |
|  | **(36 861)** | (9 362) |

|  | 2005 | 2004 |
|---|---|---|
|  | $ | $ |
| b) Information supplémentaire : | | |
| Frais d'intérêts payés | **6 534** | 1 363 |
| Impôts sur les bénéfices payés | **1 840** | 6 288 |
| Subventions gouvernementales reçues et portées en réduction des immobilisations | **-** | 855 |
| Éléments sans incidence sur la trésorerie : | | |
| Immobilisations louées en vertu de contrats de location-acquisition | **517** | - |
| Contrepartie additionnelle liée aux acquisitions | **74 075** | - |
| Émission d'actions ordinaires liées aux acquisitions | **20 000** | - |

# MEGA BLOKS INC.
### Notes complémentaires
des exercices terminés les 31 décembre 2005 et 2004
(les chiffres dans les tableaux sont en milliers de dollars américains, sauf les données sur les actions)

## 13. Instruments financiers dérivés

*Gestion du risque de change*

La Société est exposée à des risques du marché imputables aux fluctuations des taux de change, principalement aux variations de la valeur du dollar américain par rapport aux autres monnaies comme le dollar canadien, l'euro, la livre sterling et le peso mexicain. Les ventes sont principalement libellées en dollars américains, tandis que la majeure partie des charges engagées par la Société est en dollars canadiens.

La politique de la Société est de réduire, le cas échéant, son exposition aux risques de marché en couvrant partiellement une telle exposition au moyen de contrats de change pour couvrir principalement les charges en dollars canadiens et les opérations intersociétés libellées en d'autres devises.

Durant le premier trimestre de 2005, la Société s'est départie des instruments financiers dérivés ne se qualifiant plus pour la comptabilité de couverture.

Le tableau suivant résume les engagements en devises de la Société au 31 décembre 2005 :

| Contrats de change | Montant nominal | Taux de change moyen | Échéance jusqu'en | Équivalent nominal $ US | Juste valeur de marché $ US |
|---|---|---|---|---|---|
| **2005 - Admissibles à la comptabilité de couverture** | | | | | |
| Vente - $ US en $ CA | 7 250 | 1,2439 | décembre 2006 | 7 250 | 534 |
| - EUR en $ US | 7 250 | 1,3301 | décembre 2006 | 9 644 | 989 |
| - GBP en $ US | 3 500 | 1,9004 | décembre 2006 | 6 651 | 628 |
| 2004 - Non admissibles à la comptabilité de couverture | | | | | |
| Vente - $ US en $ CA | 9 000 | 1,3600 | février 2006 | 9 000 | 1 184 |
| - EUR en $ US | 16 500 | 1,1670 | décembre 2005 | 19 256 | (3 133) |
| - GBP en $ US | 7 750 | 1,6859 | décembre 2005 | 13 066 | (1 624) |
| 2004 - Admissibles à la comptabilité de couverture | | | | | |
| Vente - EUR en $ US | 16 000 | 1,2207 | décembre 2006 | 19 532 | (2 280) |
| - GBP en $ US | 6 000 | 1,7820 | décembre 2006 | 10 692 | (622) |

## MEGA BLOKS INC.
**Notes complémentaires**
**des exercices terminés les 31 décembre 2005 et 2004**
**(les chiffres dans les tableaux sont en milliers de dollars américains, sauf les données sur les actions)**

### 13. Instruments financiers dérivés (suite)

*Swaps de taux d'intérêt*

Mega Bloks a recours à des conventions d'échange de taux d'intérêt (*swaps* de taux d'intérêt) en vue d'obtenir une répartition appropriée de la dette à taux fixe et à taux variable notamment pour convertir certaines dettes à long terme d'un taux d'intérêt variable à un taux d'intérêt fixe. Les *swaps* de taux d'intérêt impliquent l'échange périodique de paiements, sans échange du montant nominal de référence sur lequel les paiements sont basés, qui sont constatés sous forme d'ajustement des frais d'intérêt sur l'instrument de couverture de la dette. Le montant afférent à payer aux contreparties, ou à recevoir d'elles, est inclus sous forme d'ajustement aux intérêts courus.

Le tableau suivant résume les *swaps* de taux d'intérêt de la Société au 31 décembre 2005 :

|  | Montant nominal | Taux fixe | Échéance | Juste valeur de marché |
|---|---|---|---|---|
|  | $ US |  |  | $ US |
| ***Swaps* de taux d'intérêt** | **150 000** | **4,66325 %** | **juillet 2012** | **1 050** |

Au 31 décembre 2005, la totalité des engagements de la Société dans des *swaps* de taux d'intérêt remplissait les conditions d'admissibilité à la comptabilité de couverture.

*Risque de crédit*

Les instruments financiers de la Société qui sont assujettis à des concentrations du risque de crédit se composent principalement des débiteurs-clients.

La Société surveille régulièrement son exposition au risque de crédit et elle prend des mesures pour atténuer le risque de perte, notamment en se munissant d'une assurance crédit. La prorogation de crédit de la Société se fonde sur une évaluation de la situation financière de chaque client et de la capacité de la Société à obtenir une couverture d'assurance crédit pour ce client.

*Juste valeur*

La Société a établi que la valeur comptable de ses actifs et de ses passifs financiers à court terme, autres que les instruments financiers dérivés présentés ci-dessus, se rapproche de leur juste valeur aux dates des bilans, étant donné l'échéance à court terme de ces instruments.

La juste valeur de la dette à long terme qui n'est pas couverte par une convention d'échange de taux d'intérêt se rapproche de sa valeur comptable étant donné que la plus grande partie de cette dette porte intérêt à des taux qui varient en fonction du TIOL ou du taux de base américain.

# MEGA BLOKS INC.
### Notes complémentaires
des exercices terminés les 31 décembre 2005 et 2004
**(les chiffres dans les tableaux sont en milliers de dollars américains, sauf les données sur les actions)**

## 14.  Acquisition de filiales

Le 26 juillet 2005, La Société a finalisé l'acquisition de Rose Art Industries, Inc., Warren Industries, Inc. et de leurs filiales respectives (« Rose Art »), dont le siège social est établi à Livingston, au New Jersey. Rose Art fabrique et commercialise des articles d'art et de dessin, des ensembles de jeux de construction magnétique ainsi que des fournitures scolaires. Rose Art était une société privée ayant une marque de commerce prestigieuse reconnue aux États-Unis.

Un paiement conditionnel pouvant atteindre 50 millions $ US est payable en 2006 si le bénéfice avant intérêts, impôts et amortissement (« BAIIA ») ajusté de Rose Art dépasse 50 millions $ en 2005, sur la base de cinq fois le montant excédentaire. La transaction prévoit également le paiement de contreparties additionnelles équivalant à 50 % des montants dépassant les seuils de BAIIA ajusté de 60 millions $, 65 millions $ et 70 millions $ en 2005, 2006 et 2007, respectivement. Au 31 décembre 2005, la Société a constaté une contrepartie additionnelle totalisant 51 millions $.

La transaction a été financée par des facilités de crédit totalisant 400 millions $, dont 100 millions $ de facilités de crédit renouvelables allouées à des fins de fonds de roulement.

L'acquisition a été comptabilisée selon la méthode de l'acquisition. Le prix d'achat a été attribué de façon préliminaire aux actifs acquis et aux passifs pris en charge, en fonction des meilleures estimations de la juste valeur par la direction, en tenant compte de l'information pertinente disponible au moment de la préparation des états financiers. Des changements sont à prévoir au cours de la finalisation de la répartition du prix d'acquisition.

| | 2005 $ |
|---|---|
| Actifs acquis | |
| Éléments hors caisse du fonds de roulement [1] | 21 388 |
| Immobilisations | 6 979 |
| Actifs d'impôts futurs | 16 013 |
| Actifs incorporels | 71 000 |
| Écart d'acquisition [2] | 306 973 |
| Dette à long terme | (36 655) |
| Actifs nets hors trésorerie acquis | 385 698 |
| Trésorerie et équivalents de trésorerie | 7 933 |
| Actifs nets acquis | 393 631 |
| | |
| Contrepartie | |
| Espèces | 292 503 |
| Coût d'acquisition | 7 053 |
| Contrepartie additionnelle et autres ajustements | 74 075 |
| Émission d'actions aux principaux dirigeants de Rose Art | 20 000 |
| | 393 631 |

[1]  Comprend une provision d'intégration de 18,9 millions $ relative à la consolidation et la fermeture d'installations de fabrication et à des primes de séparation. Aucun montant n'a été payé au cours de l'exercice.

[2]  L'écart d'acquisition est déductible aux fins des impôts sur les bénéfices.

## MEGA BLOKS INC.
**Notes complémentaires**
des exercices terminés les 31 décembre 2005 et 2004
<u>(les chiffres dans les tableaux sont en milliers de dollars américains, sauf les données sur les actions)</u>

### 15. Engagements et éventualités

a) Le 17 novembre 2005, La Cour suprême du Canada a rendu un jugement rejetant l'appel logé par Kirkbi AG et Lego Canada Inc. (« Lego ») à l'égard de la décision rendue le 14 juillet 2003 par la Cour d'appel fédérale du Canada, dans une action pour substitution lancée en 1996 par Lego contre Mega Bloks, alors connue sous Ritvik Holdings Inc.

La décision de la Cour suprême marque la fin du litige sur les marques déposées que Mega Bloks a maintenant remporté à tous les niveaux de tribunaux. Lego alléguait que Mega Bloks avait enfreint les soi-disant droits de propriété intellectuelle et commerciale en common law que Lego prétendait détenir sur l'aspect des tenons de ses blocs de construction emboîtables.

b) La Société est également défenderesse dans d'autres causes survenant dans le cours normal de ses activités. La Société est d'avis que la conclusion de toute cause individuelle ou de l'ensemble de telles causes n'aura aucune incidence importante sur les activités de la Société, sur sa situation financière ou sur ses résultats d'exploitation.

c) La Société a conclu des contrats de location-exploitation pour des locaux qu'elle occupe pour un montant de 40 579 000 $. Les loyers annuels minimaux (excluant certains frais d'occupation) à payer pour les cinq prochaines années s'établissent comme suit :

|      | $      |
|------|--------|
| 2006 | 9 134  |
| 2007 | 9 954  |
| 2008 | 8 131  |
| 2009 | 7 012  |
| 2010 | 6 348  |

d) Un montant total de 3 900 000 $ CA a été octroyé à la Société sur une période de trois ans relativement à une entente avec Investissement Québec. Cette subvention est conditionnelle à l'acquisition d'un certain montant en immobilisations et à la création et au maintien d'un certain nombre d'emplois pour une période de cinq ans se terminant en 2006.

En 2001, 2002 et 2003, la Société a reçu des subventions totalisant 1 856 000 $ pour l'acquisition d'immobilisations de même que la création d'emplois. Une tranche équivalant à 61 % des subventions reçues en 2001, 2002 et 2003 a été portée en réduction des immobilisations. La tranche résiduelle des subventions est comptabilisée dans les résultats lorsque les conditions sont remplies (se reporter à la note 2).

e) Au 31 décembre 2005, la Société avait des lettres de garantie en cours d'un montant de 2 377 000 $ (1 246 000 $ en 2004) relatives à des cautionnements financiers émis dans le cours normal de ses activités. Ces garanties sont émises en vertu de facilités mises à la disposition de la Société dans le cadre de la nouvelle facilité de crédit.

## MEGA BLOKS INC.
**Notes complémentaires**
des exercices terminés les 31 décembre 2005 et 2004
(les chiffres dans les tableaux sont en milliers de dollars américains, sauf les données sur les actions)

### 16. Information sectorielle

La Société est en cours d'établir ses secteurs d'exploitation. Le tableau ci-dessous présente l'information sectorielle par secteur d'exploitation telle qu'elle est actuellement planifiée :

| Information sectorielle | 2005 | 2004 |
|---|---|---|
| | $ | $ |
| Produits d'exploitation nets | | |
| Jouets | 312 842 | 234 581 |
| Papeterie et activités | 94 190 | - |
| | 407 032 | 234 581 |

a) Le tableau suivant présente certaines données géographique basées sur la localisation de clients :

| Information par région géographique | 2005 | 2004 |
|---|---|---|
| | $ | $ |
| Produits d'exploitation nets | | |
| Amérique du Nord [1] | 263 473 | 132 744 |
| International | 143 559 | 101 837 |
| | 407 032 | 234 581 |

[1] Inclut les produits d'exploitation nets pour le Canada en 2005 de 29,1 millions $ (20,3 millions $ en 2004).

| | 2005 | 2004 |
|---|---|---|
| | $ | $ |
| Bénéfice d'exploitation | | |
| Amérique du Nord | 40 252 | 22 721 |
| International | 22 098 | 10 556 |
| | 62 350 | 33 277 |

| | 2005 | 2004 |
|---|---|---|
| | $ | $ |
| Immobilisations, actifs incorporels et écart d'acquisition | | |
| Amérique du Nord [1] | 412 752 | 31 721 |
| International | 5 802 | 500 |
| | 418 554 | 32 221 |

[1] Inclut les immobilisations au Canada de 31,4 millions $ en 2005 (31,7 millions $ en 2004).

b) Les produits d'exploitation nets des deux principaux clients de la Société s'élèvent à 96,4 millions $ (49,4 millions $ en 2004) et 52,2 millions $ (47,5 millions $ en 2004).

**MEGA BLOKS INC.**
**Notes complémentaires**
des exercices terminés les 31 décembre 2005 et 2004
(les chiffres dans les tableaux sont en milliers de dollars américains, sauf les données sur les actions)

### 17. Évènement postérieur à la date du bilan

Le 24 janvier 2006, la Société a conclu une entente par l'entremise de sa filiale Rose Art, pour effectuer l'acquisition de The Board Dudes, Inc. (« Board Dudes »), une société privée établie à Corona, en Californie, en contrepartie d'un montant total de 17 millions $ en espèces sujet à ajustements, financée à même la facilité de crédit renouvelable. The Board Dudes conçoit et distribue une gamme novatrice de produits destinés aux marchés scolaire, résidentiel et de fournitures de bureau, parmi lesquels les tableaux blancs, les tableaux de liège, les tableaux de styromousse, des produits scolaires et des accessoires pour les casiers. Une contrepartie additionnelle pouvant s'élever à 7 millions $ deviendra payable aux principaux dirigeants du vendeur entre 2006 et 2009 en fonction de l'atteinte de certains objectifs de rendement. La transaction a été conclue le 1$^{er}$ février 2006.

### 18. Chiffres correspondants

Certains chiffres de l'exercice précédent ont été reclassés en fonction de la présentation adoptée pour l'exercice courant.

# Les fondements conceptuels des états financiers

Le milieu des affaires, les gouvernements et la profession comptable reconnaissent que, pour être utiles, les états financiers doivent être établis selon des règles communes. La normalisation comptable vise à généraliser les méthodes de traitement et de présentation de l'information financière appliquées dans un pays. Au Canada, les normes comptables sont édictées et publiées par l'Institut canadien des comptables agréés (ICCA[1]) ; aux États-Unis, cette fonction revient au Financial Accounting Standards Board (FASB). Certaines lois obligent les entreprises à suivre les normes édictées par l'ICCA. C'est notamment le cas de la *Loi canadienne sur les sociétés par actions*. De plus, les Autorités canadiennes en valeurs mobilières ont les mêmes exigences.

Compte tenu de la diversité des ressources, des modes de financement et des échanges économiques possibles, il n'est pas simple de rendre compte de la réalité économique des entreprises aux utilisateurs des états financiers, d'autant plus qu'il existe plusieurs façons de présenter cette réalité et que ces divers groupes d'utilisateurs ont des besoins variés. Il a donc fallu faire des choix, notamment parmi les informations à fournir ainsi que parmi les méthodes de mesure des échanges économiques et les modes de présentation de l'information financière à adopter. Bien qu'ils fassent encore l'objet de discussions, ces choix découlent d'un processus de concertation amorcé vers la fin du XVIIIe siècle auquel ont participé des membres de la profession comptable, des représentants des gouvernements, des gens d'affaires et des universitaires. On peut se demander pourquoi ces groupes ont consenti tant d'efforts et d'énergie à la recherche d'un consensus. La réponse réside dans la reconnaissance universelle de l'utilité que revêt l'information financière pour la société.

## 3.1 LE CADRE CONCEPTUEL CANADIEN

Aussi curieux que cela puisse sembler, nous ne disposons d'un cadre conceptuel normalisé que depuis deux décennies. En effet, les règles comptables ont été élaborées au moyen d'une approche pragmatique, selon laquelle on résout un problème par une « prise de position ». On a donc assisté à l'établissement progressif d'un cadre conceptuel reposant sur l'expérimentation. Dans le présent chapitre, nous décrirons ce cadre, grâce auquel sont maintenant élaborées les normes comptables. Soulignons également l'importance que revêt ce cadre, pour les préparateurs comme pour les lecteurs des états financiers, dans un contexte où leur analyse nécessite un fréquent exercice du jugement.

Les divers éléments du cadre conceptuel canadien servent principalement pour l'identification des états financiers et de ses composantes, la qualité de l'information

---

1. Voir le chapitre 1, section 1.2.4.

et les notions de mesure et de constatation. Cet ensemble conceptuel, rappelons-le, est non seulement particulièrement utile pour comprendre et appliquer les règles actuelles, mais aussi pour mieux cerner les règles en émergence. Le gestionnaire, sur qui repose la responsabilité de préparer les états financiers, est particulièrement soucieux de ces notions, car elles le guident dans des situations nouvelles et complexes dans lesquelles il se doit d'exercer son jugement.

Situons avant tout les « concepts » en regard des expressions « principes comptables généralement reconnus » (PCGR) et « conventions comptables ». La figure 3-1 décrit cette relation.

**FIGURE 3-1** • Le fonctionnement du cadre conceptuel

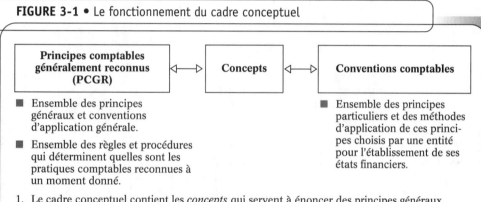

| Principes comptables généralement reconnus (PCGR) | Concepts | Conventions comptables |
|---|---|---|

- Ensemble des principes généraux et conventions d'application générale.
- Ensemble des règles et procédures qui déterminent quelles sont les pratiques comptables reconnues à un moment donné.

- Ensemble des principes particuliers et des méthodes d'application de ces principes choisis par une entité pour l'établissement de ses états financiers.

1. Le cadre conceptuel contient les *concepts* qui servent à énoncer des principes généraux.

2. Ceux-ci permettent l'élaboration de « prises de position* » (directives, règles, procédures) à l'égard de pratiques particulières.

3. Lorsqu'il existe plusieurs possibilités pour la comptabilisation de certaines opérations, l'entité choisit entre les diverses règles acceptables. Les concepts interviennent pour guider ce choix, qui deviennent ensuite les « conventions comptables de l'entité ».

4. L'application des directives fait très souvent appel au jugement pour analyser la substance d'une opération, pour la mesurer et la constater aux états financiers ou encore pour décrire des éléments particuliers dans les notes aux états financiers. Là encore, ces choix sont guidés par les concepts**.

5. S'il survient des circonstances particulières dont ne traitent pas les prises de position, l'entité choisira ses conventions comptables en fonction des concepts. Il sera de mise d'analyser la cohérence des conventions comptables adoptées avec les prises de position déjà en vigueur visant d'autres situations similaires.

Source : Adaptée du *Manuel de l'ICCA*.

\* Le terme « prise de position » désigne ici les recommandations, les notes d'orientation, les abrégés des délibérations du Comité sur les problèmes nouveaux (CPN), les documents historiques servant de fondements aux prises de position, les illustrations comprises dans le *Manuel de l'ICCA* ainsi que les guides d'applications autorisés (*Manuel de l'ICCA*, chapitre 1100.02). Le terme « prises de position » est d'ailleurs parfois employé par les organismes normalisateurs.

\*\* *Manuel de l'ICCA*, chapitre 1100.10.

**FIGURE 3-2** • Le cadre conceptuel

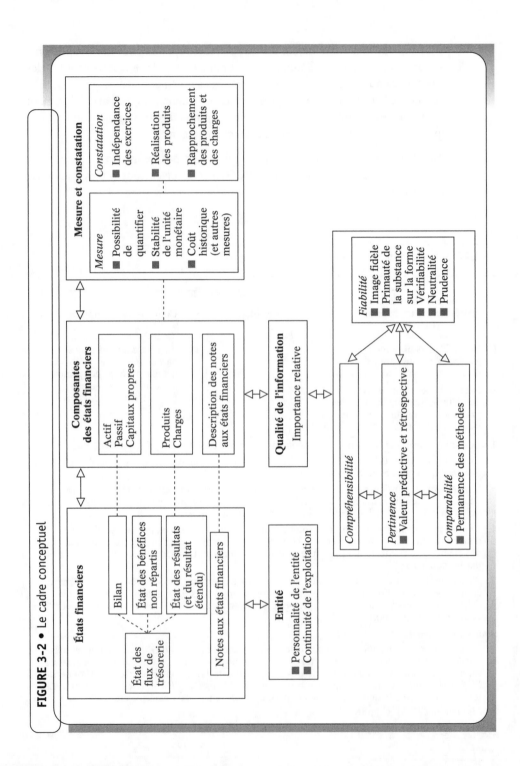

Mais quels sont donc ces concepts ? Abordons-les à l'aide de la figure 3-2. Plus précisément, nous discuterons de ces concepts en les regroupant selon les quatre catégories suivantes :

■ l'entité ;

■ la qualité de l'information ;

■ la mesure ;

■ la constatation.

## 3.2 L'ENTITÉ

Deux concepts servent à définir le périmètre à l'intérieur duquel sont établis les états financiers. Il s'agit des concepts de personnalité de l'entité et de continuité de l'exploitation.

### 3.2.1 La personnalité de l'entité

Dans le chapitre 1, nous avons indiqué que le propriétaire d'une entreprise individuelle est légalement responsable de l'exploitation de celle-ci et qu'il est personnellement tenu d'en payer les dettes. Par ailleurs, le propriétaire détient un droit de propriété direct sur les biens de l'entreprise, dont il peut disposer à sa guise. En conséquence, nous pouvons dire que le propriétaire et son entreprise forment, d'un côté, une seule et même entité juridique.

D'un autre côté, si nous adoptons le point de vue du propriétaire, nous pouvons estimer que son capital constitue une source de financement pour l'entreprise, au même titre que les emprunts, de sorte qu'il est en droit d'exiger un rendement de son investissement. Ce rendement est exprimé par le bénéfice d'exploitation de l'entreprise. Par conséquent, nous dirons que l'entreprise est en fait une entité économique distincte de son propriétaire. La création par le législateur de la société par actions constitue, sous l'angle juridique, une représentation de cette réalité économique.

Le concept de la personnalité de l'entité s'inscrit dans un courant de pensée qui favorise l'intérêt de ses propriétaires (actuels et futurs). Ceux-ci ont besoin d'une information financière qui les aide à juger de l'efficacité de la direction et à évaluer le rendement qu'ils obtiendront de leur investissement.

Pour répondre à ce besoin, il fallait fixer les limites de l'entreprise. En d'autres termes, il fallait déterminer où commençaient et où s'arrêtaient ses activités. Cette démarcation se traduit de la manière suivante dans les états financiers : seuls les actifs et les passifs de l'entreprise figurent au bilan, quelle que soit la forme juridique de l'entreprise. De la même façon, le concept de la personnalité de l'entité exclut les charges et les produits personnels des propriétaires. L'état des résultats doit rendre compte exclusivement des produits et des charges de l'entité dans le cadre de son exploitation et des activités connexes.

### 3.2.2 La continuité de l'exploitation

Il fut un temps où le bilan visait à rendre compte aux créanciers de la situation financière de l'entreprise. On insistait donc, dans sa présentation, sur la valeur de réalisation des actifs à une date donnée.

Le recours de plus en plus fréquent à des capitaux apportés par des investisseurs et l'importance de cet apport ont eu pour conséquence de modifier l'objectif des états financiers. Au début des années 1930, l'accent fut mis sur l'information nécessaire aux investisseurs et aux actionnaires, lesquels sont principalement intéressés par le rendement que procure l'exploitation de l'entreprise plutôt que par le montant qu'ils pourraient tirer de sa liquidation. Par conséquent, on a émis l'hypothèse que l'exploitation de l'entreprise se poursuivrait indéfiniment.

Cette hypothèse a eu de nombreuses retombées en comptabilité. Elle a modifié considérablement la vision comptable à l'égard des ressources appartenant à l'entreprise. C'est ainsi qu'on a établi le bilan en supposant que l'entreprise conserverait indéfiniment ses ressources, puisqu'elles sont essentielles à l'exploitation.

Parfois, la pérennité d'une entreprise est menacée. La présence de certains facteurs peut être un indice de l'incapacité de l'entreprise à réaliser ses actifs à leur valeur comptable, à s'acquitter de ses dettes à l'échéance ou à poursuivre son exploitation. L'incapacité de l'entreprise à payer ou à financer ses dettes à court terme, un déficit accumulé important ou une forte probabilité de pertes comptent au nombre de ces facteurs. Néanmoins, de tels facteurs n'empêchent pas nécessairement une entreprise de poursuivre son exploitation. À moins que les problèmes ne soient très graves et que l'entreprise ne soit déjà sous séquestre ou en faillite, l'hypothèse de la continuité de l'exploitation continue de prévaloir, et les états financiers sont établis en conséquence. Cependant, la direction et le vérificateur externe, s'il y a lieu, devront veiller au fond et à la forme des états financiers, afin que tous les renseignements relatifs à ces facteurs soient mentionnés et que l'attention des utilisateurs soit explicitement attirée sur la possibilité que l'entité cesse ses activités[2].

---

2. En cas de liquidation, on renonce évidemment à l'hypothèse de la continuité de l'exploitation. On peut alors présenter les éléments du bilan à leur valeur de liquidation.

## 3.3 LA QUALITÉ DE L'INFORMATION

Le cadre conceptuel des états financiers sert notamment à décrire les caractéristiques de l'information qui paraît dans les états financiers. Nous procéderons ici en deux étapes, abordant d'abord la notion d'importance relative, et ensuite les caractéristiques de l'information à proprement parler, telles qu'elles apparaissent à la figure 3-2.

### 3.3.1 L'importance relative

Lorsque l'on convertit les activités économiques d'une entreprise en information financière, on obtient une énorme quantité de données qui, sous leur forme brute, ne sont pas toutes significatives pour les utilisateurs. Puisque la qualité première des états financiers réside dans leur utilité, il ne sert à rien de submerger les utilisateurs sous une masse de renseignements qu'ils doivent analyser pour ne garder que ceux qu'ils jugent importants.

Il revient donc à l'entreprise de regrouper les renseignements afin de retenir seulement ceux dont l'importance relative est grande pour les utilisateurs. Cependant, comment distinguer ce qui est important pour les utilisateurs de ce qui ne l'est pas ? Il y a dans cette question une dimension quantitative, qui tient au degré d'importance, et une dimension qualitative, qui tient au degré de signification.

Ainsi, l'importance relative ne se limite pas uniquement à des considérations mathématiques. Généralement, le principe de l'importance relative est un critère de choix selon lequel une information est essentielle lorsque sa publication dans les états financiers peut influer sur les décisions des utilisateurs, particulièrement les actionnaires, les investisseurs et les créanciers.

### 3.3.2 La compréhensibilité

L'une des premières qualités exigées des états financiers est leur compréhensibilité. Pour que les états financiers puissent remplir leur fonction, il faut que le lecteur soit en mesure d'en comprendre le sens. Cependant, le langage des affaires et celui de la comptabilité comportent leur lot de termes particuliers. Faut-il alors rédiger des états financiers dans une forme qui pourrait être interprétée même par ceux qui n'ont aucune connaissance du monde des affaires ? La réponse est non. Les termes employés s'adressent aux utilisateurs qui ont une bonne connaissance du monde des affaires, de l'économie et de la comptabilité. Les états financiers contiennent donc des termes qui n'y sont pas définis, car le lecteur averti peut les décoder. Il arrive cependant qu'une entreprise présente des situations particulières qui l'amènent à donner plus d'explications. C'est à l'entité de choisir les termes et le niveau de langue qu'elle adopte pour que le lecteur averti puisse s'y retrouver.

### 3.3.3 La pertinence

La pertinence fait référence à ce qui est utile pour le lecteur des états financiers. Ce concept sert de balise aux normalisateurs qui élaborent de nouvelles directives et aux entités qui doivent déterminer l'information à fournir dans les états financiers. Le principe de pertinence chevauche les concepts d'importance relative et de compréhensibilité. En effet, tous trois reposent sur le point de vue du lecteur des états financiers. Comme nous l'avons déjà précisé, le lecteur averti est celui qui non seulement connaît le monde des affaires et de l'économie, mais qui est également investisseur ou créancier. C'est donc dire que les états financiers s'adressent avant tout à l'investisseur et au créancier présents et éventuels, bien qu'ils servent souvent à d'autres utilisateurs. Qu'il s'agisse d'évaluer la gérance d'une entité ou d'établir des prévisions, les états financiers doivent, autant que possible, répondre, bien que partiellement, aux besoins de ces lecteurs privilégiés. Par exemple, avant de choisir d'investir, un actionnaire potentiel analysera en profondeur les états financiers de l'entité ; toutefois, il devra aussi évaluer les risques reliés à l'économie en général et au secteur dans lequel l'entité exerce ses activités.

Il arrive aussi que les utilisateurs des états financiers s'interrogent sur la concordance entre les chiffres paraissant aux états financiers et ceux publiés à des fins fiscales. Pour répondre à cette question, il faut revenir aux objectifs des règles comptables et des règles fiscales, ainsi qu'à leur pertinence. Le système normatif de la comptabilité des états financiers met l'accent sur les règles qui permettront aux créanciers et aux investisseurs (obligataires et actionnaires) de prendre des décisions judicieuses. C'est notamment le cas des règles qui président à la constatation de produits, à la présentation des flux de trésorerie ou à l'information sectorielle. Par ailleurs, les règles fiscales ont des visées à connotations économiques ou sociales, par exemple. Ainsi, dans certains cas, les « frais de représentation » ne pourront être considérés comme une charge à des fins fiscales que dans une proportion de 50 %, alors que, dans d'autres cas, on autorisera une méthode d'amortissement accélérée pour certains actifs, même si cela ne correspond pas à l'utilisation économique du bien, le législateur voulant par cette méthode rapide permettre une économie d'impôt, du moins à court terme.

Dans le cadre normatif actuel de la comptabilité, le concept de pertinence comporte deux dimensions, la première étant la valeur prédictive et rétrospective, et la seconde la rapidité de publication.

### A. LA VALEUR PRÉDICTIVE ET RÉTROSPECTIVE

La valeur prédictive des états financiers permet de répondre, en partie, aux préoccupations des investisseurs et des créanciers. En effet, les états financiers doivent faciliter l'établissement de prévisions : la structure de l'état des résultats en est un exemple. Si l'investisseur est en mesure de distinguer dans ce document les éléments extraordinaires et les activités normales, il disposera de bases pour établir ses prévisions. C'est pour cette raison que l'état des résultats présente séparément les postes extraordinaires, les éléments inhabituels et les activités abandonnées.

La valeur rétrospective des états financiers vient surtout soutenir la confrontation des résultats réels avec des prévisions du marché financier. Parmi ces dernières, le bénéfice par action (BPA) constitue une prévision de premier plan. En effet, la normalisation du BPA permet de comparer le résultat réel et le résultat attendu. Quand on sait l'importance que le marché attache à cette notion, les états financiers remplissent alors leur rôle en favorisant ce rapprochement.

### B. LA RAPIDITÉ DE PUBLICATION

Rappelons que l'objet principal des états financiers est d'aider les utilisateurs à prendre des décisions. On reconnaît généralement que les décisions doivent reposer sur l'information la plus récente, d'où l'importance de la rapidité de publication. Toutefois, cette rapidité ne devrait pas nuire au respect d'autres concepts, principalement la fiabilité.

## 3.3.4 La fiabilité

Le cadre normatif actuel définit la fiabilité des états financiers à l'aide des notions plus précises d'image fidèle, de primauté de la substance sur la forme, de vérifiabilité, de neutralité et de prudence. On dit des états financiers qu'ils sont fiables[3] s'ils respectent toutes ces caractéristiques. Voyons de plus près le sens de ces différentes dimensions de la fiabilité de l'information.

### A. L'IMAGE FIDÈLE

Les états financiers constituent une forme de représentation de la réalité. Lorsque les états financiers reflètent bien cette réalité économique, on peut dire qu'ils en rendent une image fidèle. Il y a donc concordance avec les faits. Plus concrètement, cette notion repose sur le concept de primauté de la substance sur la forme, que nous présentons ci-dessous.

---

3. Ces notions se rapportent aux PCGR définis en début de chapitre.

## B. LA PRIMAUTÉ DE LA SUBSTANCE SUR LA FORME

La primauté de la substance sur la forme a pour objectif de présenter aux états financiers les opérations en fonction de leur réalité économique plutôt qu'en fonction de leur forme juridique. Certaines opérations ont une forme juridique fort différente de leur réalité économique. Or, les états financiers doivent présenter l'essence économique de l'opération. Par exemple, dans le cas des contrats de location-acquisition, présentés dans l'annexe 2-1 du chapitre 2, le bien est comptabilisé dans l'actif du bilan même si l'entreprise n'en est pas légalement propriétaire. La substance économique de l'opération (acquisition financée par bail) l'emporte alors sur sa forme juridique (location du bien).

La consolidation des états financiers, également expliquée dans le chapitre 2, est un autre exemple de ce principe : en effet, on regroupe dans des états financiers communs les états financiers de différentes entreprises comme si elles ne faisaient qu'une, alors qu'il s'agit d'entités juridiquement indépendantes. Ainsi, chaque filiale de Mega Bloks possède ses propres statuts, a des actionnaires différents, paie ses propres impôts et dispose d'un statut juridique tout à fait distinct. Cependant, comme c'est Mega Bloks qui contrôle économiquement ces différentes entités, on rassemble leurs actifs et passifs avec ceux de la société aux fins de présentation des états financiers. Cette information est décrite à la note 2 des états financiers de Mega Bloks.

Le concept de la substance économique des opérations a donc un rôle de « décodeur » : il permet de transformer l'information juridique brute en information financière et de donner ainsi au lecteur d'états financiers une image claire de la réalité économique de l'entreprise. Bien que la normalisation comptable respecte les lois, elle a ainsi mis de l'avant des concepts pour accorder la priorité à la substance économique des opérations.

## C. LA VÉRIFIABILITÉ

Les utilisateurs des états financiers prennent des décisions économiques en se fondant sur l'information qu'ils reçoivent ; ils doivent donc pouvoir s'y fier. Une information financière fiable repose sur des faits vérifiables. La vérifiabilité représente la possibilité d'obtenir des éléments probants[4] pour que différentes personnes qui les examinent arrivent aux mêmes conclusions.

---

4. Prenons l'exemple d'un immeuble acquis au prix de 100 000 $ en 20_6, dont la valeur était estimée à 110 000 $ par un courtier. Quelle est la valeur la moins susceptible d'être mise en doute ? C'est le prix d'achat (100 000 $), qui a été convenu lors d'un échange conclu entre deux parties et qui est attesté par un document. Dans ce cas, on dispose donc d'une preuve à l'appui de cette donnée. Quant à la valeur estimée par un courtier, on peut avancer qu'il s'agit d'une valeur subjective liée au processus de vente.

Le principe de la vérifiabilité favorise aussi la présentation d'états financiers établis au coût historique, ce qui n'exclut toutefois pas le recours à d'autres valeurs (que nous décrirons plus loin), dans la mesure où des personnes compétentes et indépendantes pourraient dégager un consensus quant à la façon d'appliquer un autre mode de mesure.

En raison des nombreuses estimations nécessaires à leur préparation, les états financiers sont inévitablement empreints d'une certaine subjectivité, laquelle doit être encadrée. Pour ce faire, on effectue des choix comptables en tenant compte de la possibilité de fournir des preuves à l'appui des montants et des informations qu'on veut inscrire dans les états financiers, et en tentant de s'appuyer sur des estimations aussi objectives que possible.

## D. LA NEUTRALITÉ

Lorsqu'il s'agit de déterminer s'il faut ou non divulguer une information, ou encore opter pour un traitement comptable ou un mode de présentation particulier, le choix ne doit pas reposer sur une idée préconçue. L'élaboration des états financiers ne doit pas favoriser un groupe d'utilisateurs au détriment d'un autre.

Certains prétendront que la comptabilité n'est pas neutre, puisque les états financiers s'adressent particulièrement aux actionnaires (actuels et potentiels) et aux créanciers. En effet, pourquoi mettre l'accent sur la valeur résiduelle qui revient aux actionnaires (l'avoir des actionnaires, ou capitaux propres) dans le bilan ? Pourquoi ne pas considérer les impôts comme des distributions du bénéfice plutôt que comme des charges ? Bien que ces questions soient légitimes, rappelons que les choix comptables s'inscrivent dans le cadre des caractéristiques socioéconomiques de chaque pays. Dans notre économie, la notion de bénéfice est avant tout déterminée par les besoins des fournisseurs de capitaux. En conséquence, les principes et les conventions comptables doivent être interprétés en fonction des avantages qu'ils procurent aux investisseurs et aux créanciers. Rien n'empêchera la présentation, en usant des précautions voulues, d'états financiers à usage particulier.

La neutralité fait ainsi référence à l'absence de parti pris. Bien entendu, on est en droit de s'interroger sur le degré d'objectivité de la direction d'une entreprise à l'égard des états financiers qu'elle produit. Sans mettre en doute l'honnêteté des dirigeants, on conçoit aisément que ceux-ci sont conscients des conflits d'intérêts potentiels lorsqu'ils rendent compte de leurs actes. L'éthique du dirigeant constitue alors une assise majeure de l'élaboration des états financiers. De plus, le vérificateur indépendant attestera que les états financiers sont présentés conformément aux principes comptables. Son travail consiste essentiellement à chercher des preuves à l'appui de l'information financière contenue dans les états financiers. Pour les utilisateurs, le rapport du vérificateur renforce la crédibilité des états financiers.

Aussi, lorsqu'on rend compte des activités économiques d'une entreprise, on a recours à de nombreuses estimations qui ne permettent pas d'atteindre une parfaite exactitude (la provision pour créances douteuses, la dépréciation des actifs, la durée de vie des immobilisations en sont des exemples). L'application du concept de neutralité implique que les choix comptables doivent être libres de toute influence et effectués avec le souci de ne pas induire les utilisateurs en erreur. La confiance du public envers les états financiers repose en grande partie sur la reconnaissance de ces qualités.

Bien entendu, aucun préparateur ni utilisateur des états financiers n'est infaillible. Il ne faut pas perdre de vue que la responsabilité de la reddition des comptes incombe à la direction de l'entreprise. Celle-ci imposera les mécanismes de contrôle qui lui permettront de s'assurer que les chiffres figurant dans ses états financiers reflètent la réalité économique. L'entrée en vigueur des lignes directrices formulées par les Autorités canadiennes en valeurs mobilières a d'ailleurs amené les dirigeants à faire preuve d'une plus grande responsabilité.

## E. LA PRUDENCE

La direction de l'entreprise établit des états financiers afin de rendre compte de sa situation financière et de ses résultats d'exploitation. La prudence (parfois appelée « conservatisme ») consiste à éviter que les états financiers ne soient faussés par des estimations trop optimistes dans des situations d'incertitude. Ce concept est hérité du krach de 1929, pendant lequel on a constaté que certaines valeurs attribuées à des actifs avaient été surévaluées.

La règle de prudence doit être appliquée judicieusement : il importe de l'utiliser dans le but de produire des états financiers qui ne soient ni trop optimistes ni trop pessimistes. Ainsi, le concept de prudence ne permet pas de cautionner une sous-évaluation délibérée des actifs. Cependant, il vise à éviter la surévaluation des actifs et la sous-évaluation des passifs, ainsi que la surévaluation des produits et la sous-évaluation des charges. Dans certains cas, par exemple, la prudence incite à constater la perte de valeur d'un actif ou l'augmentation d'un passif avant qu'elle ne se réalise. Voyons de quelle manière à l'aide des exemples suivants.

### Les stocks
Lorsque la « valeur du marché » est inférieure au coût du stock, il faut refléter immédiatement cette perte de valeur. En effet, cet actif perd de son utilité à cause de la baisse de valeur qu'il a subie. Les avantages économiques futurs s'en

trouvent réduits et, dans ce cas, les stocks sont présentés à la valeur du marché. (Voir aussi le chapitre 2.)

### Les comptes clients

Un compte client est une créance découlant de la vente de biens ou de la prestation de services. Entre le moment où la vente est effectuée et le moment prévu pour l'encaissement de la créance, il peut arriver qu'on doute du recouvrement de la créance en question. Par conséquent, au moment d'établir le bilan, il faut se demander si le total des comptes clients inscrit aux registres représente réellement les montants qui seront encaissés. Lorsque le recouvrement de certains comptes est mis en doute, on doit réduire le total des comptes clients en constituant une provision pour créances douteuses.

### Les éventualités

Certains événements entraînent parfois une perte ou un gain futur pour l'entreprise. C'est notamment le cas des entreprises qui font l'objet de poursuites judiciaires ou qui sont menacées d'expropriation. La perte ou le gain futur dépend de l'issue des événements (verdict de culpabilité, ordonnance d'expropriation). Si ces événements se produisent effectivement, le gain ou la perte se traduira dans le bilan par des variations de l'actif ou du passif. Le principe de prudence intervient alors. Si elle peut être mesurée avec suffisamment de précision, une perte probable, bien que non réalisée, est immédiatement comptabilisée dans les états financiers. Cependant, en vertu de ce même principe de prudence, un gain probable ne sera pas inclus dans les états financiers : on attend d'en avoir la certitude. Autrement dit, on doit faire preuve d'une plus grande prudence (ou de pessimisme) envers les pertes qu'envers les gains.

## 3.3.5 La comparabilité

Pour choisir entre plusieurs possibilités d'investissement, l'investisseur doit être en mesure de comparer les résultats et la situation financière de différentes entreprises. De plus, l'analyse des états financiers sur diverses périodes permet de dégager des tendances afin d'évaluer les risques et le rendement liés à l'investissement dans une entreprise donnée. Cette analyse n'est valable que si les données financières sont comparables d'un exercice à l'autre.

La normalisation comptable assure en soi une certaine comparabilité, puisqu'elle fixe les méthodes de traitement et de présentation de l'information financière. Cependant, celles-ci sont des règles flexibles qui débouchent souvent sur plusieurs méthodes acceptables. Une fois fixés, ces choix doivent être maintenus afin que le lecteur des états financiers puisse comparer un exercice à un autre.

Le concept de comparabilité s'applique également entre deux entités distinctes exploitées dans des secteurs d'activité similaires. Soulignons également qu'en raison de différences de traitements d'un pays à l'autre, cette comparaison devient plus difficile, dans la mesure où les PCGR étrangers s'écartent des PCGR canadiens. Cette situation renforce le besoin de normalisation internationale.

**A. LA PERMANENCE DES MÉTHODES**

La comparabilité entre les exercices est possible si les traitements comptables employés et le mode de présentation sont identiques d'un exercice à l'autre. Le cadre conceptuel comprend donc un concept relié à la permanence dans le choix et l'application des méthodes comptables, de telle sorte qu'une entreprise qui choisit une méthode (par exemple, l'amortissement linéaire) la conserve d'un exercice à l'autre.

Bien entendu, cette règle n'oblige pas l'entreprise à conserver une méthode comptable devenue inappropriée. Il est parfois nécessaire de changer de méthode pour rendre les états financiers conformes à la réalité économique. Dans ce cas, on doit expliquer la modification dans une note jointe aux états financiers afin d'en informer les utilisateurs. S'il y a lieu, on appliquera ce remaniement rétroactivement, de façon à corriger les états financiers antérieurs pour que les données demeurent comparables.

**3.4 LA MESURE**

L'élaboration des états financiers obéit également à certains concepts portant sur la mesure des éléments présentés dans les états financiers. Pour expliquer cette notion de mesure, nous traiterons de la possibilité de quantifier, de la stabilité présumée de l'unité monétaire et du coût historique.

**3.4.1 La possibilité de quantifier**

Nous avons expliqué dans le chapitre 1 que les états financiers visent à mesurer et à présenter les activités économiques des entreprises. On peut, de façon générale, définir la mesure comme une évaluation par rapport à une valeur constante, c'est-à-dire une unité de mesure. En comptabilité, l'unité de mesure est une unité monétaire, telle que le dollar.

Concentrons-nous d'abord sur l'aspect de l'évaluation. On peut évaluer les chances de gagner à la loterie durant la prochaine année, comme on peut mesurer la valeur des comptes clients d'une entreprise. Dans les deux cas, il s'agit d'une mesure qui fait toutefois appel à des outils propres à chaque situation. Il en va de même d'une foule d'éléments liés à la vie de l'entreprise.

Par exemple, la façon dont les dirigeants gèrent leur entreprise constitue généralement un élément clé de son succès ou de son l'échec. Le succès dépend notamment de la compétence et de l'expérience des dirigeants. La qualité des dirigeants constitue donc une valeur pour l'entité. Pourtant, cette valeur n'apparaît pas dans les états financiers. En effet, comment mesurer la valeur d'une personne ? Quel point de référence permettrait de le faire ?

Bien sûr, il serait sans doute intéressant pour les utilisateurs des états financiers de pouvoir apprécier cette valeur. Ils disposent toutefois d'autres moyens pour se faire leur propre idée de la compétence des membres de la direction d'une entreprise. Ainsi, les analystes financiers ont habituellement une bonne connaissance de la réputation des dirigeants des entreprises dont ils offrent les actions à d'éventuels acheteurs. Il arrive aussi que les médias constituent une source d'information appréciable, sans compter les renseignements contenus dans les rapports annuels publiés par les sociétés. Il n'en demeure pas moins qu'il est périlleux de vouloir établir formellement la valeur de l'équipe de dirigeants, car cette opération risquerait de mettre en cause la vérifiabilité dont nous avons déjà traité. Il s'agirait d'une évaluation subjective, susceptible de varier d'une personne à l'autre.

Précisons cependant que certains éléments importants de la situation financière ne sont pas systématiquement exclus des états financiers sous prétexte qu'ils ne sont pas quantifiables. Lorsque l'utilité l'exige, ces éléments sont mentionnés par voie de notes aux états financiers. Prenons, par exemple, l'acquisition d'une entreprise à un prix en partie déterminé en fonction du bénéfice futur. La base de calcul étant inconnue, il n'est pas possible de fixer le prix d'acquisition. L'opération sera néanmoins mentionnée dans une note complémentaire, qui précisera les modalités du contrat d'acquisition.

## 3.4.2 La stabilité de l'unité monétaire

La comptabilité, on l'a dit, a pour objet de traduire les activités économiques de l'entreprise sous la forme de données compréhensibles par tous les utilisateurs. Elle a pour fonction principale de quantifier, c'est-à-dire de mesurer les échanges économiques qui ont lieu entre l'entreprise et les autres intervenants. La monnaie est l'instrument d'évaluation des biens et des services. Elle est donc l'étalon retenu en comptabilité. Au Canada, l'unité de mesure utilisée dans les états financiers pour exprimer les actifs, les passifs, les produits et les charges est le dollar. (Certaines lois permettent aux entreprises canadiennes de présenter leurs états financiers soit en dollars canadiens, soit en dollars américains.) Il s'agit alors du numéraire dans lequel les états financiers sont établis. Comme les ventes de Mega Bloks se font surtout en dollars américains, cette société se sert de cette devise pour établir ses états financiers. (Voir les notes complémentaires 2 et 13.)

L'utilisation de la monnaie comme étalon ne posait pas vraiment de problème jusqu'à ce que l'activité industrielle mondiale commence à progresser à un rythme effréné. Dès lors, les variations de la production et de la demande de biens et de services et de la quantité de monnaie en circulation ont entraîné des variations de la valeur de la monnaie. Or, certains postes des états financiers sont touchés par les fluctuations du pouvoir d'achat de la monnaie. Ainsi, les sommes à recevoir à une date donnée n'ont généralement pas la même valeur d'échange à cette date qu'au moment où elles ont été comptabilisées. Le montant absolu ne varie pas, mais la capacité d'échange qui résulte de l'encaissement de ces sommes à la date du bilan n'est plus la même. Elle peut avoir augmenté ou diminué, selon qu'on est en période de déflation ou d'inflation. Les fluctuations du pouvoir d'achat risquent d'être d'autant plus importantes qu'il s'écoule plus de temps entre la date de l'opération et la date du bilan.

*L'hypothèse de l'unité monétaire stable* (ou nominalisme) permet de contourner ce problème en supposant que le pouvoir d'achat de la monnaie ne varie pas. Dans un contexte inflationniste, cette hypothèse est sans doute sujette à caution. Il revient alors au lecteur d'appliquer son degré de subjectivité et sa perception des fluctuations du pouvoir d'achat de la monnaie au moment d'apprécier les états financiers. En raison de cette hypothèse, la validité des états financiers est parfois remise en question, tant par la profession comptable que par les milieux d'affaires. Les montants indiqués dans le bilan ne sont pas seuls en cause. Les produits et les charges sont également touchés par les fluctuations générales du pouvoir d'achat de la monnaie. Supposons, par exemple, qu'une entreprise présente des ventes s'élevant à 1 000 000 $ en 20_6 et à 1 110 000 $ en 20_7. Si l'on s'en tient à la valeur nominale des ventes, on peut considérer l'augmentation de 11 % comme un bon résultat. Mais si l'année 20_7 a été marquée par une baisse du pouvoir d'achat de 10 %, l'entreprise aura sensiblement maintenu son chiffre d'affaires à son niveau antérieur.

Toutefois, l'hypothèse de la stabilité de l'unité monétaire simplifie la présentation de l'information financière. Les utilisateurs peuvent isoler l'effet de la dépréciation de la monnaie sur les états financiers. Implicitement, tous les utilisateurs d'états financiers tiennent compte des effets de l'inflation dans leurs interprétations des données financières. On a également considéré qu'un redressement des états financiers qui tient compte de la valeur de la monnaie engendrerait des coûts très supérieurs aux avantages qui en seraient tirés.

## 3.4.3 Le coût historique (et autres mesures)

### A. LA NOTION DE COÛT HISTORIQUE

Le concept de coût historique se rapporte au fait que, dans les états financiers, les actifs sont inscrits à leur coût d'acquisition. C'est en vertu de ce principe directeur que sont établis les états financiers. L'intérêt du coût historique est qu'il constitue une valeur étayée par des preuves concrètes et objectives, puisqu'il témoigne d'une opération survenue entre deux parties indépendantes. Bien entendu, la conservation des actifs à leur coût historique offre l'avantage d'une grande vérifiabilité, laquelle permet à son tour d'assurer la fiabilité de l'information financière. Toutefois, lorsqu'elle est envisagée sous l'angle des notions de « prudence », de « pertinence » et de « substance des opérations », cette valeur du coût historique entraîne l'utilisation d'autres valeurs (ou d'autres méthodes de mesure). De concept « sacré » s'appliquant à l'ensemble des états financiers, le coût historique a été complété par d'autres valeurs, présentées ci-dessous.

**Le coût historique et la prudence (les moins-values)**

Le concept de coût historique interpelle aussi le concept de prudence : quand des actifs perdent de leur capacité à produire des avantages économiques futurs, il faut les dévaluer puisqu'ils n'ont plus la même « valeur ». Le coût de l'actif est alors comparé à la juste valeur[5]. Dans ces circonstances, lorsque la juste valeur est inférieure au coût, elle vient remplacer le coût, ce qui permet de « matérialiser » cette perte de valeur (moins-value) de l'actif.

**Les substituts au coût historique lorsqu'il n'y a pas de coût d'acquisition, mais quand un actif/passif existe**

Il arrive qu'un actif existe, sans qu'il y ait toutefois d'échange monétaire immédiat. Pour répondre à ces cas particuliers, les normalisateurs comptables ont introduit progressivement le concept de juste valeur, qui s'applique à ces cas. Les contrats de location en sont un exemple. Ainsi, dans certaines circonstances, une entreprise peut enregistrer un actif et constater la dette correspondante dans les états financiers (voir l'annexe 2-1). Cette valeur, alors appelée coût, fait intervenir les valeurs actualisées des paiements en vertu du contrat de location et/ou de la juste valeur du bien loué. La justification d'un tel traitement repose sur la substance de l'opération et sur sa pertinence pour évaluer la situation financière réelle de l'entité. Les états financiers font mention de biens loués, dont l'entité a la pleine jouissance sans en être propriétaire au sens légal du terme, en

---

5. Par exemple, le coût de remplacement ou la valeur nette de réalisation pour les stocks et la valeur du marché ou les flux monétaires actualisés pour les immobilisations.

utilisant des valeurs autres que le coût historique, au grand bénéfice de la pertinence, mais sans sacrifier pour autant à la fiabilité de la mesure utilisée.

### La pertinence du coût (et sa substance) justifiant la non-intégration de plus-values

En reprenant la notion de pertinence et de substance des opérations, faut-il franchir un autre pas et introduire dans les états financiers les plus-values subséquentes à l'acquisition d'un actif ? Il est possible de justifier le maintien du coût historique pour certains actifs, comme les actifs immobilisés, en vertu de « la continuité de l'exploitation ». En effet, une entreprise ne peut se défaire de ses actifs sans nuire à son exploitation, dans la mesure où elle les a acquis en vue d'en tirer des avantages économiques à long terme. Dès lors, si la valeur actuelle de ces actifs est supérieure au prix qu'a payé l'entreprise pour les acquérir (le coût historique), cette plus-value ne sera jamais réalisée, puisque les actifs en question ne seront jamais vendus. Dans ces cas, le coût historique ne doit pas être modifié par la suite (sauf dans les cas de moins-value évoqués plus haut). Cette argumentation vaut pour plusieurs postes des états financiers.

### La pertinence de la juste valeur (et sa substance) justifiant l'incorporation de plus-values

Dans d'autres cas, la substance de certains postes fait en sorte que ces actifs sont plutôt disponibles à la vente. C'est le cas des placements désignés comme étant disponibles à la vente ou des placements désignés comme étant détenus à des fins de transactions. (Voir le chapitre 2.) Ces postes ont intérêt à être présentés à leur juste valeur puisque celle-ci est intimement reliée à la nature de ces postes. Ces actifs sont négociés en vue de leur revente et non en vue de leur utilisation. Ils sont alors présentés à leur juste valeur (incluant donc une plus-value).

## B. LES ÉTATS FINANCIERS : DU COÛT HISTORIQUE À DES MESURES HYBRIDES

Bien que l'on parle encore d'états financiers reposant sur le coût historique, force est de constater que les valeurs apparaissant dans les états financiers sont de plus en plus hybrides. Que doit donc faire le lecteur des états financiers ? Il doit se familiariser avec les modes de mesure des états financiers et lire attentivement les notes accompagnant les états financiers. On le voit, bien que reposant sur le coût historique, les modes de mesures utilisés font intervenir aussi d'autres valeurs. Celles-ci se démarquent du coût d'acquisition et peuvent amener le lecteur des états financiers à s'interroger sur la fiabilité des données présentées selon la juste valeur. Toutefois, même dans ces cas, la fiabilité (vérifiabilité) des valeurs utilisées est toujours de mise : il est nécessaire d'étayer et d'expliquer ces valeurs dans les états financiers. Actuellement, on reconnaît que les bases de mesure de la juste valeur dont on dispose permettent d'assurer cette fiabilité. En revanche, si les bases de mesures ne sont pas fiables, il faut revenir au coût historique. Le lecteur doit donc être conscient que les états financiers renferment un ensemble hybride de valeurs, où se côtoient la pertinence, la prudence et la substance des méthodes de mesure employées. Les différents concepts utilisés en regard du coût historique apparaissent, à titre de synthèse, dans la figure 3-3[6].

**FIGURE 3-3** • Les différents concepts utilisés en regard du coût historique

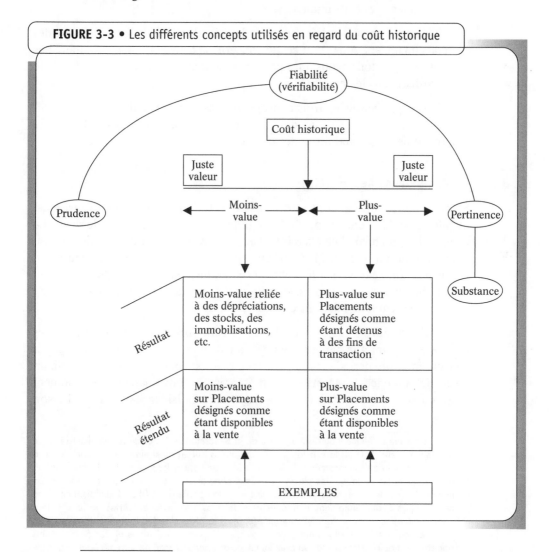

_____

6. Cette figure reprend également des notions vues au chapitre 2 sur les plus-values ou les moins-values. Ainsi, la différence entre le coût d'acquisition et la juste valeur peut être considérée

........................................................................................

## 3.5 LA CONSTATATION (OU COMPTABILISATION)

La constatation (ou comptabilisation) se rapporte au moment où une opération doit figurer dans les états financiers. Elle touche autant les actifs et les passifs que les produits et les charges. À cette fin, deux principes généraux s'appliquent :

1. Il est nécessaire de disposer d'une base de mesure appropriée pour constater un élément des états financiers.

2. L'élément à constater doit correspondre à la définition de la composante des états financiers. Ainsi, tout ce qui concerne la constatation est tributaire des notions que nous avons vues précédemment ainsi que de celles qui ont été abordées dans le chapitre 2.

Nous expliquerons ici trois concepts sous-jacents à la constatation : l'indépendance (ou spécialisation) des exercices, la réalisation des produits et le rapprochement des produits et des charges.

### 3.5.1 L'indépendance des exercices

Selon le concept de la continuité de l'exploitation, la vie de l'entreprise est illimitée. Le bilan donne le profil de l'entreprise à différentes étapes de sa vie. La comparaison du bilan d'un exercice à l'autre permet de juger de la croissance ou de la diminution de l'actif net de l'entreprise. Cependant, cette comparaison donne peu d'indications sur les éléments qui influent sur la rentabilité de l'entreprise à chaque période. De plus, les utilisateurs des états financiers ont besoin de comparer la rentabilité des entreprises.

Pour répondre à ces besoins, la vie de l'entreprise est divisée en périodes d'égale longueur, et le bénéfice net est calculé à la fin de chaque période. Par convention, cette période étalon, fixée à un an, est appelée « exercice ». À la fin de chaque exercice, l'entreprise doit présenter des états financiers. Au moment de sa constitution, l'entreprise a la liberté de choisir la date à laquelle son

---

ou non comme un élément du résultat, donc de la performance de l'entité (sinon, il sera intégré au résultat étendu). C'est la substance des opérations qui en détermine l'attribution. Ainsi, à cause de la nature des placements détenus à des fins de transactions, ceux-ci incluent, dans leur gestion quotidienne, le jeu des plus-values. Cette plus-value fait partie intégrante de la performance. Il est donc approprié de considérer qu'elle fait partie du résultat. Toutefois, l'entité ne négocie pas quotidiennement les placements destinés à la revente. Certes, la juste valeur demeure pertinente pour l'analyse financière, mais la plus-value (ou la moins-value) ne sera matérialisée que lors de la vente à un tiers. Elle fait partie des pertes et des gains latents apparaissant au résultat étendu. Un gain latent (ou une perte latente) ne sera matérialisé dans le résultat que lorsqu'il sera attesté par une vente à un tiers, sauf s'il s'agit d'une baisse de valeur permanente. Dans ce cas, la moins-value sera immédiatement présentée au résultat.

exercice se terminera, de sorte que la fin de l'exercice ne coïncide pas nécessairement avec la fin de l'année civile. Cependant, pour que la comparaison entre les exercices soit possible, cette date ne peut être modifiée une fois arrêtée, sauf si la situation le justifie. Lorsqu'une entreprise change la date de clôture de son exercice, elle doit corriger les montants de l'exercice précédent en conséquence et présenter les chiffres redressés correspondants, en tenant compte de la nouvelle date de fin d'exercice.

Pourquoi parle-t-on de l'indépendance (ou spécialisation) des exercices ? Nous savons que le bénéfice net représente l'excédent des produits sur les charges, soit le résultat des opérations effectuées durant un exercice. Afin d'obtenir un bénéfice qui traduise réellement le résultat d'un exercice donné, on isole les charges et les produits liés aux opérations de cet exercice, des charges et des produits associés aux opérations des autres exercices.

Par conséquent, on considère que chaque exercice est indépendant des autres. C'est cette indépendance qui constitue la spécialisation d'un exercice. On se demandera sans doute comment être certain qu'un produit ou une charge se rapporte à un exercice donné. S'il n'existe aucune certitude absolue, deux concepts peuvent toutefois nous guider : la réalisation des produits et le rapprochement des produits et des charges.

## 3.5.2 La réalisation des produits

Les produits « résultent des activités courantes de l'entité [et] sont généralement générés par la vente de biens, la prestation de services ou l'utilisation de certaines ressources de l'entité par des tiers moyennant un loyer, des intérêts, des redevances ou des dividendes[7]. » En vertu du concept de l'indépendance des exercices de l'entreprise, un produit doit être comptabilisé dans l'exercice au cours duquel il est gagné. Puisque l'activité commerciale est un processus continu qui ne s'arrête pas avec la fin de l'exercice, il est difficile d'isoler les produits qui proviennent d'efforts accomplis au cours d'un exercice donné de ceux qui sont engagés au cours d'un autre exercice. Le tableau 3-1 illustre le processus de génération des produits à l'intérieur du cycle d'exploitation.

Le problème est le suivant : à quel moment du processus peut-on dire que le produit est gagné ? Comme chaque étape du cycle d'exploitation comporte des efforts de réalisation du produit, on pourrait être tenté de comptabiliser la partie du produit total correspondant à chacune étapes de ce cycle. Mais, selon le concept de prudence, il faut considérer un moment du processus où l'on saura que le produit se matérialisera, tout en réduisant l'incertitude. Par ailleurs, il faut

---

7. *Manuel de l'ICCA,* chapitre 1000.37.

tenir compte de la vérifiabilité. En effet, nous avons vu que la réalisation d'un produit contribue à enrichir l'entreprise en augmentant son capital. Cette augmentation du capital se traduit par un accroissement de la valeur de l'actif qu'il est possible de prouver objectivement. Par conséquent, pour comptabiliser un produit, on doit attendre le moment où de telles preuves sont disponibles. Les critères généraux de constatation des produits figurent au tableau 3-3.

**TABLEAU 3-1** • Le cycle d'exploitation

1. Commande de marchandises (ou de matières premières)
2. Réception de marchandises (ou de matières premières)
3. Production (entreprise industrielle)
4. Entreposage
5. Efforts de vente
6. Commande de la part du client
7. Expédition de marchandises
8. Facturation
9. Encaissement ou retour de marchandises

Voici quatre situations qui nous permettront d'illustrer le moment auquel une entreprise peut constater ses produits.

### A. LA VENTE DE BIENS

Dans le cas de la vente de biens, c'est généralement au moment du transfert de propriété de la marchandise du vendeur à l'acheteur qu'on a le plus de certitude quant à la réalisation du produit. Ce transfert a généralement lieu lors de la livraison de la marchandise. Dès lors, le vendeur est en droit d'exiger la contrepartie de l'acheteur, c'est-à-dire le prix de vente, et donc de constater le produit. Les avantages et les risques reliés au droit de propriété sont alors transférés du vendeur à l'acheteur.

Ainsi, dans le cas des biens mis en consignation, le consignataire n'a que la garde des biens, sans en être le propriétaire ; la marchandise lui est transférée pour qu'il la vende. Le transfert de propriété s'effectue lorsque le consignataire vend les biens à une tierce personne ; c'est alors qu'il peut y avoir réalisation du produit.

Il arrive que le transfert de propriété n'apporte pas une certitude suffisante quant à la réalisation d'un produit. Certains biens spécialisés nécessitent des travaux d'installation complexes que le vendeur est tenu d'exécuter, de sorte que, même si le transfert de propriété a lieu, la contrepartie ne pourrait être exigée tant que l'acheteur n'est pas en mesure d'utiliser le bien qu'il a acquis. Dans ce cas, le moment le plus important du processus de réalisation du produit survient après l'installation (comme pour la vente d'un logiciel dont le fonctionnement exige des travaux d'installation personnalisés).

Supposons, de la même façon, qu'une vente comporte une clause exigeant le respect de critères de rendement de production propres à un client, et que le non-respect de cette clause permette au client de retourner le bien fabriqué. On considère alors que le vendeur conserve une partie substantielle des risques inhérents à la propriété, même si le transfert de propriété a eu lieu. Le produit ne pourra être constaté que lorsque ces critères seront respectés.

### B. LA VENTE DE SERVICES ET LES CONTRATS À LONG TERME

Pour les entreprises de services dont la nature des services est déterminée par contrat, il est possible d'employer une méthode reflétant les efforts déployés. Dans ce cas, on peut considérer que l'entité est en droit de constater le produit correspondant (par exemple les travaux d'un cabinet de consultants) à mesure que le service est rendu.

Il en est de même des travaux s'échelonnant sur une longue période. Supposons qu'une entreprise de construction effectue, pour un client donné, des travaux de longue durée pour lesquels il existe une formule de détermination du prix. Que se passera-t-il si l'on attend la fin des travaux pour constater l'accroissement de l'actif net résultant des travaux ? Pendant toute la durée des travaux, l'actif net, de même que les résultats d'exploitation seront sous-évalués, alors que ceux de l'exercice où prendront fin les travaux seront surévalués. Posons alors la question suivante : peut-on dire que les travaux de construction en soi donnent une certitude suffisante que le produit est gagné progressivement ? On peut répondre par l'affirmative, car il existe un contrat signé avec un client (élément probant objectif), et l'engagement de l'entrepreneur est attesté par les travaux effectués. Ceux-ci constituent des efforts propres à un contrat donné qu'on peut reconnaître en constatant les produits à mesure que progressent les travaux.

On ne peut adopter cette méthode de comptabilisation en fonction de l'avancement des travaux que si le prix de vente ne présente aucune incertitude. Par conséquent, le contrat devra énoncer clairement les obligations de chacune des parties et les modalités de fixation du prix exigé par l'entrepreneur. De plus, on devra être en mesure d'estimer le degré d'avancement des travaux avec une certitude raisonnable. Finalement, on aura à tenir compte des modalités du contrat aux fins de constatation des produits.

**EXEMPLE :** Contrat à long terme

Une entreprise de construction s'est engagée à exécuter un contrat d'une valeur de 1 000 000 $ sur une durée de deux ans, soit du 1er mars 20_6 au 28 février 20_8. L'exercice de l'entreprise se termine le 31 décembre.

Le 31 décembre 20_6, une expertise révèle que 25 % des travaux ont été exécutés pendant l'exercice. L'entreprise peut donc comptabiliser 25 % du produit total, soit 250 000 $, pour l'exercice 20_6. Au 31 décembre 20_7, 95 % des travaux sont terminés. Par conséquent, l'entreprise a gagné 70 % du produit total durant l'exercice 20_7 (95 % au total moins 25 % en 20_6) et peut comptabiliser 700 000 $ à titre de produit. Finalement, pour l'exercice 20_8, marquant la fin des travaux, l'entreprise enregistrera un produit de 50 000 $.

Supposons que la marge bénéficiaire brute est de 30 %. Pour chacun des exercices, les montants se présenteront comme suit :

|  | 20_6 | 20_7 | 20_8 | Total |
|---|---|---|---|---|
| **Produits** | 250 000 | 700 000 | 50 000 | 1 000 000 |
| **Coût** | 175 000 | 490 000 | 35 000 | 700 000 |
| **Marge brute** | 75 000 | 210 000 | 15 000 | 300 000 |

Cependant, si en 20_7 on se rend compte qu'il faudra dépenser 60 000 $ pour des travaux qui seront réalisés en 20_8 (au lieu de 35 000 $, soit une augmentation des coûts de 25 000 $), il faudra, en vertu du concept de prudence, anticiper cette perte de 10 000 $ pour 20_8 (produit de 50 000 $ – coût de 60 000 $), de manière à ne pas inscrire cette perte en 20_8 mais plutôt en 20_7. Selon cette hypothèse, les montants pour 20_7 et 20_8 devraient être les suivants :

|  | 20_6 | 20_7 | 20_8 | Total |
|---|---|---|---|---|
| **Produits** | 250 000 | 700 000 | 50 000 | 1 000 000 |
| **Coût** | 175 000 | 500 000 | 50 000 | 725 000 |
| **Marge brute** | 75 000 | 200 000 | – | 275 000 |

Évidemment, cette augmentation de coût diminue de 25 000 $ la rentabilité globale du projet.

## C. LA VENTE DONT L'ENCAISSEMENT EST INCERTAIN

Jusqu'à maintenant, nous avons étudié des situations où les éléments prédominants étaient la vérifiabilité et l'objectivité du prix de vente, et l'exécution par le vendeur des actes importants donnant droit à la contrepartie. Analysons maintenant une autre situation. Supposons qu'après avoir conclu une vente, le vendeur ne soit pas sûr de pouvoir recouvrer en totalité les sommes payables par l'acheteur. En raison de la grande incertitude quant à l'encaissement de la vente et en vertu du concept de prudence, l'entreprise ne constatera le produit qu'au moment de l'encaissement.

Toutefois, si l'incertitude quant au recouvrement final ne survient qu'après la vente, le vendeur doit constituer une provision pour créances douteuses (voir le chapitre 2).

## D. LA VENTE DE BIENS POUVANT ÊTRE RETOURNÉS

Prenons maintenant l'exemple d'un acheteur qui a le loisir de retourner les biens vendus. Lorsque le vendeur peut déterminer avec une certitude suffisante la somme totale des biens qui lui seront rendus, il peut constater le produit de la vente immédiatement. En contrepartie, il faudra constituer une provision pour les retours prévus.

Cependant, s'il n'est pas possible de prévoir le montant des retours, on ne peut constater le produit de la vente. On doit attendre la date à laquelle le droit de retour de l'acheteur expire. Prenons le cas d'une maison d'édition qui s'engage à reprendre aux libraires tous les livres invendus. En offrant ainsi à ses libraires une forme de garantie (ils écouleront le stock ou on le leur reprendra), l'éditeur conserve les risques et les avantages inhérents aux livres. Si, de plus, il est difficile d'évaluer les invendus, les ventes de livres ne seront constatées qu'au moment où les livres seront effectivement vendus par les libraires.

Des exemples que nous venons d'étudier ressortent les trois grands moments du processus de réalisation et les conditions essentielles à la constatation d'un produit (voir les tableaux 3-2 et 3-3).

**TABLEAU 3-2** • Les principaux moments de constatation des produits

1. À la livraison.
2. Au fur et à mesure que se déroule l'exécution.
3. Au moment de l'encaissement.

**TABLEAU 3-3** • Les critères de constatation des produits

On doit se poser les quatre questions suivantes pour déterminer le moment de la constatation des produits.

1. Quelle est la meilleure façon de constater les produits en tenant compte, entre autres, de la substance de l'opération, de l'incertitude, de la prudence, de l'objectivité et des efforts déployés à ce jour pour réaliser ces produits ? La réponse à cette question dépend du type d'opération :

   ■ La vente de biens. Le produit sera habituellement constaté lors de la livraison, ce qui correspond normalement au transfert du vendeur à l'acheteur des risques et des avantages inhérents à la propriété du bien*.

   ■ Les services et les contrats à long terme. Le produit sera habituellement constaté selon l'avancement des travaux. Cependant, si on ne peut estimer ce degré d'avancement, on attendra l'achèvement des travaux pour constater les produits**.

   ■ Les autres produits, tels que les revenus d'intérêt, les redevances et les dividendes. Ces produits seront constatés principalement selon leur nature. Dans le cas de l'intérêt, celui-ci sera constaté en fonction du temps écoulé. Dans le cas des redevances, le produit sera réalisé au fur et à mesure que les conditions du contrat seront remplies. Finalement, les dividendes seront habituellement réalisés lorsqu'ils seront déclarés.

2. Peut-on attester le prix de vente (soit la contrepartie qui sera reçue) ? Par exemple, dans le cas d'un contrat, une entente définit les conditions de la vente, dont le prix de vente. Dans le cas d'une incertitude sur le prix reliée à des conditions futures, il faudra attendre que le prix soit connu avant de constater le produit.

3. Des rendus sont-ils possibles et imprévisibles*** ? Si c'est le cas, il y a incertitude sur la réalisation des produits. Il faudra attendre que celle-ci soit levée avant de les constater.

4. Le recouvrement (l'encaissement) est-il raisonnablement sûr**** ? S'il ne l'est pas, les produits seront constatés au gré des encaissements. Par ailleurs, si on s'aperçoit qu'une incertitude quant au recouvrement d'un compte survient après la constatation du produit, il est possible de constituer une provision pour créances douteuses.

   \* Voir la sous-section 3.5.2 A.
   \*\* Voir la sous-section 3.5.2 B.
   \*\*\* Voir la sous-section 3.5.2 D.
   \*\*\*\* Voir la sous-section 3.5.2 C.

### 3.5.3 Le rapprochement des produits et des charges

Le concept de l'indépendance des exercices analysé précédemment nous amène à isoler les produits et les charges liés à un exercice donné. Nous venons d'étudier les règles de constatation des produits, mais qu'en est-il des charges ? Revenons sur la définition du terme « charge ». Une charge représente le coût lié aux efforts nécessaires pour obtenir un produit. On peut en dégager une règle générale de comptabilisation des charges selon laquelle les charges doivent être constatées dans l'exercice où les produits correspondants ont été gagnés ou dans celui où les biens ont été utilisés ; lorsque les charges résultent de l'obtention de services, on doit les comptabiliser dans l'exercice durant lequel ces services ont été reçus.

Voyons maintenant comment cette règle de rapprochement peut être appliquée en examinant les types de charges figurant dans l'état des résultats d'une entreprise.

#### A. LE COÛT DES MARCHANDISES VENDUES

Le coût des marchandises vendues est le coût engagé par l'entreprise pour acquérir les biens ayant fait l'objet d'une vente. Il existe donc une relation directe entre ce coût et le bien vendu, de sorte que le rapprochement de ce coût avec le produit de la vente peut être effectué.

**EXEMPLE :** Rapprochement du coût des marchandises vendues et du produit de la vente

Durant l'exercice 20_6, un magasin de meubles vend, au prix de 200 $, une table acquise au coût de 100 $. Le coût doit être comptabilisé dans l'exercice où le produit de la vente a été gagné, soit en 20_6, afin de dégager le bénéfice brut tiré de la vente.

| | |
|---|---:|
| Produit | 200 $ |
| Moins : Coût | – 100 |
| Bénéfice brut | 100 $ |

### B. LES FRAIS DE VENTE

Les frais de vente sont des charges engagées pour tirer un produit de la vente des biens. Certains frais de vente sont facilement attribuables à une vente en particulier.

---

**EXEMPLE :** Rapprochement des frais de vente et du produit de la vente

Le vendeur ayant effectué la vente de la table reçoit une commission de 10 %. De plus, le magasin fait livrer la table par une société de transport au coût de 20 $. Comme il est possible ici d'associer ces charges au produit de la vente, elles doivent être comptabilisées dans le même exercice que le produit de la vente.

| | | |
|---|---|---|
| Bénéfice brut | | 100 $ |
| Moins : Frais de vente directs | | |
| Livraison | 20 $ | |
| Commission | 20 | – 40 |
| Bénéfice avant les autres charges | | 60 $ |

---

Cependant, il arrive qu'une partie des frais de vente ne puisse être rapprochée d'une vente en particulier. C'est le cas notamment d'une entreprise qui se charge elle-même de la livraison. Les frais de livraison comprendront alors l'amortissement du coût des camions, l'entretien et les réparations, les assurances, l'essence, le salaire du chauffeur, etc. D'autres frais comme la publicité ou les salaires des vendeurs ne peuvent pas être liés à une vente précise. En conséquence, ces charges seront constatées dans l'exercice au cours duquel les biens ou les services ont été utilisés pour réaliser les ventes.

**EXEMPLE:** Non-rapprochement des frais de vente et du produit d'une vente en particulier

En plus des commissions sur les ventes, les vendeurs touchent un salaire de base de 18 000 $. Les deux vendeurs de l'entreprise ont vendu 2 000 tables durant l'exercice 20_6.

Dans cet exemple, les salaires des vendeurs sont des coûts fixes pour l'entreprise ; ils ne varient pas en fonction des ventes. Que l'entreprise ait vendu 1 900 tables ou 2 100 tables, ces charges seraient demeurées les mêmes. Elles sont donc attribuées en totalité à l'exercice 20_6, c'est-à-dire à l'exercice durant lequel les deux vendeurs se sont chargés de la vente des marchandises.

| | | |
|---|---|---|
| Produits (2 000 tables à 200 $) | | 400 000 $ |
| Moins : Coût des marchandises vendues | | |
| (2 000 tables à 100 $) | | – 200 000 |
| Bénéfice brut | | 200 000 $ |
| Moins : Frais de vente | | |
| Livraison (2 000 tables à 20 $) | 40 000 $ | |
| Commissions (400 000 $ × 10 %) | 40 000 | |
| Salaires des vendeurs (18 000 $ × 2) | 36 000 | – 116 000 |
| Bénéfice avant les autres charges | | 84 000 $ |

### C. LES FRAIS D'ADMINISTRATION

Les frais d'administration sont des coûts engagés pour obtenir des biens ou des services permettant d'assurer la bonne marche de l'administration. Ainsi, le loyer des bureaux, les assurances générales, la taxe d'affaires, le coût de la papeterie, etc., sont des charges rattachées à la fonction d'administration.

Puisqu'il n'est pas possible d'établir un lien direct entre ces charges et les articles vendus ou les produits constatés, elles doivent être comptabilisées dans l'exercice au cours duquel les biens sont utilisés ou les services reçus.

### D. LA DOTATION À L'AMORTISSEMENT CUMULÉ (OU CHARGE D'AMORTISSEMENT)

La dotation à l'amortissement cumulé fait l'objet d'une analyse distincte, puisqu'on peut l'attribuer tant au coût des marchandises vendues qu'aux frais de vente ou d'administration.

Comme nous l'avons également esquissé au chapitre 2, selon le concept du rapprochement des produits et des charges, le coût d'acquisition des actifs doit être réparti sur les exercices au cours desquels ils procurent des avantages à l'entreprise. Cette répartition donne lieu à une charge qu'on appelle « dotation à l'amortissement cumulé » (ou simplement amortissement). En contrepartie, la valeur des actifs du bilan est réduite d'autant, afin de refléter la diminution de la valeur des avantages futurs que procureront ces actifs.

Il existe plusieurs méthodes de répartition du coût des actifs, selon qu'on rapproche ce coût du nombre de biens vendus ou fabriqués, ou de l'utilisation des biens. Par exemple, le coût d'acquisition des machines utilisées pour la production peut être partagé selon le nombre d'unités fabriquées ; de la même façon, les frais de développement d'un nouveau produit peuvent être répartis d'après le nombre d'unités vendues, et le coût du matériel roulant, selon le nombre de kilomètres parcourus.

---

**EXEMPLE :** Répartition du coût des actifs

En 20_6, une entreprise acquiert, au coût de 350 000 $, une machine servant à emballer des biens qu'elle fabrique. L'entreprise a prévu, en fonction d'un usage normal, que cette machine réalisera 1 200 000 emballages au cours de sa vie utile. En 20_6, elle a fabriqué 200 000 emballages, contre 420 000 en 20_7. L'amortissement de ces exercices sera calculé comme suit :

$$20\_6 : 350\ 000\ \$ \times \frac{200\ 000}{1\ 200\ 000} = 58\ 333\ \$$$

$$20\_7 : 350\ 000\ \$ \times \frac{420\ 000}{1\ 200\ 000} = 122\ 500\ \$$$

---

Il n'est cependant pas toujours possible de procéder à un tel rapprochement, soit parce que les biens ne sont pas utilisés directement dans le processus de production ou durant la vente, soit parce qu'il est difficile d'obtenir les estimations exigées par la méthode que nous venons d'illustrer. Dans ce cas, il faut étaler le coût sur la durée de vie utile du bien. Cette méthode, appelée « méthode de l'amortissement linéaire », aboutit à un amortissement égal d'un exercice à l'autre.

**EXEMPLE :** Amortissement linéaire

On estime à 50 ans la durée de vie utile d'un entrepôt acquis au coût de 800 000 $. L'amortissement attribué à chaque exercice sera calculé comme suit :

$$\frac{800\ 000\ \$}{50\ \text{ans}} = 16\ 000\ \$$$

Lorsqu'il s'agit de biens dont les frais d'entretien augmentent rapidement avec l'usage, on utilise habituellement la méthode de l'amortissement dégressif à taux constant. Cette méthode conduit à un amortissement décroissant, c'est-à-dire que l'amortissement est plus élevé les premières années d'utilisation et plus faible les dernières années. Le coût total (entretien et amortissement) à assumer pour profiter des avantages que procurent les biens en question demeure ainsi relativement constant au fil du temps.

**EXEMPLE :** Amortissement dégressif

Un camion est acheté au début de 20_6 au coût de 80 000 $. On décide de répartir cette somme selon la méthode de l'amortissement dégressif, à un taux de 30 %. L'amortissement de 20_6 sera calculé comme suit :

$$80\ 000\ \$ \times 30\ \% = 24\ 000\ \$$$

En contrepartie, la valeur du camion présentée dans le bilan sera réduite de 24 000 $, de sorte que sa valeur comptable sera de 56 000 $. Compte tenu des frais d'entretien de 4 000 $ pour la première année d'utilisation, on obtient un coût total de 28 000 $ de charges pour l'exercice 20_6.

L'amortissement de l'exercice 20_7 sera calculé sur la valeur comptable du camion :

$$56\ 000\ \$ \times 30\ \% = 16\ 800\ \$$$

La valeur comptable inscrite dans le bilan sera donc réduite de nouveau, passant à 39 200 $, et ainsi de suite. Comme il s'agit de la deuxième année d'utilisation (20_7), les frais d'entretien s'élèvent à 11 000 $. Malgré cette hausse importante des frais d'entretien, le coût total de 27 800 $ présente une faible variation par rapport à 20_6.

D'autres types de biens ont une durée de vie limitée par contrat, en particulier les améliorations locatives. Dans ce cas, même si les biens en question ont une durée de vie plus longue que la durée d'utilisation prévue au contrat, l'entreprise ne bénéficie d'aucun avantage après la fin du contrat. Par conséquent, le coût de ces biens doit être amorti sur la plus courte des durées suivantes : la durée de vie utile du bien ou la durée du contrat.

Revoyons maintenant comment cette répartition du coût des actifs à long terme se traduit dans le bilan. Dans le cas des actifs corporels, le poste Amortissement cumulé représente le montant cumulatif de l'amortissement de chaque exercice. L'amortissement cumulé est présenté dans un poste distinct au bilan, en déduction du coût historique. Le montant net représente la valeur comptable du bien. De cette façon, on conserve au bilan le coût d'acquisition (historique) du camion.

**EXEMPLE :** Présentation au bilan de l'amortissement cumulé

Dans les bilans des exercices de 20_6 et 20_7, la valeur du camion se présentera ainsi :

|  | 20_6 | 20_7 |
|---|---|---|
| Coût | 80 000 $ | 80 000 $ |
| Moins : Amortissement cumulé | – 24 000 | – 40 800 |
| Valeur nette | 56 000 $ | 39 200 $ |

### E. LES AUTRES CHARGES

Les autres charges comprennent généralement des coûts associés au financement. Ces charges seront comptabilisées dans l'exercice pendant lequel l'entreprise détient les sommes obtenues au moyen de financement.

Comme nous le disions au chapitre 2, il arrive aussi que certains actifs perdent une partie de leur capacité à produire des revenus, parce que le produit fabriqué devient désuet ou parce que l'actif en question n'est plus aussi efficace qu'il le devrait. Il faut alors procéder à une dépréciation (perte de valeur de ces actifs), et enregistrer cette perte dans les résultats de l'exercice.

## 3.6 LE JUGEMENT ET LES CONSIDÉRATIONS ÉTHIQUES

Nous venons de présenter ici le cadre conceptuel des états financiers. On l'aura constaté, l'application de ce cadre repose sur deux aspects essentiels qu'il est nécessaire de considérer simultanément : l'exercice du jugement et les considérations éthiques. Ces aspects sont complémentaires, évoquant tous deux la souplesse requise pour élaborer et présenter les états financiers, ce qui ne veut pas dire absence de rigueur, loin de là. Il s'agit plutôt d'une préoccupation constante de présenter, d'une part, aussi fidèlement que possible la réalité économique qui caractérise une entité et, d'autre part, la diversité des points de vue permettant d'envisager cette réalité.

La rigueur soutenue dont il faut faire preuve va aussi plus loin : il importe d'en user dans l'application des règles comptables et l'interprétation des faits. Ces dernières années, on a vu des entreprises monter de toutes pièces des scénarios financiers afin d'échapper à l'application stricte de certaines règles. On en a vu d'autres faire preuve d'un jugement exagérément optimiste[8] dans leur interprétation des faits, et d'autres tomber dans l'excès contraire[9]. Les organismes de réglementation se sont préoccupés de ces questions et ont renforcé leurs exigences et leur encadrement. Dans tous les cas, l'application du cadre conceptuel ne peut se faire qu'avec discernement et en engageant la pleine responsabilité des différents intervenants.

8. On appelle « gestion du bénéfice » (*earning management*) les divers partis pris et interprétations.

9. Le « bain de sang » est une technique consistant à faire preuve d'un pessimisme excessif. On surévalue les charges futures au cours d'un seul exercice afin de se ménager une marge de manœuvre au cours d'exercices futurs.

# L'état des flux de trésorerie

**C**omme nous l'avons annoncé dans le chapitre 2, nous consacrerons tout le chapitre 4 à l'état des flux de trésorerie. Cet autre état financier s'ajoute au bilan, à l'état des résultats et à l'état des bénéfices non répartis, qui contiennent tous trois des renseignements essentiels. Le bilan présente la situation financière de l'entreprise à une date donnée ; l'état des résultats nous permet de connaître les résultats de l'exploitation de l'entreprise pour un exercice donné ; quant à l'état des bénéfices non répartis, il fait état des variations enregistrées dans les bénéfices non répartis durant l'exercice en question. Certains renseignements utiles aux lecteurs des états financiers n'en ressortent toutefois pas de façon évidente.

Prenons l'exemple du bilan. Bien que celui-ci établisse la liste des actifs et des passifs de l'entreprise à la fin de l'exercice courant (et habituellement, à titre comparatif, à la fin de l'exercice précédent), il ne précise pas comment ces actifs et ces passifs ont été gérés durant l'exercice. En d'autres termes, le bilan ne permet pas de savoir quelles opérations (notamment l'acquisition et la vente d'actifs à long terme, l'obtention de nouveaux prêts et le remboursement d'emprunts) ont eu un effet sur les actifs et les passifs durant l'exercice, ni de connaître l'incidence que ces opérations ont eue sur la trésorerie, c'est-à-dire les espèces et quasi-espèces[1] (notamment l'encaisse), parfois appelées « liquidités ».

De son côté, l'état des résultats présente les produits engendrés et les charges engagées dans le cadre des activités d'exploitation, d'investissement et de financement. Toutefois, selon la comptabilité d'exercice, il ne rend pas forcément compte des rentrées ni des sorties de fonds liées à ces activités. Il n'en précise pas non plus le montant exact.

Ces rentrées et sorties de fonds, également appelées « mouvements de l'encaisse[2] » ou « flux de trésorerie », sont un indice précieux de la viabilité à court terme de l'entreprise, car elles témoignent de la solvabilité de celle-ci. Comme l'évaluation de cette solvabilité est au cœur du processus décisionnel des investisseurs et des créanciers, la direction a intérêt à fournir dans ces états financiers des renseignements sur la manière dont elle assure la survie immédiate de l'entreprise. C'est pour répondre à ce besoin que les dirigeants ajoutent normalement aux trois premiers états financiers un état portant exclusivement sur les liquidités et appelé « état des flux de trésorerie ».

Ajoutons que, selon le chapitre 1540.06 du *Manuel de l'ICCA*, les flux de trésorerie correspondent aux rentrées et aux sorties d'espèces et de quasi-espèces. Les espèces comprennent les fonds en caisse et les dépôts à vue ; les quasi-espèces représentent les placements à court terme, très liquides, facilement convertibles en un montant connu d'espèces et dont la valeur ne risque pas de varier de façon importante.

1. Nous reviendrons sur la notion de liquidités dans la sous-section 4.2.1.
2. On notera que le terme encaisse est pris dans son sens large et inclut les espèces et quasi-espèces. Cette notion est expliquée plus loin dans le chapitre.

## 4.1 LE LIEN ENTRE LES DIVERS ÉTATS FINANCIERS ET LES FLUX DE TRÉSORERIE

Avant d'étudier le rôle de l'état des flux de trésorerie, voyons en quoi consistent exactement les flux de trésorerie, comment on les inscrit dans les états financiers et comment ceux-ci peuvent en témoigner.

### 4.1.1 Les flux de trésorerie

Les flux de trésorerie (ou mouvements de l'encaisse) correspondent aux rentrées (encaissements) et aux sorties de fonds (décaissements). L'encaissement peut découler de plusieurs types d'opérations, comme la réception d'une somme payable par un client, d'un emprunt consenti par une banque ou du produit de la vente d'un actif à long terme. Il se traduit toujours par une augmentation de l'encaisse.

À l'inverse, lorsque l'entreprise émet un chèque ou verse de l'argent comptant, elle effectue un décaissement. Le décaissement découle de plusieurs types d'opérations, comme le remboursement du capital et le paiement des intérêts d'un emprunt, ou encore l'acquisition au comptant d'immobilisations ou de biens destinés à la vente. Peu importe la nature économique de l'opération, le décaissement constitue toujours une sortie de fonds qui fait diminuer l'encaisse.

### 4.1.2 L'indépendance des exercices

Le principe de l'indépendance des exercices (ou de la spécialisation des exercices) exige que les produits et les charges d'un exercice donné soient comptabilisés dans les états financiers portant sur cet exercice précis, peu importe le moment où se produisent les encaissements et les décaissements correspondants[3].

Illustrons ce principe à l'aide d'une opération. Imaginons que, le 25 mai 20_6, une société fictive appelée Les Entreprises P.L. inc. accepte de vendre à crédit 5 000 $ de marchandises à un de ses clients, livraison comprise. Elle pose comme condition de crédit que le client en question puisse payer son achat dans un délai d'un mois suivant la vente, soit le 25 juin 20_6.

Voici comment la société Les Entreprises P.L. enregistre cette opération. Elle inscrit dans ses registres comptables une vente en date du 25 mai 20_6. Au même moment, elle inscrit que le client lui doit une somme de 5 000 $, qu'il doit régler avant le 25 juin.

---

3. Bien entendu, le principe de prudence incite à tenir compte de la probabilité réelle des encaissements ou des décaissements.

Lorsqu'elle établit ses états financiers au 31 mai 20_6, soit à la fin de son exercice financier, elle inclut un montant de 5 000 $ à la fois dans ses débiteurs et dans ses ventes. Le 25 juin 20_6, la société Les Entreprises P.L. reçoit le chèque du client. Elle inscrit alors l'encaissement du 5 000 $ en question, et elle annule le montant qu'elle avait initialement inscrit aux débiteurs. La vente est donc enregistrée à l'état des résultats pour l'exercice financier terminé le 31 mai 20_6, bien que l'encaissement n'ait eu lieu qu'au cours de l'exercice suivant, compris entre le 1$^{er}$ juin 20_6 et le 31 mai 20_7.

Illustrons maintenant l'application du principe de l'indépendance des exercices à un exercice complet. Reprenons l'exemple des Entreprises P.L. L'état des résultats de cette société, présenté dans le tableau 4-1, montre qu'elle a inscrit des ventes de 1 800 000 $ durant l'exercice se terminant le 31 mai 20_6. Pourtant, elle n'a encaissé qu'un total de 1 750 000 $ en contrepartie de ses ventes durant l'exercice. On en déduit que certains de ses clients lui doivent encore de l'argent. En toute logique, le bilan devrait faire état d'une augmentation de 50 000 $ des débiteurs au 31 mai 20_6, soit la différence entre les ventes et les encaissements de l'exercice. En consultant le bilan présenté dans le tableau 4-2, on constate que les débiteurs sont effectivement passés de 80 000 $ à 130 000 $.

### 4.1.3  La conversion des divers états financiers en flux de trésorerie

Nous venons de voir comment le principe d'indépendance des exercices fait en sorte que les ventes sont inscrites à l'état des résultats au moment même où elles ont lieu, qu'on en ait ou non reçu le paiement. La consultation des registres comptables nous a appris le montant des encaissements de l'exercice ; ce montant nous a permis de comprendre qu'une partie des ventes figurant à l'état des résultats était encore impayée et que, par conséquent, elle devait faire partie des débiteurs du bilan.

Bien sûr, l'exemple que nous avons examiné pour illustrer ce principe était relativement simple, puisque nous connaissions le total des encaissements de l'exercice. Il nous a cependant permis de constater qu'il est possible d'opérer le calcul en sens inverse. C'est-à-dire que, même si les états financiers ne donnent pas directement des flux de trésorerie, ils permettent de les reconstituer. Voyons à présent comment il faut procéder.

**TABLEAU 4-1** • L'état des résultats des Entreprises P.L.

**LES ENTREPRISES P.L. INC.**
**ÉTAT DES RÉSULTATS**
de l'exercice terminé le 31 mai 20_6

| | | |
|---|---:|---:|
| **Ventes** | | 1 800 000 $ |
| **Coût des marchandises vendues** | | 990 000 |
| **Bénéfice brut** | | 810 000 |
| **Frais de vente** | | |
| Salaires et avantages sociaux | 90 000 $ | |
| Publicité | 20 000 | |
| Livraisons | 40 000 | |
| Amortissement des immobilisations | 50 000 | 200 000 |
| **Frais d'administration** | | |
| Salaires et avantages sociaux | 115 000 | |
| Assurances et taxes | 70 000 | |
| Papeterie et impression | 50 000 | |
| Télécommunications | 55 000 | |
| Entretien des immobilisations | 15 000 | |
| Amortissement des immobilisations | 150 000 | 455 000 |
| | | 655 000 |
| **Bénéfice d'exploitation** | | 155 000 |
| **Autres produits et charges** | | |
| Gain à la vente d'immobilisations | (5 000) | |
| Intérêts débiteurs | 68 000 | 63 000 |
| **Bénéfice avant impôts** | | 92 000 |
| **Charge d'impôts** (impôts exigibles) | | 16 000 |
| **Bénéfice net** | | 76 000 $ |

**TABLEAU 4-2** • Le bilan des Entreprises P.L.

**LES ENTREPRISES P.L. INC.
BILAN**
au 31 mai 20_6

| ACTIF | 20_6 | 20_5 |
|---|---|---|
| **Actif à court terme** | | |
| Encaisse | 19 000 $ | 60 000 $ |
| Débiteurs | 130 000 | 80 000 |
| Stocks de marchandises | 160 000 | 200 000 |
| Charges payées d'avance | 15 000 | 10 000 |
| | 324 000 | 350 000 |
| **Immobilisations** (note 1) | 1 190 000 | 1 110 000 |
| | 1 514 000 $ | 1 460 000 $ |
| | | |
| **PASSIF** | | |
| **Passif à court terme** | | |
| Créditeurs | 120 000 $ | 170 000 $ |
| Impôt sur les bénéfices à payer | 15 000 | 11 000 |
| Tranche de la dette à long terme | | |
| échéant à moins d'un an | 41 000 | 27 000 |
| | 176 000 | 208 000 |
| **Dette à long terme** (note 2) | 620 000 | 640 000 |
| | 796 000 | 848 000 |
| | | |
| **CAPITAUX PROPRES** | | |
| **Capital-actions** (note 3) | 210 000 | 150 000 |
| **Bénéfices non répartis** | 508 000 | 462 000 |
| | 718 000 | 612 000 |
| | 1 514 000 $ | 1 460 000 $ |

• • • ▶

**TABLEAU 4-2** • Le bilan des Entreprises P.L.

• • • ▶

### LES ENTREPRISES P.L. INC.
### NOTES COMPLÉMENTAIRES
de l'exercice terminé le 31 mai 20_6

| | Coût | Amortissement cumulé | Coût non amorti 20_6 | 20_5 |
|---|---|---|---|---|
| **1. Immobilisations** | | | | |
| Terrain | 300 000 $ | | **300 000 $** | 300 000 $ |
| Bâtiment | 800 000 | 320 000 $ | **480 000** | 520 000 |
| Matériel roulant | 200 000 | 105 000 | **95 000** | 100 000 |
| Mobilier et agencements | 600 000 | 285 000 | **315 000** | 190 000 |
| | 1 900 000 $ | 710 000 $ | **1 190 000 $** | 1 110 000 $ |

| | | | 20_6 | 20_5 |
|---|---|---|---|---|
| **2. Dette à long terme** | | | | |
| Emprunt hypothécaire, 9,5 %, remboursable par versements mensuels de 7 400 $, incluant les intérêts, échéant en 20_9 | | | **640 000 $** | 667 000 $ |
| Emprunt, 10 %, garanti par nantissement commercial sur du matériel roulant d'une valeur comptable de 28 000 $, remboursable par versements mensuels de 960 $, incluant les intérêts, échéant en 20_9 | | | **21 000** | |
| | | | **661 000** | 667 000 |
| Tranche échéant à moins d'un an | | | **41 000** | 27 000 |
| | | | **620 000 $** | 640 000 $ |
| **3. Capital-actions** | | | | |
| 1 100 actions de catégorie A participatives avec droit de vote, sans valeur nominale (1 000 actions en 20_5) | | | **160 000 $** | 100 000 $ |
| 350 actions de catégorie B à dividendes non cumulatifs de 10 %, sans valeur nominale | | | **50 000** | 50 000 |
| | | | **210 000 $** | 150 000 $ |

Au cours de l'exercice, l'entreprise a émis 100 actions de catégorie A en contrepartie de 60 000 $ en espèces.

**4.1.4 Les flux de trésorerie liés aux activités d'exploitation[4]**

Dégageons d'abord les flux de trésorerie survenus dans le cadre de l'exploitation de l'entreprise, qu'il s'agisse des revenus générés par les activités de production, de vente et de livraison de biens ou de prestation de services, ou encore des charges engendrées par ces activités. Comme les activités d'exploitation déterminent généralement le résultat net et qu'elles engendrent des actifs et des passifs à court terme figurant au bilan (voir le chapitre 2), nous nous reporterons à ces postes pour reconstituer les flux de trésorerie liés aux activités d'exploitation.

**A. LES VENTES ET LES DÉBITEURS**

Comme l'indique le bilan de la société figurant au tableau 4-2, les débiteurs s'élevaient à 80 000 $ le 31 mai 20_5, soit au début de l'exercice, contre 130 000 $ un an plus tard, soit à la fin de l'exercice. L'état des résultats du tableau 4-1 révèle pour sa part que les ventes de l'exercice terminé le 31 mai 20_6 se sont établies à 1 800 000 $. Pour connaître les encaissements de l'exercice, utilisons la formule suivante :

| Débiteurs au début | + | Ventes de l'exercice | − | Débiteurs à la fin | = | Encaissements de l'exercice |
|---|---|---|---|---|---|---|

Appliquons cette formule à nos données, comme suit :

| | |
|---|---|
| Débiteurs au début de l'exercice | 80 000 $ |
| Plus : Ventes de l'exercice | 1 800 000 |
| Total possible des encaissements | 1 880 000 |
| Moins : Débiteurs à la fin de l'exercice | 130 000 |
| Encaissements de l'exercice | 1 750 000 $ |

En ajoutant aux débiteurs au 31 mai 20_5 les ventes de l'exercice terminé le 31 mai 20_6, on obtient un total de 1 880 000 $ (80 000 $ + 1 800 000 $), soit la somme maximale possible des sommes à recouvrer des clients. Si on soustrait de cette somme les débiteurs de 130 000 $ au 31 mai 20_6, on obtient le total des encaissements ayant servi à régler les débiteurs durant l'exercice, soit 1 750 000 $.

---

4. Les activités d'exploitation s'entendent des principales activités génératrices de produits de l'entreprise, ainsi que de toutes les activités qui ne sont pas des activités d'investissement ou de financement (*Manuel de l'ICCA*, chapitre 1540.06.d).

## B. LES ACHATS, LES STOCKS ET LES CRÉDITEURS

Cette fois, nous voulons connaître le montant des flux de trésorerie affectés aux achats, c'est-à-dire les sommes décaissées durant l'exercice pour régler les achats de la société, peu importe le moment où ces achats ont effectivement été réalisés. Comme l'indique le tableau 4-1, le coût des marchandises vendues pour l'exercice terminé le 31 mai 20_6 se chiffre à 990 000 $.

Les achats sur lesquels reposent nos calculs sont inclus dans le coût des marchandises vendues. On en déduit qu'ils s'inscrivent dans une politique de gestion des stocks. Le niveau des stocks se lit au bilan, sous le poste Stocks. Pour connaître les stocks de marchandises des Entreprises P.L., reportons-nous au bilan du tableau 4-2.

À partir d'ici, pour déterminer les flux de trésorerie affectés aux achats, on doit d'abord reconstituer le montant des achats.

Si

> **Coût des marchandises vendues = Stocks au début + Achats − Stocks à la fin**

alors

> **Coût des marchandises vendues − Stocks au début + Stocks à la fin = Achats**

Appliquons la formule aux données de notre exemple, ainsi :

| | |
|---|---:|
| Coût des marchandises vendues | 990 000 $ |
| Moins : Stocks au début | 200 000 |
| | 790 000 |
| Plus : Stocks à la fin | 160 000 |
| Achats de l'exercice | 950 000 $ |

En connaissant le montant des achats, on peut déterminer le total des décaissements.

La société a effectué 950 000 $ d'achats au cours de l'exercice terminé le 31 mai 20_6. Elle devait déjà 170 000 $ à ses fournisseurs (créditeurs) au début de cet exercice relativement à des achats qu'elle a effectués au cours d'exercices précédents. Si elle avait voulu régler tous ces achats, elle aurait dû décaisser 1 120 000 $. Or, à la fin de l'exercice 20_6, elle devait toujours 120 000 $ à ses fournisseurs. En fait, la société n'a versé à ses fournisseurs qu'un total de 1 000 000 $ (1 120 000 $ – 120 000 $) au cours de l'exercice terminé le 31 mai 20_6.

On voit bien que le total des achats de l'exercice découle de la politique de gestion des stocks. De la même manière, les décaissements de l'exercice relatifs aux achats découlent de la politique de paiement des fournisseurs.

## C. L'AMORTISSEMENT DES IMMOBILISATIONS

Comme nous l'avons indiqué dans le chapitre 2, l'amortissement résulte de la répartition du coût des immobilisations sur un certain nombre d'exercices. Comme le décaissement a lieu lors de l'acquisition, l'amortissement appliqué par la suite ne constitue pas le décaissement en soi. C'est pour éliminer cette charge qu'on redresse le résultat, de manière à déterminer la partie du résultat ayant une incidence sur la trésorerie (voir la sous-section 4.1.5 A).

## D. LE GAIN À LA VENTE D'IMMOBILISATIONS

Le gain à la vente d'immobilisations représente l'excédent du prix de vente des biens sur la valeur nette[5] de ces biens. Il ne représente pas l'encaissement total, mais résulte plutôt d'une écriture comptable. Nous reviendrons sur cette question dans la sous-section 4.1.5 A.

## E. LES AUTRES CHARGES, LES CHARGES PAYÉES D'AVANCE ET LES AUTRES CRÉDITEURS

À ce point-ci, nous souhaitons connaître les flux de trésorerie de l'exercice qui ont été affectés au règlement des autres charges, c'est-à-dire les décaissements qui ont servi à payer des frais autres que les achats. En règle générale, les autres charges englobent notamment les charges payées d'avance en contrepartie de services à recevoir et les créditeurs autres que les fournisseurs qui figurent dans le bilan. Puisque, en général, les états financiers ne donnent pas le détail des charges payées d'avance et des autres créditeurs, c'est l'ensemble de ces charges qu'on convertit en décaissements. Par ailleurs, puisque les normes comptables exigent que les décaissements servant à payer les intérêts et l'impôt sur les bénéfices fassent l'objet d'un poste distinct à l'état des flux de trésorerie, on convertit ces charges en décaissements séparément.

---

5. Rappelons que les immobilisations sont inscrites dans le bilan au coût historique, moins l'amortissement cumulé. Par conséquent, les immobilisations vendues sont sorties du bilan à leur valeur comptable. C'est cette valeur comptable qui est prise en compte dans le bilan lors du rapprochement de la variation des immobilisations nettes.

Dans notre exemple, les charges payées d'avance à la fin de l'exercice 20_6 s'élèvent à 15 000 $, comme l'illustre le bilan du tableau 4-2. En additionnant cette somme aux autres charges de l'exercice figurant à l'état des résultats du tableau 4-1, à l'exclusion de l'amortissement des immobilisations, du gain à la vente d'immobilisations, de l'impôt sur les bénéfices et des intérêts débiteurs, on obtient le coût maximal des services que la société aurait pu recevoir durant l'exercice 20_6, soit 470 000 $. De ce total, 10 000 $ ont été décaissés avant l'exercice 20_6, soit le solde des charges payées d'avance au 31 mai 20_5. Par conséquent, on doit soustraire ce montant du coût maximal des services pour obtenir le total des décaissements durant l'exercice 20_6, soit 460 000 $, comme l'indique la formule suivante :

| Charges payées d'avance à la fin | + | Autres charges de l'exercice | − | Charges payées d'avance au début | = | Décaissements de l'exercice |
|---|---|---|---|---|---|---|

| | |
|---|---|
| Charges payées d'avance à la fin | 15 000 $ |
| Plus : Autres charges de l'exercice (frais de vente + frais d'administration − amortissements) | 455 000 |
| (200 000 $ + 455 000 $ − 200 000 $) | |
| | 470 000 |
| Moins : Charges payées d'avance au début | 10 000 |
| Décaissements de l'exercice | 460 000 $ |

Soulignons que, dans cet exemple, il n'existe pas de créditeurs autres que les fournisseurs (déjà pris en compte lors de la reconstitution du montant des achats).

### F. LES INTÉRÊTS DÉBITEURS

Des intérêts débiteurs (frais d'intérêts) de 68 000 $ figurent à l'état des résultats du tableau 4-1. Le bilan ne présente aucun intérêt à payer dans le passif à court terme (voir les commentaires formulés à l'égard de la dette à long terme dans la sous-section 4.1.5 B). Le décaissement relatif aux intérêts équivaut à la charge présentée dans l'état des résultats. En pareil cas, aucun redressement du bénéfice n'est requis[6].

---

6. Si nous avions eu des intérêts à payer, nous aurions pu suivre le raisonnement suivant : intérêts à payer (début) + charge d'intérêts − intérêts à payer (fin) = décaissements reliés aux intérêts.

## G. L'IMPÔT SUR LES BÉNÉFICES

À combien se chiffrent les décaissements affectés au paiement des impôts en 20_6 ? L'état des résultats présente une charge d'impôts exigibles de 16 000 $. Or, le bilan indique un impôt sur les bénéfices à payer de 11 000 $ au début de l'exercice 20_6. La formule suivante permet de connaître le décaissement réel de l'exercice :

| Impôt sur le bénéfice à payer au début | + | Charge d'impôts de l'exercice | − | Impôt sur le bénéfice à payer à la fin | = | Décaissements de l'exercice |
|---|---|---|---|---|---|---|

Appliquons-la maintenant à nos données :

| | |
|---|---|
| Impôt sur les bénéfices à payer au début de l'exercice | 11 000 $ |
| Plus : Charge d'impôts exigibles de l'exercice | 16 000 |
| | 27 000 |
| Moins : Impôts sur le bénéfice à payer à la fin de l'exercice | 15 000 |
| Décaissements de l'exercice | 12 000 $ |

On constate que le montant maximum d'impôts qui aurait pu être décaissé durant l'exercice 20_6 s'élève à 27 000 $. Étant donné qu'il reste 15 000 $ d'impôts à payer au 31 mai 20_6, on peut déduire que le décaissement réellement effectué durant l'exercice se chiffre à 12 000 $.

On remarquera cependant que la société Les Entreprises P.L. ne présente pas d'impôts futurs. Si tel avait été le cas, il aurait fallu déduire la charge d'impôts futurs de la charge totale d'impôts, puisque celle-ci n'a pas d'incidence sur les flux de trésorerie, ainsi que nous l'avons expliqué au chapitre 2. Un passif d'impôts futurs donnera éventuellement lieu à des sorties de fonds, tandis qu'un actif d'impôts futurs engendrera éventuellement des rentrées de fonds. Ils ne donnent donc pas lieu à un décaissement ou à un encaissement immédiat.

## H. LE BÉNÉFICE NET

Le tableau 4-3 résume les calculs effectués précédemment et illustre de quelle façon le bénéfice net de l'exercice peut être converti en flux de trésorerie. Dans la colonne Ajustements, on constate que les encaissements sur les ventes sont

**TABLEAU 4-3** • La conversion du bénéfice net en flux de trésorerie

## LES ENTREPRISES P.L. INC.
## ÉTAT DES RÉSULTATS
de l'exercice terminé le 31 mai 20_6

| | Résultats selon la comptabilité d'exercice | Ajustements | | Flux de trésorerie | |
| | | Éléments reliés aux flux de trésorerie reliés à l'exploitation[7] | Éléments sans effet sur le flux de trésorerie reliés à l'exploitation | | |
|---|---|---|---|---|---|
| **Ventes** (voir A) | 1 800 000 $ | + 80 000 $<br>– 130 000<br>– 50 000 | | 1 750 000 $ | Encaissements provenant des ventes aux clients |
| **Coût des marchandises vendues** (voir B) | 990 000 | + 170 000<br>– 120 000<br>+ 160 000<br>– 200 000 | | 1 000 000 | Décaissements relatifs aux achats auprès de fournisseurs |
| **Charges autres que amortissement** (voir E) | 455 000 | + 15 000<br>– 10 000 | | 460 000 | Décaissements relatifs aux autres charges |
| **Amortissement des immobilisations** (voir C) | 200 000 | | – 200 000 | | |
| **Gain à la vente d'immobilisations** (voir D) | (5 000) | | + 5 000 | | |
| **Intérêts débiteurs** (voir F) | 68 000 | | | 68 000 | Décaissements relatifs aux frais d'intérêt |
| **Impôt sur les bénéfices** (voir G) | 16 000 | + 11 000<br>– 15 000 | | 12 000 | Décaissements relatifs à l'impôt |
| | 1 724 000 | + 11 000 | – 195 000 | 1 540 000 | |
| **Bénéfice net[8]** | 76 000 $ | – 61 000 $ | + 195 000 $ | 210 000 $ | Rentrées nettes de fonds |

7. Voir également le tableau 4-7.

8. Ventes moins charges.

inférieurs de 50 000 $ aux ventes inscrites à l'état des résultats. Aussi, les décaissements sont inférieurs de 184 000 $ aux charges inscrites. Le résultat est une augmentation de l'encaisse de 134 000 $, soit : [−50 000 $ − (−184 000 $)].

À la lecture du tableau, on constate que les efforts qu'a consentis la société dans le cours de son exploitation durant l'exercice 20_6 se sont traduits par un bénéfice net de 76 000 $ et des rentrées nettes de fonds de 210 000 $. Étant donné que le bilan présente une encaisse de 60 000 $ au 31 mai 20_5, ces rentrées nettes auraient dû porter l'encaisse à 270 000 $ au 31 mai 20_6.

Or, celle-ci se chiffre à 19 000 $ seulement. On peut en déduire que Les Entreprises P.L. ont effectué d'autres opérations qui ont occasionné une diminution nette de l'encaisse de 251 000 $. Ces opérations s'inscrivent dans les activités d'investissement et de financement, que nous abordons ci-après.

## 4.1.5 Les flux de trésorerie liés aux activités d'investissement et de financement[9]

Jusqu'ici, toutes les conversions effectuées ne visaient qu'à calculer la variation des flux de trésorerie liés à l'exploitation de l'entreprise. D'autres opérations dont nous n'avons pas encore tenu compte engendrent aussi des flux de trésorerie. Il s'agit d'opérations liées aux activités d'investissement, comme l'achat d'immobilisations, ou liées aux activités de financement, comme l'émission de capital-actions. Examinons ces opérations afin de déterminer les flux de trésorerie auxquels elles ont donné lieu.

Alors que la reconstitution des flux de trésorerie liés aux activités d'exploitation faisait appel à l'actif et au passif à court terme du bilan, celle des flux de trésorerie liés aux activités d'investissement et de financement fait appel aux postes à long terme du bilan.

### A. LES IMMOBILISATIONS

Le poste Immobilisations comprend les actifs corporels à long terme qu'une société utilise dans le cours normal de ses affaires. Ainsi, si la société Les Entreprises P.L. acquiert au comptant 20 000 $ de nouvelles immobilisations le 1er juin 20_5, elle inscrira dans ses registres comptables un décaissement de

---

9. Les activités d'investissement relèvent de l'acquisition et la cession d'actifs à long terme et des autres placements qui ne font pas partie des équivalents de trésorerie (*Manuel de l'ICCA*, chapitre 1540.06.e). Quant aux activités de financement, elles se rapportent à des activités qui modifient l'ampleur et la composition des capitaux propres et des capitaux empruntés de l'entreprise (*Manuel de l'ICCA*, chapitre 1540.06.f).

20 000 $ à cette date. Dans le chapitre 2, nous avons expliqué que l'entreprise inscrit ses immobilisations au bilan, car celles-ci procurent des avantages sur plusieurs exercices. Or, à l'état des résultats, seul l'amortissement est inscrit comme charge annuelle, laquelle ne correspond pas au décaissement total de 20 000 $ effectué lors de l'acquisition. Il ressort de cette explication que, bien que le décaissement ait eu lieu le 1er juin 20_5, l'amortissement est plutôt constaté comme charge annuellement sur plusieurs exercices, jusqu'à l'amortissement total des immobilisations.

Voilà pourquoi, pour déterminer les flux de trésorerie d'une période donnée, il faut ajuster l'état des résultats lorsque vient le moment d'établir les états financiers. Illustrons cet ajustement à l'aide d'un exemple. À la lecture du tableau 4-2, on observe que l'investissement net en immobilisations des Entreprises P.L. est passé de 1 110 000 $ à 1 190 000 $ durant l'exercice, soit une augmentation nette de 80 000 $. Cette augmentation ne représente pas nécessairement les dépenses nettes en immobilisations engagées durant l'exercice 20_6. D'autres renseignements, dont les flux de trésorerie liés à cette augmentation, sont nécessaires à notre compréhension des opérations qui se sont déroulées au cours de l'exercice. On obtient ces renseignements en consultant les notes complémentaires aux états financiers, en comparant les soldes et en s'adressant aux représentants de l'entreprise. On y constate ce qui suit :

1. La société a acheté un camion d'une valeur de 35 000 $ au moyen d'un emprunt de 30 000 $.

2. La société a vendu 20 000 $ de mobilier dont la valeur nette se chiffrait à 15 000 $.

3. La société a fait l'acquisition de 260 000 $ de mobilier et d'agencement.

Portons en premier lieu une attention à la deuxième opération, soit la vente du mobilier. Le gain de 5 000 $ provenant de cette vente ne constitue pas la rentrée de fonds, puisque l'encaissement lié à la vente du mobilier est en réalité de 20 000 $.

À la suite de ces trois transactions, la diminution nette de l'encaisse se chiffre donc à 275 000 $, soit le montant total des acquisitions [295 000 $ (35 000 $ + 260 000 $) moins la vente de 20 000 $], si l'on exclut l'encaissement résultant de l'emprunt de 30 000 $ dont nous parlerons plus loin.

Le rapprochement complet de la variation du montant net des immobilisations durant l'exercice doit tenir compte de l'amortissement[10].

---

10. Rappelons que la valeur nette (valeur comptable) des immobilisations représente le coût d'acquisition moins l'amortissement cumulé (voir le chapitre 2).

|  | Variation des immobilisations | Encaissements (décaissements) |
|---|---|---|
| Valeur nette au début de l'exercice | 1 110 000 $ | |
| Plus : Acquisitions de l'exercice | | |
| Camion | 35 000 | (35 000) |
| Mobilier et agencement | 260 000 | (260 000) |
| | 1 405 000 | |
| Moins : Ventes de l'exercice | | |
| Mobilier (valeur nette) | 15 000[11] | 20 000 |
| Amortissement de l'exercice | | |
| (50 000 + 150 000) | 200 000[12] | |
| | 215 000 | |
| Valeur nette à la fin de l'exercice | 1 190 000 $ | |
| Diminution nette de l'encaisse | | (275 000) $ |

## B. | LA DETTE À LONG TERME

En faisant l'analyse des passifs à court terme, lors de la conversion des résultats d'exploitation, nous n'avons pas tenu compte de la tranche de la dette à long terme échéant à moins d'un an (soit le montant échéant au cours de l'exercice), car ce passif n'est pas lié à l'exploitation, mais au financement de l'entreprise. On connaîtra les répercussions des variations de ce passif sur l'encaisse en étudiant les opérations qui se rapportent à la dette à long terme.

La note 2 du tableau 4-2 indique que la dette à long terme est passée de 667 000 $ à 661 000 $ durant l'exercice 20_6, soit une diminution nette de 6 000 $. Cette diminution découle d'abord des versements de capital sur l'emprunt hypothécaire de 27 000 $[13], soit la tranche échéant au cours de l'exercice qui se termine le 31 mai 20_6.

---

11. Se reporter à la note précédente.

12. À l'état des résultats, on retrouve 50 000 $ dans les frais de vente et 150 000 $ dans les frais d'administration.

13. On constatera que la diminution de la dette ne correspond pas aux sommes réellement payées durant l'exercice. En supposant que tous les versements mensuels de 7 400 $ ont été effectués, le décaissement total se chiffre à 88 800 $. La différence de 61 800 $ représente les intérêts versés sur l'emprunt, lesquels sont inclus dans les charges accessoires de l'état des résultats. En effet, la dette enregistrée représente toujours le capital de l'emprunt. Les intérêts correspondent à la rémunération versée par l'emprunteur au prêteur pour la jouissance du capital et ne

Ensuite, la société a emprunté 30 000 $ pour l'achat du camion. Les versements de capital inhérents à cette dette se chiffrent à 9 000 $, puisque subsiste un solde de 21 000 $.

| | |
|---|---|
| Dette à long terme au début de l'exercice | 667 000 $ |
| Plus : Emprunt de l'exercice | 30 000 |
| | 697 000 |
| Moins : Remboursements de capital de l'exercice (27 000 $ + 9 000 $) | 36 000 |
| Dette à long terme à la fin de l'exercice | 661 000 $ |

On observe que la diminution de l'encaisse relative aux remboursements de capital de la dette à long terme se chiffre à 6 000 $, soit les remboursements de 36 000 $ moins l'emprunt de 30 000 $. Quant aux intérêts versés, nous en avons déjà tenu compte lors de la conversion des résultats d'exploitation en flux de trésorerie à la sous-section 4.1.4 F.

## C. LE CAPITAL-ACTIONS

L'augmentation du capital-actions est expliquée dans la note 3 du tableau 4-2. L'émission de 100 actions de catégorie A a donné lieu à une augmentation de l'encaisse de 60 000 $.

## D. LES BÉNÉFICES NON RÉPARTIS

La lecture de l'état des résultats du tableau 4-2 montre que le bénéfice net de 76 000 $ a contribué à l'augmentation des bénéfices non répartis. (Les effets du bénéfice net sur l'encaisse ont été étudiés à la sous-section 4.1.4 H.) On devrait donc retrouver des bénéfices non répartis s'élevant à 538 000 $ au 31 mai 20_6. Pour le vérifier, examinons l'état des bénéfices non répartis présenté au tableau 4-4 afin de connaître les variations survenues au cours de l'exercice.

constituent une dette qu'au moment où le versement périodique (en capital et intérêts) arrive à échéance. Les intérêts débiteurs d'un exercice donné impayés à la fin de l'exercice figurent généralement dans le passif à court terme et font l'objet d'un poste distinct.

**TABLEAU 4-4** • L'état des bénéfices non répartis des Entreprises P.L.

**LES ENTREPRISES P.L. INC.**
**ÉTAT DES BÉNÉFICES NON RÉPARTIS**
de l'exercice terminé le 31 mai 20_6

| | |
|---|---:|
| Solde au début de l'exercice | 462 000 $ |
| Bénéfice net | 76 000 |
| | 538 000 |
| Dividendes | 30 000 |
| Solde à la fin de l'exercice | 508 000 $ |

La société a déclaré 30 000 $ de dividendes durant l'exercice 20_6. La déclaration de dividendes ne signifie pas forcément que les dividendes ont été versés durant l'exercice. L'examen du passif à court terme du bilan n'indique aucun dividende à payer au 31 mai 20_6. On peut en déduire que tous les dividendes déclarés ont été payés, ce qui a entraîné une diminution équivalente de l'encaisse.

Nous avons passé en revue l'ensemble des postes qui peuvent être convertis en flux de trésorerie. Le moment est enfin venu de traiter de l'état des flux de trésorerie.

## 4.2 L'UTILITÉ ET LE CONTENU DE L'ÉTAT DES FLUX DE TRÉSORERIE

L'état des flux de trésorerie[14] sert à montrer l'effet des activités de l'entreprise sur ses ressources financières liquides (aussi appelées liquidités, trésorerie, espèces et quasi-espèces). Le tableau 4-5 présente l'essentiel de l'information que fournit cet état.

---

14. Puisqu'il est axé sur les liquidités, certaines entreprises l'appellent « état de l'évolution des liquidités ». Par ailleurs, plusieurs auteurs utilisent le terme « trésorerie » pour désigner les liquidités. C'est pourquoi certains l'appellent « état des mouvements de la trésorerie ». L'appellation « état de l'évolution de la situation financière » était également d'usage courant. Toutes ces dénominations peuvent être utilisées indifféremment.

---

**TABLEAU 4-5** • Le rapprochement des variations de l'encaisse
des Entreprises P.L.

| | | | |
|---|---|---:|---:|
| Encaisse au début de l'exercice | | | 60 000 $ |
| Plus : | Augmentation attribuable aux éléments suivants : | | |
| | Exploitation | 210 000 $ | |
| | Immobilisations | 20 000 | |
| | Dette à long terme | 30 000 | |
| | Capital-actions | 60 000 | 320 000 |
| | | | 380 000 |
| Moins : | Diminution attribuable aux éléments suivants : | | |
| | Immobilisations | 295 000 | |
| | Dette à long terme | 36 000 | |
| | Dividendes | 30 000 | 361 000 |
| Encaisse à la fin de l'exercice | | | 19 000 $ |

---

Plus particulièrement, l'état des flux de trésorerie a pour objet d'aider les utilisateurs des états financiers à évaluer les liquidités et la solvabilité de l'entreprise, de même que sa capacité à rembourser ses dettes, à s'autofinancer et à distribuer des dividendes à ses actionnaires à même les liquidités engendrées par l'exploitation.

Avant d'étudier le contenu et la présentation de l'état des flux de trésorerie, voyons en quoi consistent les liquidités.

## 4.2.1 La trésorerie

Nous l'avons vu, la trésorerie, aussi appelée « liquidités », comprend les espèces et quasi-espèces, c'est-à-dire les actifs dont l'entreprise peut disposer facilement. Ces espèces et quasi-espèces se composent notamment des fonds en caisse, des dépôts à vue et des placements à court terme facilement monnayables, comme les dépôts à terme (lorsque ceux-ci peuvent être retirés en tout temps sans pénalité).

Les éléments qui composent la trésorerie varient d'une entreprise à une autre, selon la nature de l'actif et de l'activité. Il revient à la direction de l'entreprise de déterminer les actifs qui possèdent les caractéristiques requises pour être considérés comme des espèces ou des quasi-espèces. C'est pourquoi les éléments qui composent la trésorerie doivent être précisés dans l'état des flux de trésorerie. Dans l'exemple que nous avons choisi pour illustrer cette question, l'encaisse est le seul élément qui compose les liquidités.

## 4.2.2 Les composantes de l'état des flux de trésorerie

L'état des flux de trésorerie renseigne le lecteur sur les rentrées nettes provenant des trois principales activités de l'entreprise : les activités d'exploitation, les activités de financement et les activités d'investissement. Les flux de trésorerie sont donc généralement regroupés sous ces trois rubriques distinctes.

### A. LES ACTIVITÉS D'EXPLOITATION

Les renseignements figurant sous la rubrique Activités d'exploitation visent à aider les utilisateurs à évaluer dans quelle mesure l'entreprise peut financer ses activités sans avoir recours à des sources de financement externes. En d'autres termes, ils permettent aux utilisateurs d'estimer si les liquidités produites par l'exploitation suffisent pour compenser les liquidités utilisées pour remplacer des actifs, effectuer de nouveaux investissements, rembourser des dettes et verser des dividendes.

Les flux de trésorerie liés aux activités d'exploitation peuvent être présentés de deux façons : la méthode directe (tableau 4-6) et la méthode indirecte (tableau 4-7).

La méthode directe fait ressortir les principales catégories de rentrées et de sorties de fonds. C'est ce que nous avons présenté au début du chapitre. Quant à la méthode indirecte, elle dérive de la première méthode. Le montant du bénéfice sert de point de départ (et non chacune des composantes), puis il est ajusté pour aboutir au bénéfice sur une base de flux de trésorerie.

Quelle que soit la méthode utilisée pour présenter l'état des flux de trésorerie des Entreprises P.L. pour l'exercice terminé le 31 mai 20_6, la variation globale des flux de trésorerie est la même.

## Application de la méthode directe

**TABLEAU 4-6** • L'état des flux de trésorerie des Entreprises P.L. établi selon la méthode directe

**LES ENTREPRISES P.L. INC.**
**ÉTAT DES FLUX DE TRÉSORERIE**
de l'exercice terminé le 31 mai 20_6

| | |
|---|---:|
| **Activités d'exploitation (voir le calcul au tableau 4-3)** | |
| Rentrées de fonds – ventes | 1 750 000 $ |
| Sorties de fonds – achats | (1 000 000) |
| Sorties de fonds – autres charges | (460 000) |
| Intérêts versés | (68 000) |
| Impôts payés | (12 000) |
| Flux de trésorerie provenant des activités d'exploitation | 210 000 |
| **Activités de financement** | |
| Emprunts (voir 4.1.5 B) | 30 000 |
| Remboursement d'emprunts (voir 4.1.5 B) | (36 000) |
| Émission d'actions (voir 4.1.5 C) | 60 000 |
| Dividendes (voir 4.1.5 D) | (30 000) |
| Flux de trésorerie provenant des activités de financement | 24 000 |
| **Activités d'investissement** | |
| Vente d'immobilisations (voir 4.1.5 A) | 20 000 |
| Acquisition d'immobilisations (voir 4.1.5 A) | (295 000) |
| Flux de trésorerie affectés aux activités d'investissement | (275 000) |
| Diminution des liquidités | 41 000 |
| Liquidités au début de l'exercice | 60 000 |
| Liquidités à la fin de l'exercice | 19 000 $ |

**Application de la méthode indirecte**

**TABLEAU 4-7** • L'état des flux de trésorerie des Entreprises P.L. établi selon la méthode indirecte

**LES ENTREPRISES P.L. INC.**
**ÉTAT DES FLUX DE TRÉSORERIE**
de l'exercice terminé le 31 mai 20_6

| | |
|---|---:|
| **Activités d'exploitation** | |
| Bénéfice net | 76 000 $ |
| Éléments sans effet sur la trésorerie reliés à l'exploitation | |
| Amortissement des immobilisations | 200 000 |
| Gain à la vente d'immobilisations | (5 000) |
| | 271 000 |
| Variation nette des éléments du fonds de roulement hors caisse liés à l'exploitation (voir le tableau 4-8) | (61 000) |
| Flux de trésorerie provenant des activités d'exploitation | 210 000 |
| **Activités de financement** | |
| Emprunts | 30 000 |
| Remboursement d'emprunts | (36 000) |
| Émission d'actions | 60 000 |
| Dividendes | (30 000) |
| Flux de trésorerie provenant des activités de financement | 24 000 |
| **Activités d'investissement** | |
| Vente d'immobilisations | 20 000 |
| Acquisition d'immobilisations | (295 000) |
| Flux de trésorerie provenant des activités d'investissement | (275 000) |
| Diminution des liquidités | 41 000 |
| Liquidités au début de l'exercice | 60 000 |
| Liquidités à la fin de l'exercice | 19 000 $ |

Ainsi, dans les pages précédentes, nous avons vu comment établir les flux de trésorerie selon la méthode directe. Voyons maintenant les particularités de la méthode indirecte. Il faut considérer les éléments abordés ci-dessous.

1. **Le bénéfice net.** Selon la méthode indirecte, le calcul commence avec le bénéfice net de l'état des résultats.

2. **Les éléments sans effet sur la trésorerie.** On doit d'abord s'assurer d'éliminer du résultat net présenté à l'état des résultats les montants de produits et de charges qui n'ont donné lieu à aucune rentrée ni sortie de fonds reliés à l'exploitation (par exemple, l'amortissement, les gains et pertes sur disposition d'actifs).

3. **La variation nette des éléments du fonds de roulement hors caisse.** Le tableau 4-8 présente, sous une autre forme, les redressements effectués lors de la conversion du bénéfice net en flux de trésorerie. Ces renseignements indiquent notamment que, durant l'exercice 20_6, l'entreprise a investi des liquidités dans les postes suivants : Débiteurs, Charges payées d'avance et Créditeurs. Au lieu de considérer individuellement chacun de ces postes, on présente l'effet sur le bénéfice de façon globale. L'impact est le même, mais on obtient l'effet cumulé sur la trésorerie.

**TABLEAU 4-8** • Ajustement au bénéfice des éléments reliés à l'exploitation : la variation nette des éléments de fonds de roulement hors caisse liés à l'exploitation

| | Effets sur la trésorerie | | |
|---|---|---|---|
| Augmentation des débiteurs | – 50 000 $ | 31 mai 20_6 | 130 000 $ |
| | | 31 mai 20_5 | 80 000 |
| Diminution des stocks de marchandises | + 40 000 | 31 mai 20_6 | 160 000 |
| | | 31 mai 20_5 | 200 000 |
| Augmentation des charges payées d'avance | – 5 000 | 31 mai 20_6 | 15 000 |
| | | 31 mai 20_5 | 10 000 |
| Diminution des créditeurs | – 50 000 | 31 mai 20_6 | 120 000 |
| | | 31 mai 20_5 | 170 000 |
| Augmentation de l'impôt sur le bénéfice à payer | + 4 000 | 31 mai 20_6 | 15 000 |
| | | 31 mai 20_5 | 11 000 $ |
| Variation nette des éléments du fonds de roulement hors caisse (voir également le tableau 4-3) | – 61 000 $ | | |

4. **Les flux de trésorerie liés aux intérêts et aux impôts.** On constate que l'utilisation de la méthode indirecte ne permet pas de distinguer les sommes versées par Les Entreprises P.L. en intérêts et en impôts. Précisons que l'information sur les sorties de fonds liées aux intérêts ainsi que sur les rentrées et sorties de fonds relatives aux impôts peut être utile aux lecteurs d'états financiers. Elle doit donc leur être présentée séparément.

## B. LES ACTIVITÉS DE FINANCEMENT

La rubrique Activités de financement sert à montrer dans quelle mesure l'entreprise a eu recours au financement pour augmenter ses liquidités et l'incidence qu'ont la réduction de la dette et du capital-actions sur les liquidités. Elle comprend donc les encaissements d'emprunts à long terme, d'emprunts bancaires à court terme et du produit de l'émission d'actions, ainsi que les décaissements servant à rembourser la dette à long terme et à financer des opérations portant sur le capital-actions, comme le rachat d'actions.

Les dividendes payés en espèces s'inscrivent généralement dans les activités de financement. Cependant, il peut arriver que certaines actions privilégiées possèdent des caractéristiques qui les rapprochent davantage d'un titre d'emprunt que d'un élément de capital. On doit alors classer les dividendes versés (dividendes versés sur des actions privilégiées rachetables au gré du porteur, par exemple) dans les activités d'exploitation, au même titre que les intérêts débiteurs.

À ce point-ci, que l'on utilise la méthode directe ou indirecte, les calculs sont les mêmes (voir les sous-sections 4.1.5 B, C et D).

## C. LES ACTIVITÉS D'INVESTISSEMENT

Les renseignements présentés sous la rubrique Activités d'investissement aident les utilisateurs à évaluer le montant des liquidités utilisées par l'entreprise pour acquérir des actifs à long terme et, inversement, le montant des liquidités provenant de la vente d'actifs à long terme. Cette rubrique comprend donc les rentrées et les sorties de fonds découlant de la vente et de l'acquisition d'actifs à long terme.

Dans le cas des Entreprises P.L., les flux de trésorerie attribuables aux opérations qui ont porté sur les actifs à long terme sont liés aux immobilisations (voir la sous-section 4.1.5 A), et la présentation est identique, quelle que soit la méthode.

Le tableau 4-9 illustre les différences entre les modes de présentation de l'état des flux de trésorerie, selon que l'on emploie la méthode directe ou la méthode indirecte. Comme l'indiquent les tableaux 4-6 et 4-7, les flux de trésorerie provenant de l'exploitation s'élèvent à 210 000 $, quelle que soit la méthode utilisée. Seules la présentation et la démarche diffèrent.

**TABLEAU 4-9 •** La présentation de l'état des flux de trésorerie –
Comparaison entre la méthode directe et la méthode indirecte

**Activités d'exploitation**

| **Méthode directe** | **Méthode indirecte** |
|---|---|
| Conversion des produits de l'état des résultats en encaissements | Bénéfice net |
| – Conversion des charges de l'état des résultats en décaissements | ± Éléments sans effet sur la trésorerie reliée à l'exploitation, inclus dans le bénéfice net de l'exercice |
| | ± Variation nette des éléments du fonds de roulement hors caisse |
| Flux de trésorerie provenant de l'exploitation | = Flux de trésorerie provenant de l'exploitation |

**Activités de financement**
Même démarche, quelle que soit la méthode utilisée

**Activités d'investissement**
Même démarche, quelle que soit la méthode utilisée

Finalement, soulignons que cet état peut parfois sembler superflu lorsque les activités de l'entreprise sont simples ou que ses activités de financement et d'investissement sont peu importantes. En effet, en pareils cas, les données contenues dans les flux de trésorerie semblent répéter de l'information déjà manifeste à la lecture du bilan et de l'état des résultats. Plutôt que de présenter un état financier montrant les flux de trésorerie, on préférera alors ajouter des notes complémentaires, au besoin. Par ailleurs, les sociétés ouvertes sont tenues de présenter cet état.

Le lecteur trouvera dans l'annexe 4-1 les états consolidés des flux de trésorerie de Mega Bloks inc. On y voit que la société a choisi de présenter ces états selon la méthode indirecte[15]. L'augmentation respective des liquidités (appelées

---

15. Bien que l'Institut canadien des comptables agréés (ICCA) préconise la méthode directe, la méthode indirecte reste la plus utilisée.

« trésorerie et équivalents de trésorerie » dans les présents états) de 13 960 $ et de 2 012 $ en 2005 et 2004 se répartit entre les trois catégories d'activité suivantes :

■ Les activités d'exploitation ont entraîné une augmentation de 25 041 $ en 2005 et de 21 293 $ en 2004. On remarquera que pour les deux exercices financiers les flux de trésorerie liés à l'exploitation ont été inférieurs au bénéfice.

■ Les activités d'investissement ont entraîné une augmentation des liquidités de 291 910 $ en 2005 contre une diminution de 21 293 $ en 2004.

■ Les activités de financement ont entraîné une diminution des liquidités de 302 991 $ en 2005 et de 7 201 $ en 2004.

Nous préciserons les lignes directrices à propos de l'interprétation de l'état des flux de trésorerie au chapitre 5, avec l'analyse des ratios.

**ANNEXE 4-1**

# L'état des flux de trésorerie de Mega Bloks inc.

**MEGA BLOKS INC.**
**ÉTATS CONSOLIDÉS DES FLUX DE TRÉSORERIE**
des exercices terminés les 31 décembre (en milliers de dollars américains)

|  | 2005 | 2004 |
|---|---|---|
|  | $ | $ |
| **Activités d'exploitation** | | |
| Bénéfice net | 39 608 | 25 177 |
| Ajustements pour : | | |
|     Amortissement des immobilisations | 10 343 | 8 515 |
|     Amortissement des frais reportés | 1 538 | 361 |
|     Amortissement des actifs incorporels | 161 | - |
|     Régime de rémunération à base d'actions | 451 | 423 |
|     Impôts futurs | 7 005 | (704) |
|     Perte (gain) de change | 2 796 | (3 117) |
| | 61 902 | 30 655 |
| Variation des éléments hors caisse du fonds | | |
|     de roulement d'exploitation (note 12) | (36 861) | (9 362) |
| | 25 041 | 21 293 |
| **Activités de financement** | | |
| Produit de la dette à long terme | 300 000 | - |
| Remboursement de la dette à long terme | (49 791) | (12 940) |
| Variation de la facilité de crédit renouvelable | (11 000) | 1 000 |
| Émission d'actions (note 7) | 57 158 | 705 |
| Augmentation des frais reportés | (4 457) | (845) |
| | 291 910 | (12 080) |
| **Activités d'investissement** | | |
| Acquisition de filiales (déduction faite de | | |
|     l'encaisse acquise) (note 14) | (291 623) | - |
| Acquisition d'immobilisations | (9 977) | (7 201) |
| Acquisition d'actifs incorporels | (1 391) | - |
| | (302 991) | (7 201) |
| Augmentation de la trésorerie et équivalents de trésorerie | 13 960 | 2 012 |
| Trésorerie et équivalents de trésorerie au début | 5 607 | 3 595 |
| **Trésorerie et équivalents de trésorerie à la fin** | 19 567 | 5 607 |

Information supplémentaire sur les flux de trésorerie (note 12)

*Voir les notes complémentaires aux états financiers consolidés*

**MEGA BLOKS INC.**
**NOTES COMPLÉMENTAIRES**
des exercices terminés les 31 décembre 2005 et 2004
(les chiffres dans les tableaux sont en milliers de dollars américains, sauf les données
sur les actions)

**2.    Principales conventions comptables (extrait)**

*Trésorerie et équivalents de trésorerie*

Les trésoreries et équivalents de trésorerie incluent l'encaisse et les placements temporaires dans
des instruments du marché monétaire dont les échéances sont de trois mois ou moins.

**12.   État des flux de trésorerie**

|  | 2005 | 2004 |
|---|---|---|
|  | $ | $ |
| a) Variation des éléments hors caisse du fonds de roulement d'exploitation : | | |
| Débiteurs - clients | (1 560) | (8 567) |
| Débiteurs - autres | 3 739 | (5 281) |
| Stocks | (2 694) | (1 685) |
| Frais payés d'avance | (400) | (524) |
| Créditeurs et charges à payer | (31 203) | (1 160) |
| Impôts sur les bénéfices | 1 626 | 1 135 |
| Instruments financiers dérivés | (3 573) | 1 135 |
| Variation de change relative aux éléments du fonds de roulement | (2 796) | 6 720 |
|  | (36 861) | (9 362) |

|  | 2005 | 2004 |
|---|---|---|
|  | $ | $ |
| b) Information supplémentaire : | | |
| Frais d'intérêts payés | 6 534 | 1 363 |
| Impôts sur les bénéfices payés | 1 840 | 6 288 |
| Subventions gouvernementales reçues et portées en réduction des immobilisations | - | 855 |
| Éléments sans incidence sur la trésorerie : | | |
| Immobilisations louées en vertu de contrats de location-acquisition | 517 | - |
| Contrepartie additionnelle liée aux acquisitions | 74 075 | - |
| Émission d'actions ordinaires liées aux acquisitions | 20 000 | - |

# CHAPITRE 5

# L'analyse des états financiers

## 5.1 LES BUTS DE L'ANALYSE

Les états financiers réunissent des données de nature économique, plutôt quantitatives, destinées à renseigner des lecteurs aussi nombreux qu'hétérogènes sur les activités économiques d'une entreprise. Les données publiées constituent très souvent le point de départ d'un processus décisionnel tant à l'intérieur qu'à l'extérieur de l'entreprise. En ce sens, l'interprétation de l'information financière revêt une importance considérable et intéresse non seulement les intervenants directs, mais aussi le système économique dans son ensemble. S'il est vrai que ces renseignements représentent, en quelque sorte, la phase finale d'une série d'événements regroupés à l'intérieur d'une période se limitant généralement à un exercice financier de 12 mois, ils ne constituent pas une fin en soi.

Bien que les préparateurs des états financiers, ainsi que les vérificateurs qui en attestent la fidélité, soient soumis aux contraintes d'un cadre de normalisation, il faut admettre que celui-ci évolue sans cesse. Si on ajoute à cela une sensibilisation accrue des utilisateurs et une amélioration de leurs connaissances, il n'est pas étonnant que l'analyse des états financiers suscite constamment des interrogations chez ceux qui les examinent. Ce constat ne signifie en rien qu'on ne puisse pas suggérer un modèle général d'analyse que chacun adapterait à ses besoins propres. Aussi, le modèle que nous proposons, inspiré du système d'analyse financière de DuPont[1], est très flexible, et nous ne prétendons pas qu'il soit infaillible.

Il nous semble important de souligner que l'interprétation des états financiers ne saurait être absolue en soi. Elle doit se faire sur la base de points de référence propres à l'entreprise et au secteur d'activité dans lequel elle œuvre.

Un tel exercice sert des objectifs multiples. Tout d'abord, il aide à situer l'entreprise dans son contexte historique financier afin d'établir son évolution. Ensuite, il permet de la définir à l'intérieur de son secteur d'activité, non seulement en termes absolus, mais aussi en fonction du comportement des autres entreprises du secteur. Enfin, cet exercice contribue à dégager les données nécessaires à l'établissement de prévisions quant au comportement futur de l'entreprise observée. L'utilisateur insistera sur un ou plusieurs de ces éléments selon ses besoins.

La diversité des groupes d'utilisateurs nous empêche de formuler des objectifs adaptés à chacun d'eux. Afin de mettre en lumière la variété des besoins et des objectifs des utilisateurs désireux d'approfondir leur examen des états financiers, nous résumons la situation dans le tableau 5-1.

---

1. Modèle mis sur pied par les cadres de la Société DuPont de Nemours durant les années 1960.

**TABLEAU 5-1** • Les divers utilisateurs des états financiers et leurs besoins[2]

| | Les actionnaires | La collectivité | Les membres du conseil d'administration | Les employés | Les organismes de réglementation | Les clients et les créanciers |
|---|---|---|---|---|---|---|
| **Type** | Détenteurs de participation | Parties dépendantes | Détenteurs de participation et parties dépendantes | Parties dépendantes | Parties dépendantes | Parties dépendantes |
| **Principal intérêt économique** | Plus-value de la participation, dividendes | Apport à l'assiette fiscale | Protection du capital, profits | Emplois, sécurité | Conformité, recettes fiscales | Service, viabilité |
| **Décisions clés** | Investissement, vente, conservation | Décisions relatives au développement économique | Gestion des risques | Objet des négociations | Intervention ou non-intervention | Opérations à conclure ou non |

Un modèle d'analyse des états financiers efficace doit fournir des réponses adéquates à l'analyste. Le tableau 5-2 constitue un sommaire des questions posées et de divers éléments de réponses fournis dans ce chapitre.

---

2. Tableau tiré de Daniel Blake Rubinstein et David Barnes, « Un processus de normalisation plus dynamique », *CA Magazine*, novembre 1988, p. 39.

**TABLEAU 5-2** • L'analyse financière

| ANALYSE → INDICATEURS ↓ | ANALYSE DE L'ACTIF (OU DE L'INVESTISSEMENT) | ANALYSE DES RÉSULTATS | ANALYSE DU PASSIF (CAPITAUX EXTERNES) ET DES CAPITAUX PROPRES | ANALYSE DES FLUX DE TRÉSORERIE |
|---|---|---|---|---|
| 1) En regard de l'objectif de l'analyse, que doit-on comprendre des informations consignées au rapport de gestion dans le rapport annuel ainsi que dans d'autres documents publics disponibles ? **(Indicateurs quant aux composantes des activités de l'entité et distinction des activités exceptionnelles et extraordinaires par rapport aux activités reliées à l'exploitation)** | Examen des commentaires de la direction sur les activités de l'entité contenus dans le rapport de gestion. Examen des états financiers et des notes quant au contenu et à la mesure des postes. Examen d'autres informations disponibles. | | | |
| 2) Quelle est la croissance à long terme de l'entité ? **(Indicateurs de la croissance)** | ■ Croissance de l'actif ■ Croissance du fonds de roulement ■ Croissance de l'actif à long terme | ■ Croissance des ventes ■ Croissance des charges ■ Croissance du bénéfice | ■ Croissance du passif ■ Croissance des capitaux propres ■ Croissance des dividendes | ■ Croissance des flux de trésorerie ■ Croissance des flux de trésorerie reliés à l'exploitation |

| ANALYSE → <br><br> INDICATEURS ↓ | ANALYSE DE L'ACTIF (OU DE L'INVESTISSEMENT) | ANALYSE DES RÉSULTATS | ANALYSE DU PASSIF (CAPITAUX EXTERNES) ET DES CAPITAUX PROPRES | ANALYSE DES FLUX DE TRÉSORERIE |
|---|---|---|---|---|
| 3) Quelle est la structure financière en matière d'apport de capitaux propres et de capitaux externes ? **(Indicateurs de la structure de financement et de solvabilité)** | | | ■ Ratios d'endettement par rapport aux capitaux propres <br> ■ Ratio d'endettement par rapport à l'actif et endettement par rapport aux actifs immobilisés | |
| 4) Quelle est la performance de l'entité par rapport à l'investissement dans l'actif, aux produits et aux capitaux propres ? **(Indicateurs de rentabilité et de rendement)** | ■ Rendement de l'actif (ou rendement du capital investi) | ■ Ratio de marge bénéficiaire nette | ■ Rendement des capitaux propres <br> ■ Ratio du bénéfice par action (BPA) <br> ■ Ratio cours-bénéfice | |
| 5) Quelle est la qualité de la gestion de l'exploitation ? **(Indicateurs de gestion de l'exploitation)** | ■ Ratio de rotation de l'actif | ■ Ratio de la marge bénéficiaire brute <br> ■ Ratio du BAII <br> ■ Ratios des charges par rapport aux produits | ■ Ratio de l'effet de levier | |

**TABLEAU 5-2** • L'analyse financière (suite)

| 6) Quelle est la situation financière en matière de solvabilité ? **(Indicateurs de liquidité et de solvabilité à court terme)** | ■ Ratio de fonds de roulement ■ Ratio de liquidité relative ■ Ratio de liquidité immédiate ■ Délai moyen de recouvrement des créances ■ Délai de paiement des comptes fournisseurs ■ Ratio de rotation des stocks | ■ Ratio de couverture des intérêts | ■ Ratio de couverture des intérêts et de remboursement du capital | ■ Ratio des flux de trésorerie reliés à l'exploitation par rapport à l'actif ■ Ratio des flux de trésorerie reliés à l'exploitation par rapport aux ventes |
| --- | --- | --- | --- | --- |
| 7) Comment se comparent les informations d'une année à l'autre ainsi qu'avec les concurrents ou le secteur d'activité de l'entité ? | Lien entre les diverses informations obtenues et comparaison sur plusieurs exercices ainsi qu'avec les concurrents ou le secteur d'activité de l'entité | | | |

## 5.2 LES SOURCES D'INFORMATION

Les sources d'information mises à la disposition des utilisateurs des états financiers sont très variées (figure 5-1). Un jeu complet d'états financiers ne constitue que l'un des éléments nécessaires pour en savoir plus sur une entreprise.

**FIGURE 5-1** • Les sources d'information

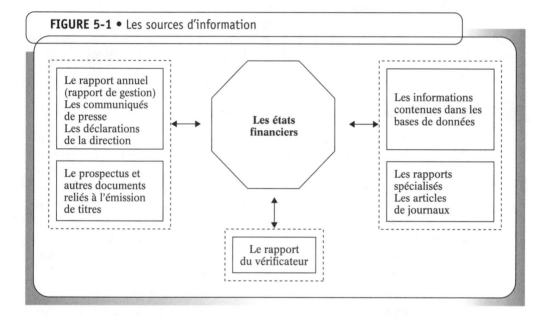

### 5.2.1 Les communiqués de presse, les déclarations de la direction, le rapport annuel et les prospectus

De temps à autre au cours de l'exercice, l'entreprise publie des informations sur ses activités par l'entremise de communiqués de presse ou de déclarations de la direction. Pour les sociétés cotées, ces activités sont réglementées. Une fois l'an, l'entreprise doit produire un rapport annuel contenant des données quantitatives et des informations essentielles, qui rendent compte du contexte de ses résultats. On y trouve notamment un sommaire des activités principales, une description des divers secteurs dans lesquels l'entreprise exerce ses activités, le message du président aux actionnaires, le rapport de gestion ainsi que les états financiers.

Dans certaines circonstances, il peut arriver qu'un document relié à l'émission publique de titres soit publié par l'entité. Il s'agit alors d'un prospectus publié avant l'émission publique des titres. Ce document, généralement exhaustif, décrit en détail les activités de l'entité. Nous invitons le lecteur qui le désire à consulter le site www.sedar.com pour avoir un aperçu de ces différents documents. Ce site appelé « Système Électronique de Données, d'Analyse et de Recherche », ou SEDAR, est reconnu comme une source d'information facile à utiliser. Il donne accès aux rapports annuels des sociétés ouvertes ainsi qu'à toute autre information déposée auprès des autorités canadiennes en valeurs mobilières (communiqués de presse, rapports financiers trimestriels, etc.). La recherche d'informations peut y être faite par nom de société, par type de document et par date de dépôt. De plus, ce site comporte des hyperliens, notamment vers les différentes places boursières et les organismes de réglementation du Canada et des États-Unis. Aux États-Unis, EDGAR (www.sec.gov/edgar.shtml) contient des informations similaires à celles de son pendant canadien SEDAR.

## 5.2.2 Les états financiers trimestriels et annuels

Comme nous l'avons vu dans les chapitres précédents, l'entité publie ses états financiers, habituellement tous les trimestres, puis annuellement. Mentionnons l'importance de comprendre à la fois les états financiers proprement dits ainsi que les notes, qui permettent de mieux interpréter les données auxquelles elles se rapportent. Les explications et les tableaux contenus dans ces notes constituent une source supplémentaire d'information, souvent nécessaire pour tirer des conclusions significatives. On y trouve, par exemple, une description des dettes et des autres engagements financiers à long terme, ou encore un tableau des catégories d'immobilisations détenues par l'entreprise (voir le chapitre 2).

Comme nous l'avons mentionné, il faut analyser et interpréter les états financiers en tenant compte du secteur d'activité de la société étudiée. C'est notamment pour cette raison que, selon les principes comptables généralement reconnus, l'information sectorielle doit faire l'objet d'une note dans les états financiers annuels des sociétés ouvertes. Elle permet au lecteur de déterminer d'emblée la nature des activités de l'entreprise et le lieu où elles sont exercées. Elle permet également de connaître la ventilation des résultats entre chacune des activités en question. Pour prendre des décisions en matière d'exploitation, les dirigeants disposent de renseignements financiers sur chacun des secteurs d'activité et des secteurs géographiques importants (voir le chapitre 2).

En plus des états financiers à usage externe que certaines sociétés sont tenues de publier, les entreprises établissent des rapports financiers à l'intention des utilisateurs internes. La présentation et le regroupement des données varient selon les besoins de ces derniers, mais ces rapports ont néanmoins un trait en commun : l'information qu'ils contiennent est détaillée, alors que celle des états préparés pour un usage externe est concise. Conçus principalement pour être exploités dans le cadre des activités quotidiennes entourant la gestion de l'exploitation, les états financiers internes procurent des données supplémentaires qui, dans certains cas, permettent de nuancer des conclusions obtenues autrement. Cependant, l'accessibilité à ce type d'information est très limitée. En effet, diffusés hors de la société, ces états financiers internes risqueraient de profiter aux entreprises concurrentes (ou de ne pas présenter un intérêt immédiat pour le lecteur qui ne participe pas à la gestion de l'entreprise). Il n'est donc pas surprenant qu'il existe certaines réticences à communiquer une documentation jugée confidentielle.

### 5.2.3 Le rapport du vérificateur

Annexé aux états financiers, le rapport du vérificateur (voir l'exemple à la p. 13) s'adresse aux actionnaires et revêt une importance capitale : il témoigne de l'opinion du vérificateur quant à la fidélité de l'image que projettent les états financiers, conformément aux principes comptables généralement reconnus. Ce rapport vise à fournir un degré *raisonnable* d'assurance que les états financiers, pris dans leur ensemble, sont exempts de toute inexactitude importante. Il arrive occasionnellement au vérificateur de formuler une restriction qui prend la forme d'une réserve. Il peut même émettre une opinion carrément défavorable si, pour cause de dérogation aux principes comptables généralement reconnus, il croit que les états financiers pourraient rendre une image faussée. La présence d'une restriction est toutefois accompagnée d'une description des faits qui la justifient. Enfin, il arrive que le vérificateur se déclare dans l'impossibilité d'émettre une opinion en raison d'une limitation dans son travail (récusation).

On ne peut prétendre à une analyse judicieuse sans prendre connaissance du rapport du vérificateur. Par conséquent, il est primordial de le lire avant de procéder à l'analyse des états financiers.

Il convient également de souligner que le travail du vérificateur se situe dans le « cadre comptable » et ne porte pas sur l'efficacité de la gestion, ni sur la survie à long terme de l'entreprise.

### 5.2.4 Les bases de données statistiques

Quels que soient les calculs effectués à partir des données financières, il est indispensable de disposer de points de référence pour interpréter les résultats obtenus de façon satisfaisante et valable. Pour ce faire, il est possible de consulter certaines bases de données. Nous ne saurions trop insister sur la nécessité de s'assurer de la concordance du « secteur » de la base de données consultée et de l'entité étudiée. Il arrive cependant que cette comparaison soit difficile à faire. Il faut donc au préalable bien étudier la composition des entités comprises dans la banque de données. Si ce n'est pas le cas, la comparaison pourra se faire directement avec des états financiers d'un concurrent.

Le tableau 5-3 donne quelques exemples de bases de données.

**TABLEAU 5-3** • Exemples de bases de données

| Base de données | Auteur | Adresse Internet |
|---|---|---|
| Corporate Retriever | Micromedia ProQuest | http://www.micromedia.ca/ |
| FPinfomart.ca | CanWest MediaWorks Publications Inc. | http://www.fpinfomart.ca/ |
| Indicateurs de performance financière des entreprises canadiennes | Statistique Canada | http://www.statcan.ca/ |
| Key Business Ratios | Dun & Bradstreet | http://kbr.dnb.com/ |
| Mergent Online | Mergent, Inc. | http://www.mergent.com/ |
| Annual Statement Studies | The Risk Management Association | http://www.rmahq.org/ |
| Wright Investors' Service | Wright Investors' Service, Inc. | http://www.wisi.com/ramainnew.htm http://www.corporate information.com/ |
| Yahoo! Finance | Yahoo! Inc. | http://ca.finance.yahoo.com/ |

D'autres bases de données sont disponibles par l'entremise de moteurs de recherche.

Dans plusieurs cas, des coûts d'utilisation peuvent être associés à l'obtention de certains renseignements. Pour les étudiants, plusieurs de ces bases de données sont disponibles en bibliothèque universitaire avec accès Internet.

## 5.2.5 Les analyses spécialisées et les articles de journaux

La connaissance du secteur d'activité ou des activités des concurrents s'avère essentielle pour bien ancrer l'analyse de l'entité étudiée. Pour ce faire, il est possible de consulter les bulletins et les rapports spécialisés publiés par les banques, les grandes maisons de courtage en valeurs mobilières, les cabinets d'experts-comptables, des conseillers, les associations professionnelles, industrielles, commerciales, etc. Il est également utile de se reporter à certaines publications destinées au grand public, comme les périodiques, les revues et les journaux consacrés au monde des affaires. Parmi les nombreuses publications, mentionnons notamment *Les Affaires, Commerce, Fortune* et *Financial Post,* qui remplissent les mêmes fonctions. On y trouve aussi bien des renseignements d'ordre général sur la situation économique et les tendances des marchés que des données sur des entreprises ou des secteurs d'activité particuliers.

## 5.3 LA DÉMARCHE D'ANALYSE

Pour proposer un modèle d'analyse de portée générale, il faut tenir compte de certaines contraintes, comme les renseignements disponibles sur les secteurs d'activité, sur les concurrents ou sur les méthodes de calcul, sans oublier les besoins variés des utilisateurs. Pour étudier l'évolution d'une entreprise et la comparer avec celle d'entreprises similaires à partir de données quantitatives, il est nécessaire de recourir à des ratios et à des taux, car les valeurs qu'ils indiquent permettent de relativiser les données figurant aux différents postes des états financiers en les mettant en relation les unes avec les autres. L'emploi des ratios est instructif, mais encore faut-il que les ratios retenus soient pertinents. De plus, signalons que la nomenclature des ratios actuellement en usage n'est pas normalisée : il arrive donc souvent que deux personnes désignent un même ratio par différentes expressions, ce qui doit inciter l'analyste à faire preuve d'une certaine prudence dans leur utilisation.

Toutefois, le processus d'analyse ne doit pas se limiter à établir un rapport entre des montants. Le bilan, l'état des résultats, l'état des flux de trésorerie et les notes complémentaires constituent des sources d'information première. Ces états financiers constituent, de toute évidence, les sources sur lesquelles il faut s'appuyer pour établir les ratios qui permettront de tirer des conclusions avisées.

Pour être véritablement utile, la démarche d'analyse doit être flexible, même si les états financiers sur lesquels elle s'appuie sont habituellement établis en fonction :

■ des investisseurs, tant bailleurs de fonds externes que fournisseurs de capitaux propres ;

■ des créanciers et d'autres tiers.

On ne devra pas s'étonner si certaines techniques proposées visent plus particulièrement ces groupes. Cependant, un fait demeure : tous les utilisateurs sont à même d'en tirer des avantages, selon l'objectif qu'ils poursuivent.

La démarche d'analyse comprend les points décrits au tableau 5-2 et à la figure 5-2 (voir à la p. 241).

Il existe différentes techniques que nous allons maintenant présenter en détail, afin de pouvoir effectuer une analyse approfondie des états financiers.

## 5.4 L'EXAMEN DES ÉTATS FINANCIERS ET DES ACTIVITÉS DE L'ENTITÉ

### 5.4.1 Les états financiers dans leur ensemble

Pour être en mesure de bien comprendre toute la signification des états financiers, il importe d'en saisir d'abord le contenu sous l'angle des postes présents et des méthodes comptables utilisées. D'abord sommaire, cette prise de contact se fera de plus en plus détaillée. L'analyste fera également le lien entre ces états financiers et ce qu'il a appris des activités de l'entité, et aussi avec ce qu'il sait de l'évolution de l'économie en général.

L'utilisateur pourra alors passer à l'analyse de chacun des états financiers et à la lecture attentive des notes pour compléter cette prise de contact. (Voir les chapitres 2 et 4.)

Il serait pertinent également de pouvoir comparer les pratiques comptables utilisées par l'entreprise étudiée avec celles du secteur d'activité ou celles des concurrents, dans la mesure où cette information est disponible.

### 5.4.2 Une attention particulière à l'état des flux de trésorerie

Souvent négligé, car mal compris, l'état des flux de trésorerie n'en demeure pas moins un état financier important. En effet, de nombreux utilisateurs se préoccupent de l'incidence des opérations enregistrées sur les liquidités de l'entreprise, particulièrement manifestes dans cet état financier. Par conséquent, l'état des flux de trésorerie constitue, à juste titre, une étape importante du processus d'analyse, car il présente l'origine des mouvements de trésorerie et précise les activités qui y ont donné lieu au cours de l'exercice.

Les préoccupations de l'utilisateur déterminent l'angle sous lequel il examine les mouvements de trésorerie. Ainsi, le fournisseur comme le bailleur de fonds se préoccupent de la capacité de l'entreprise à remplir ses obligations. Quant à l'actionnaire, avant tout soucieux du rendement de son investissement, il voudra s'assurer que les gestionnaires, dans une perspective à plus long terme, sauront protéger son capital tout en le faisant fructifier.

Malheureusement, le bilan et l'état des résultats ne présentent pas toujours de façon évidente la solvabilité et la viabilité à court terme d'une entreprise. Ainsi, une entreprise pourrait présenter un résultat positif (bénéfice), tout en connaissant des problèmes de liquidités. Il a été largement démontré, notamment à la suite de récessions économiques, que le manque de liquidités est un précieux indicateur du risque de faillite d'une entreprise. Aucun utilisateur d'états financiers ne niera le fait qu'il s'agit là d'un cas peu fréquent, mais particulièrement redoutable.

Plus encore que la crainte de la faillite, la raison principale de l'utilisation de l'état des flux de trésorerie est la recherche de renseignements sur la capacité d'une entreprise à respecter ses engagements. En ce sens, le rythme auquel une société produit des liquidités à partir de son exploitation courante est un indice de sa capacité financière actuelle et de ses besoins de financement futurs, surtout à court terme. Par exemple, l'entreprise qui accuse depuis plusieurs années un déficit de liquidités attribuable à ses activités courantes laisse présager un recours croissant aux sources de financement externes.

Nous proposons d'interpréter l'état des flux de trésorerie à la lumière des points suivants :

1. **Constater les variations dans les liquidités.** Ce montant, qui est l'objet central de l'état, sert de toile de fond à l'analyse. En effet, l'analyste voudra expliquer et évaluer la qualité de la gestion des flux de trésorerie. La variation des liquidités, qui apparaît tout au bas de l'état, constitue la contribution de l'exercice à l'augmentation, à la diminution ou au maintien du solde de liquidités (négatif ou positif).

2. **Repérer les sources de variations des liquidités.** L'état des flux de trésorerie est bâti pour présenter clairement l'origine des variations des liquidités. Il s'agira des activités d'exploitation, d'investissement et de financement.

| | |
|---|---|
| Au départ, nous aurons : | |
| Les flux de trésorerie générés par l'exploitation | XXX |
| Moins : | |
| Les flux de trésorerie utilisés pour les investissements (actifs) | XXX |
| Qui permettront de déduire : | |
| Les flux de trésorerie (comblés ou non) en matière de financement | XXX |

Le lecteur en arrivera ainsi aux variations dans les flux de trésorerie et à leurs effets sur le solde (excédent ou déficit) des liquidités en fin d'exercice. C'est cette dynamique qui détermine la gestion des liquidités de l'entreprise : que génère-t-on par l'exploitation ? Quels investissements a-t-elle effectués ? Quels sont les besoins de financement ?

3. **Repérer, dans les activités d'exploitation, les éléments sans effet sur la trésorerie d'exploitation.** Certains éléments inclus dans les activités

d'exploitation, comme l'amortissement ou les impôts futurs, n'ont aucun effet sur les flux de trésorerie. (Ceux-ci ne constituent pas des flux de trésorerie. Voir le chapitre 4.)

Par ailleurs, l'analyste examinera les autres éléments qui y paraissent. S'ils ne sont pas présentés distinctement à l'état des résultats, on pourra y repérer, par exemple, des dispositions d'actifs à perte ou à bénéfice (la disposition d'actifs étant toutefois elle-même traitée dans la section des investissements).

4. **Repérer, dans les activités d'exploitation, la variation nette des éléments hors liquidités (caisse) du fonds de roulement.** Souvent, cette information est également présentée dans une note aux états financiers, qu'il faut alors consulter. Plus précisément, cet élément de la variation nette des éléments hors liquidités constitue l'ajustement requis pour transformer le bénéfice selon les PCGR en flux de trésorerie. Cependant, et c'est là l'aspect important, il révèle comment l'entité a investi ou désinvesti dans le fonds de roulement. En effet, une augmentation globale de cet élément signifie que cet argent n'est pas disponible dans l'encaisse puisqu'il a été investi, par exemple, dans les comptes clients et les stocks. L'analyste doit donc aller au-delà de l'élément de rapprochement vers une base de caisse pour s'interroger sur la raison de cette variation. Pourquoi y a-t-il une hausse ou une baisse ? S'agit d'un changement de politique ? S'agit de changements dans les activités ? Ou a-t-on réussi, tout simplement, à contrôler la perception des débiteurs ou à négocier des conditions avantageuses avec les créanciers ? Les variations dans les postes du fonds de roulement reliés à l'exploitation donnent alors des pistes d'analyse qu'il faut corroborer avec les informations reliées aux activités de l'entité.

5. **Repérer le détail des activités d'investissement.** Les éléments qui apparaissent dans cette section révèlent à la fois les activités d'investissement (achats d'actifs) et de désinvestissement (dispositions d'actifs) dans les actifs à long terme, sous l'angle des flux de trésorerie. L'information qui apparaît ici est importante puisqu'elle permet d'établir que l'entité a acquis des actifs, tels que des immobilisations, d'autres entreprises, ou qu'elle a généré des créances à long terme. L'analyste doit alors faire immédiatement un lien avec les activités de l'entité. L'acquisition d'une entreprise augmente les actifs de l'entité, ce qui entraînera de nouvelles activités. Quel en est (ou sera) l'effet sur le rendement de l'entité et sur les différents indicateurs qui y sont reliés ? (Voir plus loin dans le chapitre.) Le détail des activités d'investissement pourrait aussi, par exemple, venir expliquer une variation dans l'amortissement des immobilisations. De la même façon, des dispositions d'actifs peuvent avoir un effet significatif (tout autant positif que négatif) sur les résultats de l'entité. Au-delà de l'effet sur la trésorerie, les éléments reliés

aux activités d'investissement permettent de mettre en lumière les projets de l'entité. L'interprétation ne peut évidemment se faire sur la seule base des chiffres ; il faut la relier aux activités de l'entité.

Il est également possible de dégager ici les « flux de trésorerie disponibles ». Il s'agit de flux de trésorerie reliés à l'exploitation, moins les activités d'investissement reliées aux immobilisations. On obtient ainsi les flux de trésorerie disponibles (ou libres, aussi souvent appelés *Free Cash Flow*) pour satisfaire aux exigences des créanciers à long terme et le paiement des dividendes.

| | |
|---|---|
| Flux de trésorerie générés par l'exploitation | XXX |
| Moins : | |
| Activités d'investissements reliés aux immobilisations | XXX |
| Flux de trésorerie disponibles (Free Cash Flow) | XXX |

Cette notion de flux de trésorerie disponible n'est pas normalisée, ce qui amène certaines entreprises à utiliser des variantes de ce concept. Par conséquent, le flux de trésorerie disponible n'est pas présenté dans les états financiers. Une entreprise qui utilise ce concept le présentera et l'expliquera donc dans une autre section du rapport annuel.

6. **Repérer, dans les activités de financement, le montant des dividendes versés.** Normalement, une entité n'emprunte pas à long terme pour payer un dividende courant. L'analyste doit donc faire le lien entre les flux de trésorerie reliés aux activités d'exploitation et les flux de trésorerie disponibles afin de déterminer s'ils sont suffisants. C'est ensuite à l'analyste de se demander, par exemple, pourquoi l'entité paie un dividende alors que les fonds générés par l'exploitation sont insuffisants.

7. **Repérer le détail des autres activités de financement.** L'analyse des éléments qui paraissent dans cette section permet à l'analyste de repérer les variations dans le financement à long terme externe et le financement par l'émission de capital-actions. Ces modes de financement influent sur la structure financière de l'entité ainsi que sur les charges ultérieures. L'émission de dettes entraînera une nouvelle charge d'intérêt, mais elle permettra d'acheter des actifs qui génèreront de nouvelles activités et apporteront un bénéfice additionnel. (L'inverse est aussi vrai dans le cas d'un remboursement de dettes.) Par ailleurs, le financement par émission de capitaux propres (actions) a aussi ses effets puisqu'il améliore la structure financière de l'entité. De plus, contrairement aux dettes, le dividende est la

plupart du temps discrétionnaire. Tout comme nous l'avons mentionné précédemment, les éléments reliés aux activités de financement se doivent aussi d'être rattachés aux activités de l'entité.

Finalement, l'analyse de l'état des flux de trésorerie, à laquelle on procède séparément ou conjointement avec l'analyse des ratios qui suivent, permettra à l'analyste de porter un jugement, non seulement sur les états financiers de l'entité, mais aussi sur ses activités.

## 5.5 L'ANALYSE HORIZONTALE ET L'ANALYSE VERTICALE

L'analyse horizontale permet d'observer l'évolution, en pourcentage, d'un même élément sur plusieurs périodes, tandis que l'analyse verticale consiste à exprimer les postes figurant dans les états financiers sous forme de pourcentages. Ainsi, les éléments du bilan sont présentés en pourcentage de l'actif total, alors que les postes de l'état des résultats le sont en pourcentage du chiffre d'affaires. Couramment utilisées lors de la préparation des rapports financiers destinés aux gestionnaires, ces techniques d'analyse des états financiers, très faciles à appliquer, permettent aussi à l'utilisateur externe d'atteindre deux objectifs. En premier lieu, elles facilitent la comparaison avec les résultats antérieurs, tout en permettant de dégager des tendances pour établir des prévisions. En second lieu, elles aident à situer l'entreprise par rapport à des entreprises comparables.

Au-delà des parallèles qu'elle permet d'établir, l'analyse verticale amène l'observateur à prendre conscience des données générales qui lui seront nécessaires pour étayer ses conclusions. Bien que ces calculs recoupent certains ratios que nous verrons plus loin, ils permettront de ventiler la composition du patrimoine de l'entreprise, c'est-à-dire les parts investies dans des actifs à long terme (placements et immobilisations, surtout) ou à court terme (placements temporaires, stocks de marchandises, etc.). La structure financière sera tout aussi facile à établir, c'est-à-dire l'apport relatif des capitaux d'emprunt et des capitaux propres (investissement des actionnaires, également dit « avoir des actionnaires ») au financement de l'entreprise. Enfin, les pourcentages obtenus dans l'état des résultats permettent de déterminer l'importance de certaines charges, ainsi que leur variation, ou encore d'évaluer dans quelle proportion certaines catégories de charges, notamment les frais de vente ou d'administration, influent sur le bénéfice net. Dans tous ces cas, il est également possible de recourir à l'analyse horizontale. Toutefois, l'étude de l'évolution de certains postes peut demander de faire appel à certaines techniques plus complexes qui ne font pas l'objet du présent ouvrage.

En raison de sa simplicité, l'application de la méthode d'analyse verticale est fortement encouragée. L'analyste qui l'applique se fait une première impression, qu'il précisera par la suite à l'aide des résultats tirés des ratios. Nous reviendrons toutefois sur cet aspect au point suivant.

Le tableau 5-4 des ratios comparatifs de Mega Bloks inc. illustre l'analyse verticale, qui consiste à exprimer chaque poste du bilan en pourcentage de l'actif total et chaque poste de l'état des résultats en pourcentage des ventes (aussi appelées « chiffre d'affaires »). Cette étape permet à l'analyste de se familiariser rapidement avec la structure financière de l'entreprise ainsi qu'avec la manière dont elle a utilisé ses ressources.

**TABLEAU 5-4** • Les ratios comparatifs pour Mega Bloks inc.

**MEGA BLOKS INC.**
**BILANS CONSOLIDÉS**
des exercices terminés les 31 décembre (en milliers de dollars américains)

| ACTIF | 2005 | | 2004 | |
|---|---|---|---|---|
| **À court terme** | | | | |
| Trésorerie et équivalents de trésorerie | 19 567 $ | 2,7 % | 5 607 $ | 3 % |
| Débiteurs – clients | 167 428 | 23,2 % | 101 984 | 55,1 % |
| Débiteurs – autres | 6 238 | 0, 8 % | 9 898 | 5,4 % |
| Stocks | 82 280 | 11,4 % | 26 125 | 14,1 % |
| Impôts futurs | 13 396 | 1,9 % | 1 838 | 1 % |
| Instruments financiers dérivés | – | – | 1 184 | 0,7 % |
| Frais payés d'avance | 8 324 | 1,2 % | 4 347 | 2,3 % |
| | 297 233 | 41,2 % | 150 983 | 81,6 % |
| Immobilisations | 39 351 | 5,5 % | 32 221 | 17,4 % |
| Actifs incorporels | 72 230 | 10 % | – | – |
| Écarts d'acquisition | 306 973 | 42,6 % | – | – |
| Frais reportés | 4 708 | 0,7 % | 1 789 | 1 % |
| | 720 495 $ | 100 % | 184 993 $ | 100 % |

• • • ▶

**TABLEAU 5-4** • Les ratios comparatifs pour Mega Bloks inc.

• • • ▶

## MEGA BLOKS INC.
## BILANS CONSOLIDÉS
des exercices terminés les 31 décembre (en milliers de dollars américains)

| PASSIF | 2005 | | 2004 | |
|---|---|---|---|---|
| À court terme | | | | |
| Créditeurs et charges à payer | 108 025 $ | 15 % | 41 622 $ | 22,5 % |
| Contrepartie additionnelle liée aux acquisitions | 74 075 | 10,3 % | – | – |
| Instruments financiers dérivés | – | – | 4 757 | 2,6 % |
| Impôts sur les bénéfices | 4 744 | 0,7 % | 1 111 | 0,6 % |
| Tranche de la dette à long terme échéant à moins d'un an | 8 784 | 1,2 % | 563 | 0,3 % |
| | 195 628 | 27,2 % | 48 053 | 26 % |
| Dette à long terme | 292 169 | 40,6 % | 24 009 | 13 % |
| Impôts futurs | 12 682 | 1,7 % | 10 132 | 5,4 % |
| | 500 479 | 69,5 % | 82 194 | 44,4 % |
| AVOIR DES ACTIONNAIRES | | | | |
| Capital-actions | 231 592 | 32,2 % | 154 434 | 83,5 % |
| Surplus d'apport | 1 136 | 0,02 % | 685 | 0,4 % |
| Déficit | (12 712) | – 1,7 % | (52 320) | – 28,3 % |
| | 220 016 | 30,5 % | 102 799 | 55,6 % |
| | 720 495 $ | 100 % | 184 993 $ | 100 % |

• • • ▶

**TABLEAU 5-4** • Les ratios comparatifs pour Mega Bloks inc.

• • • ▶

**MEGA BLOKS INC.**
**RÉSULTATS CONSOLIDÉS**
des exercices terminés les 31 décembre (en milliers de dollars américains)

| | 2005 | | 2004 | |
|---|---|---|---|---|
| Produits d'exploitation nets | 407 032 $ | 100 % | 234 581 $ | 100 % |
| Coût des produits vendus | 220 260 | 54,1 % | 128 659 | 54,8 % |
| Marge brute | 186 772 | 45,9 % | 105 922 | 45,2 % |
| Frais de marketing, de recherche | | | | |
| et développement, et de publicité | 50 552 | 12,4 % | 33 360 | 14,2 % |
| Autres frais de vente, de distribution | | | | |
| et administratifs | 73 870 | 18,2 % | 34 127 | 14,5 % |
| Éléments inhabituels | – | – | 5 158 | 2,3 % |
| Frais d'intérêts | | | | |
| Dette à long terme | 9 310 | 2,3 % | 1 207 | 0,5 % |
| Autres (note 10) | 954 | 0,2 % | 170 | 0,1 % |
| | 10 264 | 2,5 % | 1 377 | 0,6 % |
| Bénéfice avant impôts sur | | | | |
| les bénéfices | 52 086 | 12,8 % | 31 900 | 13,6 % |
| Impôts sur les bénéfices (note 11) | | | | |
| Exigibles | 5 473 | 1,4% | 7 427 | 3,2 % |
| Futurs | 7 005 | 1,7 % | (704 ) | –0,3 % |
| | 12 478 | 3,1 % | 6 723 | 2,9 % |
| Bénéfice net | 39 608 $ | 9,7 % | 25 177 $ | 10,7 % |
| Bénéfice par action | | | | |
| De base | | 1,35 $ | | 0,93 $ |
| Dilué | | 1,26 $ | | 0,86 $ |

Poussée plus loin, l'analyse permet aussi de connaître le taux de croissance de chacun des postes des états financiers qui intéressent l'analyste.

## 5.6 LES RATIOS – ANALYSE APPROFONDIE

Selon le *Dictionnaire de la comptabilité et de la gestion financière*, un ratio est un « rapport entre deux grandeurs significatives de la gestion, de l'exploitation ou du fonctionnement d'une entreprise ou d'un organisme, ayant pour objet de faire ressortir leur évolution relative ».

Généralement, lorsqu'on parle d'analyse des états financiers, on fait notamment référence à l'utilisation des ratios. Les nombreuses données chiffrées dont dispose l'analyste, notamment celles qui se trouvent dans les états financiers, le forcent à comparer celles qui sont significatives à ses yeux pour dégager des conclusions. Néanmoins, il doit effectuer ces regroupements de données en gardant constamment à l'esprit les objectifs de l'analyse, donc en résistant à la tentation de calculer une multitude de ratios parfaitement inutiles à la prise de décisions.

De plus, les résultats obtenus par l'analyse au moyen de ratios ne doivent en aucun cas être considérés comme absolus. Leur signification réelle n'émerge que lorsqu'ils sont mis en parallèle avec les résultats d'exercices antérieurs ou avec ceux d'entreprises comparables du même secteur. En aucun cas, on ne doit formuler un jugement catégorique à partir d'un ratio, les normes variant considérablement selon les secteurs d'activité.

Il faudra éviter de sous-estimer l'importance que l'on attache aux ratios dans certains milieux. En effet, la survie d'une entreprise peut être évaluée, à l'occasion, à l'aide de certains ratios particuliers. Ainsi, une société prêteuse peut exiger comme condition de prêt le maintien de certains ratios qu'elle juge importants. Dans d'autres cas, il est possible qu'une institution financière limite la marge de crédit d'un client, si certains ratios n'atteignent pas un seuil jugé critique.

Afin de tirer le maximum de l'analyse des états financiers à l'aide des ratios, il importe d'établir un schéma de référence global qui limite les calculs nécessaires à la formulation de conclusions pertinentes. La figure 5-2 présente les ratios selon qu'ils sont reliés à l'exploitation, à l'actif et au financement (passif et capitaux propres). (Voir aussi le tableau 5-2.) De plus, certains ratios reliés aux flux de trésorerie complètent l'analyse. Tous ces ratios trouvent leur lien entre eux à partir d'un modèle bâti à l'origine par la compagnie américaine DuPont de Nemours (adapté ici). Nous expliquerons en détail ce schéma général dans les pages qui suivent.

**FIGURE 5-2** • Schéma général des ratios

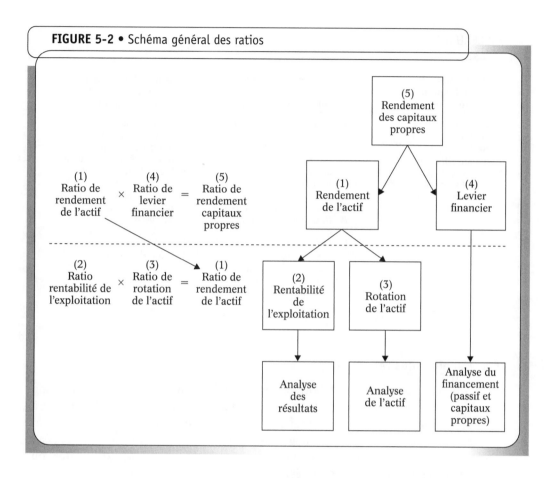

La présentation de ces ratios peut obéir à plusieurs formats. En effet, on peut les regrouper selon qu'il s'agit d'indicateurs reliés à la structure financière et la solvabilité, à la performance, à la gestion de l'exploitation ou aux liquidités. On peut également les présenter selon qu'ils se rapportent à un état financier ou à un autre, en étant bien conscient qu'un ratio fait intervenir deux valeurs pouvant toucher plus d'un état financier. L'ordre de présentation des ratios apparaît au tableau 5-5.

**TABLEAU 5-5** • Modèle d'analyse par les ratios

| Ratios liés à l'analyse de l'exploitation (des résultats) | Ratios liés à l'analyse de l'actif (ou de l'investissement) | Ratios liés à l'analyse du financement (passif et capitaux propres) |
| --- | --- | --- |
| ■ Ratio de la marge bénéficiaire nette<br>■ Ratio de la marge bénéficiaire brute<br>■ Ratio de la marge d'exploitation<br>■ Ratio de couverture des intérêts | ■ Ratio de rendement de l'actif<br>■ Ratio de rotation de l'actif (ou ratio de rotation du capital)<br>■ Ratio du fonds de roulement<br>■ Ratio de liquidité relative<br>■ Ratio de liquidité immédiate<br>■ Délai de recouvrement des comptes clients<br>■ Délai de règlement des comptes fournisseurs<br>■ Rotation des stocks | ■ Ratio d'endettement<br>■ Ratio de couverture des intérêts et du remboursement de capital<br>■ Ratio de rendement des capitaux propres<br>■ Ratio de levier financier<br>■ Ratio de rendement brut de l'actif total<br>■ Bénéfice par action<br>■ Ratio Cours / Bénéfice<br>■ Ratio de couverture des dividendes |

## 5.6.1 L'analyse des résultats

Intéressons-nous, tout d'abord, à l'aptitude de la direction à rentabiliser son exploitation. La rentabilité de l'exploitation désigne la capacité de l'entreprise à contrôler ses coûts et à générer des produits. Ainsi, une entreprise qui veut améliorer sa rentabilité peut augmenter ses ventes en maintenant ses coûts au même niveau, diminuer ses coûts sans pour autant modifier ses ventes, ou encore combiner les deux stratégies.

### A. LA MARGE BÉNÉFICIAIRE NETTE

Pour se faire une idée de la rentabilité d'exploitation d'une entreprise, il faut tenter de connaître la rentabilité provenant des activités commerciales.

Le calcul de la rentabilité de l'exploitation s'effectue comme suit :

$$\text{Ratio de la marge bénéficiaire nette} = \frac{\text{Bénéfice net}}{\text{Ventes nettes}}$$

En appliquant cette formule aux montants de Mega Bloks inc., on constate que l'entreprise affiche une baisse des résultats pour l'exercice 2005, avec un ratio de rentabilité de l'exploitation de 9,7 %, comparativement à 10,7 % obtenu pour l'exercice 2004, comme en témoigne le tableau suivant :

|  | 2005 | 2004 |
|---|---|---|
| Ratio de la marge bénéficiaire nette de Mega Bloks inc. | $\dfrac{39\ 608\ \$}{407\ 032\ \$}$ | $\dfrac{25\ 177\ \$}{234\ 581\ \$}$ |
| = | 0,097 | 0,107 |

Comme nous venons de le voir, le ratio de la marge bénéficiaire nette est un ratio général. Reflet de la santé de l'exploitation, il représente le bénéfice généré au cours d'une période par dollar de ventes réalisé. Idéalement, toute société désire que ce ratio soit le plus élevé possible, puisque cela signifie qu'elle retire le meilleur de ses efforts de vente. Ce ratio nécessite toutefois une analyse minutieuse, qui tient compte du contexte. Dans certains secteurs d'activité, ce ratio est élevé (le secteur pétrolier, par exemple), tandis que dans d'autres il est normalement relativement bas (le secteur du commerce de détail, par exemple).

Étant donné la nature générale du ratio de la marge bénéficiaire nette, il est nécessaire de faire ressortir les éléments qui influent sur ce ratio pour avoir une idée plus précise de l'efficacité de la direction à gérer les coûts, à exploiter l'entreprise et à payer les charges relatives aux dettes. Tous les éléments qui composent l'état des résultats y ont un rôle à jouer, autant les ventes que les diverses charges engagées pour les réaliser. Parmi celles-ci, notons le coût des marchandises vendues, les frais de vente et d'administration, l'amortissement, les frais de financement et les impôts, pour n'en nommer que quelques-unes.

La rentabilité de l'exploitation étant tributaire de plusieurs variables, il est nécessaire d'en analyser les diverses composantes, soit :

■ la marge bénéficiaire brute ;

■ la marge d'exploitation ;

■ la couverture des intérêts.

### B. LA MARGE BÉNÉFICIAIRE BRUTE

Le ratio de la marge bénéficiaire brute mesure la capacité de l'entreprise à limiter les coûts associés aux marchandises vendues, mais aussi à ajuster son prix de vente au gré des variations du prix d'achat. Il n'est pas toujours possible de calculer ce ratio à partir des états financiers publiés, car certaines entreprises ne veulent pas dévoiler à la concurrence cet élément crucial. Le ratio de la marge bénéficiaire brute se calcule comme suit :

$$\text{Ratio de la marge bénéficiaire brute} = \frac{\textbf{Bénéfice brut}}{\textbf{Ventes nettes}}$$

Pour les exercices 2005 et 2004, Mega Bloks inc. dégage une marge bénéficiaire brute de 45,9 % et 45,2 %, respectivement.

|  |  | 2005 | 2004 |
|---|---|---|---|
| Ratio de la marge bénéficiaire brute de Mega Bloks inc. |  | 186 772 $ | 105 922 $ |
|  |  | 407 032 $ | 234 581 $ |
|  | = | 0,459 | 0,452 |

## C. LA MARGE D'EXPLOITATION

La marge d'exploitation, qui met en relation le bénéfice d'exploitation (bénéfice avant intérêts et impôts, ou BAII) et les ventes, constitue une composante plus globale, en ce sens qu'elle tient compte de toutes les charges intimement liées aux activités principales de l'entreprise. Elle vise donc à présenter au lecteur les résultats obtenus par les gestionnaires, abstraction faite des autres facteurs qui influent sur la mesure du bénéfice net. La comparaison devient donc plus significative, même s'il est toujours hasardeux de comparer des marges d'exploitation émanant de secteurs différents. Ainsi, le secteur de l'alimentation présente traditionnellement une marge d'exploitation relativement faible, sans pour autant être considéré comme problématique. Le ratio de la marge d'exploitation se calcule de la façon suivante :

$$\text{Ratio de la marge d'exploitation (ratio du BAII)} = \frac{\textbf{Bénéfice d'exploitation (BAII)}}{\textbf{Ventes nettes}}$$

Dans le cas de Mega Bloks inc. présenté ci-dessous, on constate que la marge d'exploitation s'est améliorée, passant de 14,2 % à 15,3 % au cours des deux derniers exercices[3] :

|  | 2005 | 2004 |
|---|---|---|
| Ratio de la marge d'exploitation de Mega Bloks inc. | $\dfrac{62\ 350\ \$}{407\ 032\ \$}$ | $\dfrac{33\ 277\ \$}{234\ 581\ \$}$ |
| = | 0,153 | 0,142 |

## D. LA STRUCTURE DE L'ÉTAT DES RÉSULTATS

Pour faire une meilleure analyse, on peut décortiquer le ratio de la marge d'exploitation en ses composantes. Il suffit de calculer des rapports entre certains frais d'exploitation particuliers et les ventes. Ainsi, le ratio des frais de vente par rapport aux ventes donne une indication sur les efforts commerciaux qui ont permis d'atteindre un chiffre d'affaires donné. Il ne s'agit pas de calculer tous les ratios, mais de déceler ceux qui fournissent des indices sur la rentabilité, puis d'analyser leur évolution, ce qui donne une idée de l'efficacité avec laquelle ces différentes charges sont gérées. Lorsqu'on interprète ces données, il importe de se souvenir que les dirigeants d'entreprises ne disposent pas de la même marge de manœuvre à l'égard de toutes les charges.

## E. LES ÉLÉMENTS INHABITUELS – EFFETS SUR LES RATIOS

Lorsqu'on procède à une analyse de l'exploitation, il faut surveiller toutes les opérations inhabituelles. La présence d'éléments extraordinaires ou d'activités abandonnées à l'état des résultats exige une attention particulière de la part du lecteur. Cependant, une opération qu'on ne présenterait ordinairement pas comme un élément extraordinaire ou comme faisant partie des activités abandonnées peut tout de même découler de circonstances inhabituelles et, de ce fait, influencer l'analyse. On trouve parfois de tels éléments inhabituels sous des rubriques distinctes. C'est pourquoi l'observateur devra procéder à une lecture attentive des états financiers et rechercher la présence de tels éléments.

---

3. En 2004, Mega Bloks présente un élément qu'elle qualifie d'inhabituel (instruments financiers dérivés et nouveau marché). Les calculs qui suivent n'ont pas isolé cet élément.

**F. LA COUVERTURE DES INTÉRÊTS**

Lorsqu'on analyse la rentabilité d'une entreprise, l'effet de l'endettement sur le bénéfice revêt une importance toute particulière. Une analyse poussée fait ressortir la capacité de l'exploitation à absorber les décaissements qu'exige le financement. Pour y parvenir, on a recours au ratio de couverture des intérêts, qui mesure dans quelle proportion les résultats d'exploitation excèdent les intérêts débiteurs. Ce ratio se calcule comme suit :

$$\text{Ratio de couverture des intérêts} = \frac{\text{Bénéfice avant intérêts et impôts}}{\text{Intérêts de l'exercice}}$$

Ce ratio montre la capacité des activités courantes à couvrir les frais de financement fixes lorsqu'ils deviennent exigibles. Dès lors, on peut connaître l'effet de ces frais sur la rentabilité de l'exploitation. Si les besoins de financement augmentent, on peut prévoir que les intérêts augmenteront également. En toute logique, l'entreprise perçue favorablement affichera une rentabilité croissant à un rythme au moins équivalent à celui des frais de financement. Par conséquent, un ratio de couverture des intérêts qui croît plus rapidement que les intérêts eux-mêmes constitue un signe de santé florissante et de saine gestion.

On obtient les résultats suivants pour Mega Bloks inc. :

|  |  | 2005 | 2004 |
|---|---|---|---|
| Ratio de couverture des intérêts de Mega Bloks inc. |  | 62 350 $ | 33 277 $ |
|  |  | 10 264 $ | 1 377 $ |
|  | = | 6,07 | 24,17 |

Même si le ratio diminue substantiellement, il est suffisamment élevé pour permettre à l'analyste de conclure que la situation financière de l'entreprise est saine du point de vue de la couverture des intérêts.

## 5.6.2 L'analyse de l'actif

Après avoir analysé l'exploitation, nous pouvons examiner la gestion de l'actif, en commençant par le ratio de rendement de l'actif.

## A. LE RENDEMENT DE L'ACTIF

Pour mesurer le rendement de l'actif, on commence par déterminer la proportion du bénéfice que la société a réussi à générer en utilisant l'ensemble des ressources dont elle disposait. On établit ce rendement en mettant en relation le bénéfice net réalisé par la société au cours d'un exercice et les ressources dont elle disposait pour y parvenir. Ce ratio exprime la rentabilité générale de l'entreprise pour une période donnée. Il se calcule comme suit :

$$\text{Ratio de rendement de l'actif} = \frac{\text{Bénéfice net}}{\text{Actif total}}$$

Le ratio de rendement de l'actif sert donc le point de vue de l'ensemble des bailleurs de fonds, puisque le dénominateur utilisé pour le calculer équivaut aussi à la somme des passifs et des capitaux propres. Dans le cas de Mega Bloks, nous effectuons le calcul sur l'actif moyen afin de prendre en considération l'acquisition de Rose Art. En utilisant les montants de Mega Bloks inc., on obtient les résultats suivants :

|  | 2005 | 2004 |
|---|---|---|
| Ratio de rendement de l'actif moyen de Mega Bloks inc. | $\frac{39\ 608\ \$}{452\ 744\ \$^4}$ | $\frac{25\ 177\ \$}{174\ 856\ \$^5}$ |
| = | 0,087 | 0,144 |

Le pourcentage de rendement de l'actif de Mega Bloks inc. a diminué de 2004 à 2005, passant de 14,4 % à 8,7 % de l'actif total. Ce résultat n'est pas surprenant puisque, le 26 juillet 2005, Mega Bloks inc. a fait l'acquisition de Rose Art Industries inc., faisant passer l'actif total de 184 993 $ à 720 495 $, soit une augmentation de 289 %, alors que les ventes ont augmenté de 172 451 $, soit 73,5 %. (Il faudrait cependant calculer ce ratio sur plusieurs années afin de dégager une tendance, et le comparer aux ratios du secteur d'activité afin de pouvoir se prononcer sur la rentabilité générale de la société.)

Le ratio de rendement ainsi obtenu est un ratio de rentabilité globale qui ne renseigne pas sur l'origine du rendement. Il est possible de le décomposer en deux ratios.

4. (720 495 $ + 184 993 $) ÷ 2 = 452 744 $.
5. (184 993 $ + 164 718 $) ÷ 2 = 174 856 $.

| Ratio de rendement de l'actif | = | Ratio de la marge bénéficiaire nette | × | Ratio de rotation de l'actif (ou ratio de rotation du capital) |
|---|---|---|---|---|
| $\dfrac{\text{Bénéfice net}}{\text{Actif total}}$ | = | $\dfrac{\text{Bénéfice net}}{\text{Ventes nettes}}$ | × | $\dfrac{\text{Ventes nettes}}{\text{Actif total}}$ |
| 2005 : 0,087 | = | 0,097 | × | 0,89 |
| 2004 : 0,144 | = | 0,107 | × | 1,34 |

On constate donc que le rendement de l'actif provient de la rentabilité de l'exploitation, ainsi que de l'intensité de l'utilisation de l'actif. Poursuivons l'analyse avec ce ratio.

### B. LA ROTATION DE L'ACTIF

Le ratio de rotation de l'actif indique l'intensité des activités produites par le montant d'actif que possède l'entreprise. Plus ce ratio est élevé, plus l'entreprise utilise l'ensemble de ses ressources. Comme nous l'avons déjà indiqué, l'utilisation qu'une entreprise fait de ses actifs peut modifier sa rentabilité globale. Ce phénomène se traduit par le rapport suivant :

$$\text{Ratio de rotation de l'actif (ou ratio de rotation du capital)} = \frac{\text{Ventes nettes}}{\text{Actif total}}$$

Notons que le numérateur Ventes nettes provient de l'état des résultats, alors que le dénominateur Actif total est tiré du bilan. À cause de l'acquisition de Rose Art, nous utiliserons l'actif total moyen. Calculons maintenant ce ratio pour Mega Bloks inc. :

| | | 2005 | 2004 |
|---|---|---|---|
| Ratio de rotation de l'actif moyen de Mega Bloks inc. | | $\dfrac{407\ 032\ \$}{452\ 744\ \$}$ | $\dfrac{234\ 581\ \$}{174\ 856\ \$}$ |
| | = | 0,89 | 1,34 |

On constate que les ressources de Mega Bloks inc. ont généré proportionnellement moins de ventes en 2005 qu'en 2004, puisque le ratio est passé de 1,34 en 2004 à 0,89 en 2005. Ce ratio ne renseigne cependant pas sur l'efficacité de l'utilisation des ressources. À partir de cette constatation, nous étudierons une série de ratios qui mettent en évidence les répercussions de l'exploitation sur la situation financière et, inversement, les effets de la situation financière sur l'exploitation. Nous en aborderons ensuite quelques autres susceptibles d'intéresser l'analyste.

Pendant son travail, l'analyste qui observe une variation du ratio de rotation de l'actif au fil des années, ou encore une situation favorable ou défavorable par rapport à des entreprises similaires, en recherchera la cause dans les variations non proportionnelles du numérateur et du dénominateur. Dans le cas de Mega Bloks inc., le ratio dénote une augmentation moins que proportionnelle des ventes par rapport à l'actif total, puisque le ratio de rotation de l'actif se chiffre à 0,89 en 2005, contre 1,34 en 2004.

L'accroissement des ventes a-t-il nécessité une augmentation proportionnelle de l'actif ? A-t-on accru le montant des actifs sans que le volume des ventes augmente ? Tel est le type de questions qu'il faudra se poser et auxquelles répondra l'étude de la structure des actifs et l'analyse de l'exploitation (marges bénéficiaires brute et nette, importance relative des charges), que nous avons vues dans les pages précédentes, ou les quelques ratios dont il sera question plus loin.

## C. LA STRUCTURE DE L'ACTIF

Tout comme nous l'avons fait avec les résultats, il s'agit ici de repérer l'importance relative de chacun des postes et d'y déceler des tendances. Le nombre de ratios dépendra des actifs considérés. Parmi ces ratios, on calcule souvent la relation entre la valeur nette des actifs immobilisés et le coût de l'actif. Bien qu'imparfait, ce ratio renseigne sur l'âge moyen des immobilisations, un ratio de 70 % pouvant signifier qu'il s'agit d'un actif relativement jeune.

## D. LE FONDS DE ROULEMENT

Parmi les postes de l'actif, il importe d'apprécier la structure à court terme d'une entreprise en utilisant le ratio de rotation du fonds de roulement. La solvabilité à court terme tient en partie à une gestion efficace des actifs et des passifs à court terme. Afin de juger de la qualité de cette gestion, il faut s'attarder sur le fonds de roulement, qui se définit comme suit :

$$\text{Fonds de roulement} = \text{Actif à court terme} - \text{Passif à court terme}$$

|  | 2005 | 2004 |
|---|---|---|
| Fonds de roulement de Mega Bloks inc. | 297 233 $ – 195 628 $ | 150 983 $ – 48 053 $ |
| = | 101 605 $ | 102 930 $ |

Un fonds de roulement positif indique que l'entreprise possède suffisamment de ressources à court terme pour faire face à ses dettes à court terme. La mesure obtenue est absolue : l'excédent des ressources à court terme sur les dettes exigibles à moins d'un an est peu utile pour comparer des entreprises ou analyser des tendances. D'où l'emploi du ratio du fonds de roulement, qui se calcule de la façon suivante :

$$\text{Ratio du fonds de roulement} = \frac{\text{Actif à court terme}}{\text{Passif à court terme}}$$

Pour Mega Bloks inc., ce ratio diminue, passant de 3,1 pour 2004 à 1,52 pour 2005 :

|  | 2005 | 2004 |
|---|---|---|
| Ratio du fonds de roulement de Mega Bloks inc. | 297 233 $ | 150 983 $ |
|  | 195 628 $ | 48 053 $ |
| = | 1,52 | 3,1 |

Interprétés de façon absolue, ces résultats démontrent que, en 2004 et en 2005, les ressources à court terme détenues par l'entreprise permettaient, en présumant leur conversion hypothétique en liquidités, de couvrir les dettes exigibles à moins d'un an. Mais cette affirmation n'est possible qu'en supposant *a priori* que les actifs à court terme, une fois transformés en liquidités, serviront uniquement au règlement des dettes à court terme, ce qui n'est pas toujours le cas. De plus, la présence de charges payées d'avance (ou services à recevoir) est équivoque aux yeux de certains analystes, qui conçoivent mal comment ces charges pourraient être converties en liquidités. La nature même de l'actif rend cette conversion presque impossible, ce qui conduit plusieurs analystes à les exclure du calcul. Il faut néanmoins admettre que leur valeur, généralement négligeable, modifie rarement les conclusions tirées du ratio.

Il est possible d'exprimer le ratio du fonds de roulement en nombre de jours, comme suit :

$$\text{Ratio de rotation du fonds de roulement} = \frac{\textbf{Fonds de roulement}}{\textbf{Ventes}} \times 365 \text{ jours}$$

Exprimé en nombre de jours, ce ratio indique le temps requis pour boucler un cycle d'exploitation. Toute entreprise achète pour les revendre, transformées ou non, des marchandises qu'elle doit payer à ses fournisseurs. En vendant à crédit ces marchandises, elle convertit alors ses stocks en débiteurs qui, à leur tour, alimenteront l'encaisse. Plus ce ratio est faible, plus le cycle d'exploitation est court ; et plus le cycle est court, moins l'entreprise met de temps à générer des liquidités. À l'inverse, plus le ratio est élevé, plus l'entreprise met de temps à générer des liquidités, car ses actifs à court terme sont immobilisés, soit par ses stocks, soit par ses débiteurs.

Dans l'exemple qui suit, on constate que Mega Bloks inc. a raccourci son cycle d'exploitation de 69 jours au cours de l'année 2005.

|  | | 2005 | 2004 |
|---|---|---|---|
| Ratio de rotation du fonds de roulement de Mega Bloks inc. | | $\dfrac{101\ 605\ \$}{407\ 032\ \$} \times 365$ jours | $\dfrac{102\ 930\ \$}{234\ 581\ \$} \times 365$ jours |
| | = | 91 jours | 160 jours |

Toutefois, l'analyse du fonds de roulement exige aussi de procéder à une analyse détaillée des actifs à court terme, en particulier les débiteurs et les stocks. Ces deux éléments revêtent une importance particulière, car ils varient selon la gestion qui en est faite, tout en se répercutant eux-mêmes sur cette gestion. En effet, une gestion efficace des stocks permet de réduire les coûts d'entreposage, tout en limitant ceux associés à la désuétude. Ces mêmes stocks serviront aux ventes que réalisera l'entreprise, lesquelles seront converties en débiteurs et, finalement, en encaisse. Or, cette encaisse sera d'abord justement utilisée pour régler les dettes liées à l'approvisionnement en stocks de marchandises et en services ; de là le besoin d'une gestion saine. Les ratios qui suivent visent à mettre cet aspect en lumière.

Le ratio de rotation de l'actif nous a déjà permis de constater l'utilisation que fait une société de l'ensemble des actifs qu'elle possède. Toutefois, en vue d'assurer sa pérennité, la société doit aussi maintenir une bonne santé financière à court et à long terme. Il est donc indispensable d'étudier le lien entre les diverses composantes du bilan afin d'établir, par exemple, à quelle vitesse les débiteurs pourront être encaissés, et les stocks, vendus. On pourra alors comparer des données analogues. Ainsi, on ne paie pas les créditeurs avec des marchandises. Et, dans le cas des stocks, il faudra calculer le délai nécessaire à leur transformation en débiteurs, puis le délai de conversion de ceux-ci en encaisse. Voyons maintenant les ratios reliés à ces postes.

## E. LES LIQUIDITÉS

Le fonds de roulement n'indique pas nécessairement l'état de la liquidité, puisqu'il inclut des éléments qui ne peuvent servir immédiatement à régler des dettes. Les questions que nous venons de soulever nous conduisent à formuler un ratio qui tient uniquement compte des liquidités pouvant servir à régler le passif à court terme et détenues par l'entreprise à la date du bilan. Ces liquidités sont généralement constituées de l'encaisse, des placements à court terme et des clients.

$$\text{Ratio de liquidité relative} = \frac{\text{Encaisse} + \text{placements à court terme} + \text{clients}}{\text{Passif à court terme}}$$

Pour nuancer nos calculs précédents relatifs au fonds de roulement de Mega Bloks inc., calculons le ratio de liquidité :

|  | 2005 | 2004 |
|---|---|---|
| Ratio de liquidité de Mega Bloks inc. | $\dfrac{19\ 567\ \$ + 167\ 428\ \$ + 6\ 238\ \$}{195\ 628\ \$}$ | $\dfrac{5\ 607\ \$ + 101\ 984\ \$ + 9\ 898\ \$}{48\ 053\ \$}$ |
| = | 0,99 | 2,45 |

Ces calculs vont dans le sens inverse de l'étude du fonds de roulement. Bien qu'elles aient baissé en 2005, les liquidités permettent de couvrir approximativement les dettes exigibles à moins d'un an.

Afin d'évaluer les liquidités, on utilise aussi le ratio de liquidité immédiate (ou ratio d'encaisse) :

$$\text{Ratio de liquidité immédiate} = \frac{\text{Encaisse}}{\text{Passif à court terme}}$$

Pour Mega Bloks inc., nous obtenons les ratios de liquidité immédiate suivants :

|  | 2005 | 2004 |
|---|---|---|
| Ratio de liquidité immédiate de Mega Bloks inc. | $\dfrac{19\ 567\ \$}{195\ 628\ \$}$ | $\dfrac{5\ 607\ \$}{48\ 053\ \$}$ |
| = | 0,10 | 0,12 |

Mega Bloks inc. a donc 0,10 $ de liquidité immédiate pour chaque dollar de dette à court terme.

Les ratios du fonds de roulement, de liquidité et de liquidité immédiate permettent d'évaluer la situation financière à court terme à un moment donné. Il faut en tenir compte pour s'assurer que le solde présenté à chacun des postes reflète une situation normale pour l'entreprise. Ces ratios mesurent le risque inhérent aux activités commerciales. En aucun cas, ils ne servent à évaluer le risque financier, qui exige une analyse plus poussée.

## F. LE DÉLAI DE RECOUVREMENT DES COMPTES CLIENTS

Le délai de recouvrement des clients (ou débiteurs) fournit une appréciation du temps qui s'écoule entre le moment où s'effectuent les ventes et la date de l'encaissement des comptes clients, une information essentielle pour évaluer la qualité de la politique de crédit et surtout son application. On peut calculer ce délai par le rapport « ventes à crédit/comptes clients », qui indique l'importance relative des comptes clients, ou encore par le délai de recouvrement des clients. Il s'agit, en fait, du nombre de ventes à crédit quotidiennes que représente le solde des comptes clients :

$$\text{Délai de recouvrement des clients} = \frac{\text{Comptes clients}}{\text{Ventes à crédit}} \times 365 \text{ jours}$$

En supposant que les ventes sont toutes faites à crédit, on obtiendra le ratio suivant pour Mega Bloks inc. :

| | 2005 | 2004 |
|---|---|---|
| Délai de recouvrement des clients de Mega Bloks inc. | $\dfrac{167\,428\,\$}{407\,032\,\$} \times 365 \text{ jours}$ | $\dfrac{101\,984\,\$}{234\,581\,\$} \times 365 \text{ jours}$ |
| = | 150 jours | 158 jours |

On constate que, en 2005, il a fallu 150 jours pour transformer les comptes clients en encaisse, comparativement à 158 en 2004. Il est cependant impossible d'exprimer une opinion sur la qualité de la gestion des comptes clients, ni sur le rapport entre la politique qui la régit et la politique de paiement des fournisseurs. À l'aide de ces données, on peut seulement porter un premier jugement sur le bien-fondé de la politique actuelle en comparaison des normes du secteur. Par la suite, on examinera comment cette politique est appliquée.

Toutefois, un allongement de la période de recouvrement signifie que, probablement, l'entreprise a dû recourir à du financement supplémentaire et qu'elle devra engager des frais de financement, tout en sachant qu'un retard de recouvrement risque de nuire à la qualité de ses créances. C'est parfois le cas d'entreprises qui assouplissent leur politique de crédit pour stimuler leurs ventes.

À l'inverse, un délai plus court peut être synonyme de durcissement de la politique de crédit, beaucoup plus que d'une amélioration de la situation. Quoi qu'on en pense, une telle éventualité n'est pas sans risques. Ainsi, certains clients pourraient s'offusquer de cette nouvelle politique et décider de se tourner vers des fournisseurs un peu moins impatients. De plus, des efforts accrus de recouvrement peuvent s'accompagner d'escomptes sur ventes. Les clients apprécient généralement de tels escomptes, mais ils créent une charge supplémentaire, laquelle exerce un effet direct sur l'encaisse et la rentabilité.

Enfin, après avoir calculé le délai de recouvrement, il convient de vérifier les points suivants :

■ A-t-on cherché à mousser les ventes au risque de diminuer la qualité des comptes clients ? La proportion des ventes au comptant par rapport à celle des ventes à crédit a-t-elle varié ?

■ La politique de crédit et de recouvrement a-t-elle été modifiée ?

■ La clientèle est-elle passée d'un nombre important de petits clients à un nombre restreint de gros clients, ou inversement ?

## G. LE DÉLAI DE RÈGLEMENT DES COMPTES FOURNISSEURS

Il existe pour les comptes fournisseurs un ratio analogue à celui des comptes clients, soit le délai de règlement des fournisseurs, qui se calcule comme suit :

$$\text{Délai de règlement des fournisseurs} = \frac{\text{Comptes fournisseurs}}{\text{Achats à crédit}} \times 365 \text{ jours}$$

Pour obtenir ce ratio, nous devons dans un premier temps calculer le poste achats. Les achats font partie du poste Coût des marchandises vendues, dans l'état des résultats. Dans le cas de Mega Bloks, à défaut d'autres informations nous remplacerons le poste Achats par le poste Coût des marchandises vendues, pour en obtenir une « approximation » :

|  | 2005 | 2004 |
|---|---|---|
| Délai de règlement des fournisseurs de Mega Bloks inc. | $\frac{108\ 025\ \$}{220\ 260\ \$} \times 365 \text{ jours}$ | $\frac{41\ 622\ \$}{128\ 659\ \$} \times 365 \text{ jours}$ |
| = | 179 jours | 118 jours |

Une augmentation du délai signifie que les fournisseurs sont payés moins rapidement.

La comparaison du délai de règlement des fournisseurs avec le délai de recouvrement des clients donnera aussi des renseignements utiles sur les délais de paiement par rapport aux délais d'encaissement.

## H. LA ROTATION DES STOCKS

Le coefficient de rotation des stocks joue un rôle prépondérant dans l'analyse de la trésorerie. Il représente la fréquence de vente du stock au cours de l'année.

$$\text{Coefficient de rotation des stocks} = \frac{\text{Coût des marchandises vendues}}{\text{Stocks}}$$

|  | 2005 | 2004 |
|---|---|---|
| Coefficient de rotation des stocks de Mega Bloks inc. | $\dfrac{220\ 260\ \$}{51\ 299\ \$\ *}$ | $\dfrac{128\ 659\ \$}{17\ 960\ \$}$ |
| = | 4,29 fois | 7,16 fois |

\* Stock de produits finis à la date des états financiers (voir la note 3 des états financiers).

L'examen des stocks peut également se faire d'une autre façon, qui nous amène au même résultat, cette fois exprimé en nombre de jours. Il s'agit du délai de rotation du stock, qui se calcule comme suit :

$$\text{Délai de rotation des stocks} = \frac{\text{Stocks}}{\text{Coût des marchandises vendues}} \times 365 \text{ jours}$$

|  | 2005 | 2004 |
|---|---|---|
| Délai de rotation des stocks de Mega Bloks inc. | $\dfrac{51\ 299\ \$}{220\ 260\ \$} \times 365$ jours | $\dfrac{17\ 960\ \$}{128\ 659\ \$} \times 365$ jours |
| = | 85 jours | 51 jours |

Un ratio de 4,29 signifie que Mega Bloks inc. a remplacé en moyenne 4,29 fois son stock au cours de l'année 2005, soit en moyenne tous les 85 jours, alors qu'en 2004 Mega Bloks inc. l'a remplacé 7,16 fois, donc environ tous les 51 jours.

Comment interpréter ce ratio ? Sans une connaissance approfondie du secteur d'activité et des pratiques de l'entreprise, il est difficile de répondre à cette question.

En général, un coefficient de rotation des stocks faible (ou un délai de rotation élevé) révèle un niveau de stock ordinairement élevé, ce qui peut laisser supposer des frais d'entreposage et de manutention importants. Cependant, l'entreprise peut très bien avoir pris la décision de constituer des réserves dans la perspective d'une hausse de prix ou de prochaines difficultés d'approvisionnement. La présence de stocks désuets se répercuterait de manière identique sur le coefficient de rotation, puisqu'une partie seulement des stocks ferait l'objet de transactions d'achat ou de vente.

Un coefficient de rotation des stocks élevé (ou un délai de rotation faible) n'est pas pour autant synonyme d'excellence lorsqu'il laisse présager des ruptures de stocks susceptibles d'engendrer une certaine insatisfaction de la clientèle. Cette fois encore, on doit examiner les faits sous tous les angles afin de tirer les bonnes conclusions. Pris isolément, le coefficient de rotation des stocks ne présente aucun intérêt pour l'analyste. Pour le rendre significatif, il faut le comparer aux normes du secteur et aux coefficients des exercices antérieurs, et tenir compte de facteurs comme la conjoncture économique, la politique de stockage ou encore l'acquisition d'une autre entreprise. On ne peut espérer qu'un revendeur de machinerie lourde atteigne un coefficient très élevé (ou un délai de rotation très faible). En revanche, cela devrait être normalement le cas des marchés d'alimentation, ne serait-ce qu'en raison du caractère périssable des biens vendus.

Dans le cas des stocks, comme dans celui des comptes clients, l'utilisation d'une moyenne peut aussi être utilisée.

L'effet combiné des trois ratios que nous venons de voir permet de mesurer la gestion du fonds de roulement. En effet, la somme du délai de recouvrement des clients et du délai de rotation des stocks, moins le délai de règlement des fournisseurs, renseigne sur le temps qui s'écoule entre les encaissements et les décaissements relatifs à l'exploitation courante de la société.

## 5.6.3 L'analyse du financement

Nous traiterons ici de l'analyse du financement de l'entité constitué à la fois du passif et des capitaux propres. C'est ici que nous ferons intervenir l'effet de levier. Mais commençons par l'analyse de la structure financière.

### A. LA STRUCTURE FINANCIÈRE

L'étude de la structure financière à long terme met en lumière la situation financière de l'entreprise et révèle, notamment, si elle peut tirer parti de sa situation d'endettement actuelle. Il ne faut toutefois pas se laisser piéger par l'attrait démesuré que peut exercer un faible niveau d'endettement, sous prétexte qu'il est souvent synonyme de bonne santé financière. En effet, il est tentant d'interpréter positivement le fait qu'une entreprise s'autofinance, ce qui en soi n'est pas totalement erroné. La réalité économique va pourtant à l'encontre de cette perception. La société désireuse d'atteindre une certaine croissance doit composer avec les risques et mettre à profit sa capacité d'endettement : la présence de dettes devient donc inévitable, voire souhaitable.

Que peut penser l'investisseur détenteur d'actions qui constate que les actionnaires assument presque seuls le risque financier ? Un recours au financement externe assure la croissance de l'entreprise, sans toutefois exiger un nouvel apport en capitaux propres. Par la même occasion, une fraction du risque inhérent à l'exploitation passe aux mains des bailleurs de fonds externes. Cependant, il est vrai que l'entreprise doit savoir gérer efficacement cet endettement pour conserver sa solvabilité, à longue échéance.

Une saine gestion de l'endettement comprend de multiples facteurs liés aux résultats d'exploitation et aussi aux ressources que le financement a permis d'acquérir. Dans une perspective de continuité de son exploitation, l'entreprise accordera un intérêt particulier aux facteurs suivants :

- sa capacité à acquérir des ressources par voie de financement, ce qui constitue une garantie satisfaisante aux yeux des prêteurs ;

- sa marge d'emprunt disponible, qui servira à amortir les chocs en cas de difficultés.

On évalue l'état de santé en matière d'engagements à long terme à l'aide de ratios objectifs et de critères plus subjectifs axés, ceux-là, sur le jugement de l'analyste. Voyons ces ratios.

## B. L'ENDETTEMENT

Pour évaluer la capacité de financement à long terme, on tentera de déterminer dans quelle mesure l'actif total d'une société est grevé de dettes. À cette fin, on fera appel au ratio d'endettement. Le résultat obtenu demeure tout au plus un indice de l'importance des capitaux empruntés et des capitaux propres dans le financement total et ne vise nullement à évaluer la santé financière. On peut l'obtenir à l'aide du ratio suivant, dont les modalités de calcul prennent les deux formes suivantes :

$$\text{Ratio d'endettement par rapport aux actifs} = \frac{\text{Passif à court terme + Passif à long terme}}{\text{Actif total}}$$

$$\text{Ou}$$

$$\frac{\text{Dette à long terme}}{\text{Actif à long terme}}$$

Les éléments composant le passif à court terme sont généralement exigibles dans les 12 mois qui suivent la date du bilan, donc « à moins d'un an ». Ils sont acquittés à même les flux de trésorerie provenant de l'exploitation et de moyens de financement temporaires à court terme, au besoin. Les dettes exigibles à moins d'un an s'inscrivent donc dans un processus continu ; l'investisseur n'a pas à en tenir compte lorsqu'il analyse la structure financière à long terme afin d'évaluer le risque financier couru. C'est pourquoi il est préférable de restreindre l'analyse aux formes de financement dont le caractère est permanent. Même si, en théorie, la dette à long terme n'est pas permanente, on sait que, en pratique, une entreprise qui acquiert des immobilisations au moyen d'emprunts à long terme renouvellera ceux-ci à l'échéance ou contractera de nouveaux emprunts au fil d'un processus récurrent.

Par ailleurs, rappelons que les éléments à court terme et à long terme du bilan remplissent des fonctions différentes. Ainsi, puisque la dette à long terme et les capitaux propres doivent protéger les titulaires de créances à court terme contre les risques inhérents à l'exploitation de l'entreprise, les créanciers ont intérêt à connaître la proportion des capitaux propres apportés par les titulaires de créances à long terme et par les actionnaires. Pour leur part, les titulaires de créances à long terme n'acceptent pas facilement d'assumer un niveau de risque supérieur à celui des actionnaires.

De ce fait, on utilisera le ratio d'endettement à long terme pour connaître l'importance relative de la dette à long terme par rapport au total de la dette à long terme et des capitaux propres. Ce calcul permet de déterminer dans quelle mesure le financement à long terme de l'entreprise provient de sources externes, c'est-à-dire des créanciers.

$$\frac{\text{Ratio d'endettement à long terme}}{\text{par rapport aux capitaux propres}} = \frac{\text{Dette à long terme}}{\text{Capitaux propres}}$$

Voyons le calcul de ce ratio pour Mega Bloks inc. :

|  | 2005 | 2004 |
|---|---|---|
| Ratio d'endettement à long terme de Mega Bloks inc. | $\dfrac{292\ 169\ \$}{220\ 016\ \$}$ | $\dfrac{24\ 009\ \$}{102\ 799\ \$}$ |
| = | 1,33 | 0,23 |

Comme on peut le constater, en 2005, la dette à long terme représente 133 % des capitaux propres de Mega Bloks inc., contre 23 % en 2004.

## C. LA COUVERTURE DU REMBOURSEMENT DU CAPITAL ET DES INTÉRÊTS

S'il est intéressant de connaître l'apport des créanciers, on s'accordera toutefois pour dire qu'il est également primordial de savoir si une entreprise est en mesure de payer les intérêts et les remboursements de capital qu'elle doit. Nous avons déjà vu qu'il était en quelque sorte possible de mesurer la marge garantissant le paiement des intérêts au moyen du ratio de couverture des intérêts. On doit admettre que ce ratio ne reflète toutefois qu'une partie de la réalité, car il ne tient pas compte des remboursements de capital exigés par le prêteur. Afin de combler cette omission, l'analyste penchera en faveur d'un autre ratio, soit le ratio de couverture des intérêts et des remboursements de capital, dont la formule est la suivante :

$$\text{Ratio de couverture des intérêts et du remboursement du capital} = \frac{\text{Bénéfice avant impôts + Intérêts}}{\text{Intérêts + [Remboursement de capital}^6 \ (1 \ / \ 1 - \text{Taux d'imposition}^7)]}$$

Appliquons maintenant cette formule à Mega Bloks inc. :

|  | 2005 | 2004 |
|---|---|---|
| Ratio de couverture des intérêts et des remboursements de capital de Mega Bloks inc. | $\dfrac{62\ 350\ \$}{21\ 822\ \$[8]}$ | $\dfrac{33\ 277\ \$}{2\ 090\ \$[9]}$ |
| = | 2,86 | 15,92 |

L'ajout des remboursements de capital aux facteurs déjà connus exige que la valeur des remboursements soit exprimée à l'aide d'une unité de mesure commune, en l'occurrence le dollar avant impôts. Or, les remboursements de dettes, non admissibles à une déduction du bénéfice imposable, s'effectuent à même le bénéfice résiduel (bénéfice après impôts), disponible une fois la facture fiscale acquittée. Conséquemment, chaque dollar versé aux créanciers oblige l'exploitation à produire un bénéfice qui soit suffisamment élevé pour que l'entreprise puisse s'acquitter de ses obligations envers les autorités fiscales.

### D. LE RENDEMENT DES CAPITAUX PROPRES

Dans notre analyse des moyens de financement, on doit également considérer les capitaux propres isolément. Le ratio de rendement des capitaux propres (ou rendement de l'avoir des actionnaires) met ainsi en relation le bénéfice net

---

6. Le montant de remboursement de capital se trouve sous le poste Dette à long terme échéant à moins d'un an, dans la section Passif à court terme du bilan.

7. Le taux d'imposition effectif est souvent indiqué dans les notes aux états financiers.

8. $10\ 264 + [8\ 784\ (1/1 - 0,24] = 21\ 822\ \$$.

9. $1\ 377 + [564\ (1/1 - 0,21)] = 2\ 090\ \$$.

produit au cours d'un exercice et les fonds investis par les actionnaires (les capitaux propres ou avoir des actionnaires) pour dégager ce bénéfice. Ce ratio mesure aussi la rentabilité générale de l'investissement des actionnaires pour une période donnée. (C'est pourquoi ce ratio est parfois appelé rendement du capital investi du point de vue de l'actionnaire.)

$$\text{Ratio de rendement des capitaux propres} = \frac{\text{Bénéfice net}}{\text{Capitaux propres}}$$

Comme nous l'avons fait précédemment, nous ferons ce calcul sur les capitaux propres moyens. Dans le cas de Mega Bloks, on peut calculer le rendement des capitaux propres de la façon suivante :

|  | | 2005 | 2004 |
|---|---|---|---|
| Ratio de rendement des capitaux propres de Mega Bloks inc. | | $\dfrac{39\ 608\ \$}{161\ 407\ \$}$ | $\dfrac{25\ 177\ \$}{89\ 647\ \$}$ |
|  | = | 0,24 | 0,28 |

Du point de vue de l'actionnaire, l'analyse des capitaux propres permet de faire ressortir les deux ratios que sont le rendement de l'actif (section 5.6.2) et l'effet de levier financier, calculés de la manière suivante :

| Ratio de rendement des capitaux propres | | Ratio de rendement de l'actif | | Ratio de levier financier |
|---|---|---|---|---|
|  | = | Ratio de rendement de l'actif | × | Ratio de levier financier |
|  | = | $\dfrac{\text{Bénéfice net}}{\text{Actif total}}$ | × | $\dfrac{\text{Actif total}}{\text{Capitaux propres}}$ |
| 2005 : 0,24 | = | 0,087 | × | 2,8 |
| 2004 : 0,28 | = | 0,144 | × | 1,95 |

Voyons maintenant le ratio de levier financier.

## E. LE LEVIER FINANCIER

Nous avons expliqué à la section 5.6.2 le ratio de rendement de l'actif, qui mesure la rentabilité globale de l'entreprise en établissant le rapport entre le bénéfice dégagé et les ressources disponibles. Nous insisterons ici sur le levier financier. Cet effet, toujours supérieur à 1, révèle deux choses : d'une part, la quantité d'actifs que possède l'entreprise par rapport à l'investissement des propriétaires ; d'autre part, l'incidence du recours au financement externe sur la rentabilité de l'entreprise.

Penchons-nous sur le rapport entre les actifs de l'entreprise et l'avoir des propriétaires (capitaux propres). Par exemple, le fait qu'une entreprise affiche un ratio de 2 signifie que les propriétaires financent la moitié de l'actif total de l'entreprise. L'autre moitié des actifs provient donc de sources de financement externes.

Dans le cas de Mega Bloks inc., le levier financier a été de 1,95 en 2004, contre 2,8 en 2005, ce qui signifie que les actionnaires finançaient approximativement la moitié de l'actif total de la société en 2004 et d'environ 36 %[10] en 2005.

$$\text{Levier financier} = \frac{\text{Actif total}}{\text{Capitaux propres}}$$

| | 2005 | 2004 |
|---|---|---|
| Ratio de levier financier de Mega Bloks inc. | $\dfrac{452\ 744\ \$}{161\ 407\ \$^{[11]}}$ | $\dfrac{174\ 856\ \$}{89\ 647\ \$^{[12]}}$ |
| = | 2,8 | 1,95 |

On voit que les actionnaires de la société bénéficient du fait que celle-ci finance une partie de ses actifs au moyen d'emprunts. Pourquoi en est-il ainsi ? C'est ici qu'entre en jeu le second volet de l'étude du levier financier : l'incidence du recours au financement externe sur la rentabilité de l'entreprise. Effectivement, on entend souvent parler d'effet de levier. Dans le *Dictionnaire de la comptabilité et de la gestion financière*, L. Ménard définit cette expression de la

---

10. 1 / 2,8

11. (220 016 $ + 102 799 $) / 2 = 161 407 $.

12. (102 799 $ + 76 494 $) / 2 = 89 647 $.

façon suivante : « Effet, sur le bénéfice et le rendement des actions, d'un financement par emprunt plutôt que par instruments de capitaux propres ou tout autre instrument dont le rendement est lié aux résultats[13]. »

Le ratio de rendement des capitaux propres est plus élevé que le ratio de rendement de l'actif (0,24 contre 0,087 en 2005), car Mega Bloks inc. a utilisé à bon escient son levier financier en empruntant à un taux d'intérêt inférieur au rendement qu'elle réussit par ailleurs à générer avec les fonds empruntés. Ainsi, le levier financier permet à Mega Bloks inc. d'avoir recours à l'emprunt pour accroître le rendement des actionnaires de la société. Analysons en détail cette constatation à l'aide du calcul du rendement brut de l'actif total.

## F. LE RENDEMENT BRUT DE L'ACTIF

La mesure de l'effet de levier permet de connaître l'incidence des dettes sur le bénéfice net. Cette notion exige le calcul du ratio de rendement brut de l'actif total. Ce rendement, fondé sur une hypothèse quasi impossible à concrétiser, est utile dans l'absolu pour comparer l'effet de levier financier réel à l'effet de levier présumé si la société n'avait contracté aucune dette dans le contexte économique actuel. Cette hypothèse suggère une absence totale de financement externe, effaçant du même coup l'élément de passif de l'identité fondamentale. L'actif net de l'entreprise (fonds ou capitaux propres) devient automatiquement synonyme d'actif total, puisque les capitaux empruntés sont inexistants.

Le calcul du rendement brut de l'actif total, qui repose, nous l'avons vu, sur l'hypothèse d'un financement exclusivement interne, prend tout son sens lorsqu'il est comparé avec le rendement global de l'entreprise, obtenu en calculant le ratio de rendement des capitaux propres. Le rendement brut de l'actif total s'obtient de la façon suivante :

$$\text{Ratio de rendement brut de l'actif total} = \frac{(\text{Bénéfice net} + \text{Intérêts} + \text{Impôts})\,(1 - \text{Taux d'imposition})}{\text{Actif total}}$$

Dans cette formule, on utilise le bénéfice net, auquel on ajoute les intérêts (inexistants selon l'hypothèse d'un endettement nul) et les impôts. Pour considérer l'aspect fiscal, on ajuste ensuite ce nouveau montant en le multipliant par (1 – taux d'imposition). Le résultat, correspondant au montant du bénéfice net qui aurait été obtenu sans apport externe, est finalement comparé à la valeur nette de l'entreprise, soit l'actif total revenant, pour l'occasion, aux actionnaires dans sa totalité.

---

13. Louis Ménard, *Dictionnaire de la comptabilité et de la gestion financière*, Toronto, ICCA, 2004.

L'entreprise bénéficie d'un effet de levier positif lorsque le ratio de rende-ment des capitaux propres excède le ratio de rendement brut de l'actif total ainsi calculé. Le financement actuel a donc un effet favorable sur la rentabilité, ce qui équivaut à « faire de l'argent avec l'argent des autres ». Il est inutile de s'attarder sur les effets bénéfiques d'un effet de levier positif à l'égard de la viabilité d'une entreprise. À l'inverse, la société aux prises avec un effet défavorable l'inter-prétera comme un signe avant-coureur de problèmes en matière de solvabilité. Combinée à une détérioration des ratios précédents, cette observation devrait déclencher un processus visant à redresser la situation, afin d'éviter que soit compromise la viabilité à long terme.

Pour Mega Bloks inc., le calcul du ratio de rendement brut de l'actif donne les résultats suivants :

|  | 2005 | 2004 |
|---|---|---|
| Ratio de rendement brut de l'actif total moyen de Mega Bloks inc. | $\dfrac{47\ 386\ \$[14]}{452\ 744\ \$}$ | $\dfrac{26\ 289\ \$[15]}{174\ 856\ \$}$ |
| = | 0,105 | 0,15 |

Le ratio de rendement des capitaux propres – qui est de 0,24 et 0,28 respec-tivement, pour les années 2005 et 2004 – étant supérieur au ratio de rendement brut de l'actif total de 0,105 et de 0,15, il est possible de conclure que Mega Bloks inc. bénéficie d'un effet de levier positif, puisque le fait de financer une partie de ses actifs par des dettes rapporte davantage aux actionnaires.

## G. LE BÉNÉFICE PAR ACTION

Une mesure du rendement complémentaire du point de vue de l'actionnaire est le bénéfice par action (aussi appelé « résultat par action »). Ce ratio est le seul dont le calcul fasse l'objet de normes précises. Il est par ailleurs obligatoire de le présenter dans les états financiers de sociétés publiques comme nous l'avons décrit au chapitre 2.

Le bénéfice par action s'exprime par le rapport suivant :

$$\text{Bénéfice par action} = \frac{\text{Bénéfice net – Dividendes sur les actions autres qu'ordinaires}}{\text{Nombre d'actions ordinaires en circulation}}$$

14. (39 608 \$ + 10 264 \$ + 12 478 \$) (1 – 0,24) = 47 386 \$.
15. (25 177 \$ + 1 377 \$ + 6 733 \$) (1 – 0,21) = 26 289 \$.

Ce calcul n'est pertinent que pour les actions auxquelles est rattaché le droit de participer sans restriction au bénéfice de la société.

## H. LE RATIO COURS/BÉNÉFICE

Ce ratio sert surtout aux personnes s'intéressant au comportement du marché boursier :

$$\text{Ratio Cours / Bénéfice} = \frac{\text{Cours des actions ordinaires}}{\text{Bénéfice par action}}$$

Ce ratio indique l'évaluation boursière d'un placement dans des actions par rapport au bénéfice. Par exemple, un ratio de 12 signifie que l'investisseur est prêt à payer 12 fois le bénéfice par action annuel. Si on fait abstraction de l'aspect spéculatif, cela sous-entend également que l'investisseur consent à attendre 12 ans pour récupérer son capital ; le ratio ne tient pas compte non plus du rendement annuel que l'investisseur exige de son placement.

## I. LA ROTATION DE COUVERTURE DES DIVIDENDES

Par ailleurs, l'actionnaire s'intéresse à la distribution des dividendes, c'est-à-dire à leur paiement réel. On parle alors de couverture des dividendes, comme dans le cas des intérêts sur la dette. Le ratio de couverture des dividendes s'exprime de la façon suivante :

$$\text{Ratio de couverture des dividendes} = \frac{\text{Bénéfice net}}{\text{Dividendes}}$$

Dans le cas de Mega Bloks inc., il est impossible de calculer le ratio de couverture des dividendes puisque la société n'a pas distribué de dividendes.

## 5.6.4 L'analyse des flux de trésorerie

Au cours des dernières années, des ratios complémentaires aux ratios précédents sont venus s'ajouter à la palette de l'analyste. Il s'agit des ratios obtenus à partir de l'information apparaissant à l'état des flux de trésorerie dont nous avons décrit le contenu au chapitre 4. Dans ce qui suit, nous en présentons deux.

## A. FLUX DE TRÉSORERIE ET VENTES

La relation suggérée ici est d'établir un rapport entre le niveau d'activité, représenté par les ventes, et les flux de trésorerie qui en résultent. Autrement dit, l'augmentation (ou la réduction) du niveau d'activité génère-t-elle un effet positif sur les flux de trésorerie ? Et pour un concurrent : celle-ci génère-t-elle un niveau semblable de flux de trésorerie pour un niveau identique de ventes ? Nous aurons le ratio suivant :

> **Flux de trésorerie provenant de l'exploitation/ventes**

Pour Mega Bloks inc., le calcul de ce ratio donne les résultats suivants :

| | 2005 | 2004 |
|---|---|---|
| Ratio de flux de trésorerie provenant de l'exploitation / ventes Mega Bloks inc. | 25 041 $ / 407 032 $ | 21 293 $ / 234 581 $ |
| = | 0,06 | 0,09 |

## B. FLUX DE TRÉSORERIE ET INVESTISSEMENTS (ACTIF)

Il se peut que l'analyste soit intéressé à connaître non seulement le niveau de ventes générées par les actifs, mais aussi l'ampleur des flux de trésorerie entraînés par cet investissement. Il s'agit alors d'une variante du ratio du rendement de l'actif exprimé en flux monétaires :

> **Flux de trésorerie provenant de l'exploitation/actifs moyens**

Pour Mega Bloks inc., le calcul de ce ratio donne les résultats suivants :

| | 2005 | 2004 |
|---|---|---|
| Ratio de flux de trésorerie provenant de l'exploitation / actifs moyens de Mega Bloks inc. | 25 041 $ / 452 744 $ | 21 293 $ / 174 856 $ |
| = | 0,06 | 0,12 |

## 5.6.5 La synthèse des ratios

À la suite de la présentation des différents ratios, il convient maintenant de dégager un certain nombre de constats que nous présenterons en regroupant *certains* de ces ratios selon qu'ils concernent l'évolution des données, la structure du bilan, la structure de financement, la rentabilité et le rendement, la gestion de l'exploitation et finalement les liquidités. Pour ce faire, nous utiliserons certains éléments de la démarche paraissant au tableau 5-2. Dans les pages qui suivent, nous ferons une lecture horizontale de ce tableau, complémentaire de l'approche verticale que nous avons utilisée dans la présentation des ratios du présent chapitre.

L'étudiant qui le désire pourrait entreprendre la même démarche en utilisant les données d'un concurrent et comparer le résultat avec celui de Mega Bloks. L'utilisation d'une base de données serait aussi appropriée. Les informations publiées par la compagnie ainsi que l'information financière publique pourraient venir compléter cette présentation.

### A. ÉVOLUTION DES DONNÉES DE MEGA BLOKS :

La comparaison des données de 2004 à 2005 montre une augmentation substantielle des activités. En effet, on note que l'actif a été multiplié par 3,9 (de 184,9 M$ à 720,5 M$), les passifs par 6,1 (de 82,2 M$ à 500,5 M$) les produits d'exploitation par 1,7 (de 234,6M$ à 407,0 M$) et le bénéfice net par 1,6 (de 25,2 M$ à 39,6 M$).

### B. LA STRUCTURE DU BILAN

Alors qu'en 2004, l'actif était composé de 81,6 % d'actifs à court terme, il n'en comprend plus maintenant que 41,2 %. De même, il n'y avait aucune inscription d'actifs incorporels et d'écarts d'acquisition en 2004, ceux-ci représentant 52,6 % des actifs totaux en 2005.

Quant aux passifs et aux capitaux propres, on remarque qu'ils sont maintenant composés à 27,2 % de passifs à court terme (26 % en 2004), 40,6 % de dette à long terme (13 % en 2004), 32,2 % de capital-actions (83,5 % en 2004) et d'un déficit accumulé de 1,7 % (28, 3 % en 2004).

Pour mettre en perspective ces changements, il faut se reporter à l'acquisition de Rose Art Industries, effectuée le 26 juillet 2005.

Cette acquisition a eu l'effet suivant (en milliers de dollars) sur les postes du bilan à la date d'acquisition. (Voir la note 14 des états financiers.)

| | Montant | % du prix payé |
|---|---|---|
| Actifs | | |
| Fonds de roulement acquis (hors caisse) | 21 388 $ | 5,4 % |
| Trésorerie et équivalents de trésorerie acquis | 7 933 $ | 2,0 % |
| Immobilisation | 6 979 $ | 1,8 % |
| Actifs d'impôts futurs | 16 013 $ | 4,1 % |
| Actifs incorporels | 71 000 $ | 18,0 % |
| Écart d'acquisition | 306 973 $ | 78,0 % |
| Total actifs | 430 286 $ | |
| Dette à long terme | (36 655) $ | (9,3 %) |
| Actifs nets acquis | 393 631 $ | 100,0 % |

Cette acquisition s'est également répercutée sur la dette et les flux de trésorerie : la transaction a été financée par des facilités de crédit de 300 000 $[16] (flux de trésorerie relié au financement.) (Voir la note 14 et l'état des flux de trésorerie.)

Cette acquisition a également eu un effet de 291 623 $ sur les flux de trésorerie reliés aux investissements et a entraîné l'augmentation du passif à court terme de 74 075 $ et l'émission de capital-actions pour 20 000 $. (État des flux de trésorerie, bilan et note 12).

## C. LA STRUCTURE DE FINANCEMENT

Comme nous l'avons souligné précédemment, la structure de partage de risques entre capitaux internes et externes a connu de profondes modifications en 2005. En effet, la structure de financement de Mega Bloks s'est transformée, principalement par l'augmentation des passifs à court terme (de 48,1 M$ à 195,6 M$), de la dette à long terme (de 24,0 M$ à 292,2 M$) et du capital-actions (de 154,4 M$ à 231,6 M$). Alors que la compagnie présentait très peu de dettes à long terme, avec un ratio d'endettement de 0,23 (2004), Mega Bloks est passée à un ratio d'endettement de 1,33 (2005).

Ce changement aura des répercussions sur les frais financiers, sur la couverture des intérêts et sur l'effet de levier. De même, l'acquisition d'actifs qui en a résulté aura des conséquences sur le niveau d'activité (ventes, frais d'exploitation et rentabilité). Examinons d'abord les principaux indicateurs de rentabilité et de rendement.

---

16. Ainsi que des facilités de crédit de 100 000 $ alloués à des fins de fonds de roulement.

## D. RENTABILITÉ ET RENDEMENT

La performance[17] de l'entité en matière de marge bénéficiaire, de rendement de l'actif (investissement) et de capitaux propres se traduit de la manière suivante :

|  | 2005 | 2004 |
|---|---|---|
| Marge bénéficiaire | 9,7 % | 10,7 % |
| Rendement de l'actif moyen | 8,7 % | 14,4 % |
| Rendement des capitaux propres moyen | 24,5 % | 28,1 % |
| Bénéfice par action | 1,35 | 0,93 |

Afin de cerner une interprétation des variations de ces indicateurs, poursuivons l'analyse en examinant des ratios reliés à la gestion de l'exploitation auxquels s'ajouteront des explications permettant de mettre ces données en perspective.

## E. GESTION

Entamons cette analyse en examinant les changements survenus aux résultats, en examinant d'abord ses composantes :

| Exercices | 2005 | 2004 |
|---|---|---|
| **Produits d'exploitation nets** | 100 % | 100 % |
| Coût des produits vendus | 54,1 % | 54,8 % |
| **Marge brute** | 45,9 % | 45,2 % |
| Frais de marketing, de recherche et développement et de publicité | 12,4 % | 14,2 % |
| Autres frais de vente, de distribution et administratifs | 18,2 % | 14,5 % |
| Éléments inhabituels | – | -2,3 % |
| **Bénéfice d'exploitation** | 15,3 % | 14,2 % |
| Frais d'intérêt | 2,5 % | 0,6 % |
| **Bénéfice avant impôts sur les bénéfices** | 12,8 % | 13,6 % |
| Impôts sur les bénéfices | 3,1 % | 2,9 % |
| **Bénéfice net** | 9,7 % | 10,7 % |

17. Comme l'année 2005 a été marquée par l'acquisition de Rose Art, il s'ensuit une variation importante dans les données. Afin de réduire une distorsion possible, nous avons opté pour un calcul basé sur la moyenne des capitaux et des actifs entre le début et la fin d'année. Il aurait été possible de choisir d'autres bases d'ajustements, dans la mesure où ces données auraient été disponibles, l'important ici étant de disposer d'une base de calcul constante et significative.

Nous pouvons constater :

■ Une augmentation de 0,3 % de la **marge brute.**

■ Une hausse du **bénéfice d'exploitation**, qui passe de 14,2 % à 15,3 %. Cette augmentation provient de l'effet combiné d'une baisse des frais de marketing, de recherche et de développement et de publicité (de 14,2 % à 12,4 %), et d'une augmentation des autres frais de vente, de distribution et administratifs (de 14,5 % à 18,2 %), alors que l'entité avait classé un élément inhabituel dans ses charges en 2004 pour un montant représentant 2,3 % des ventes.

■ Une réduction du **bénéfice avant impôt** (de 13,6 % à 12,8 %), reliée à l'augmentation des frais d'intérêt passant de 0,6 % des ventes à 2,5 % des ventes, ce qui est cohérent avec les éléments de la dette que nous avons identifiés préalablement.

■ Finalement, l'effet fiscal de la charge d'impôt fait passer le **bénéfice net** de 10,7 % à 9,7 %.

À partir de ces données, considérons maintenant l'effet de la rotation de l'actif, ce qui permet de faire le lien entre ventes, actif et bénéfice net :

■ L'analyse du ratio de rotation de l'actif permet d'observer une diminution de ce ratio, ce qui signifie que l'entreprise génère moins de ventes par dollar investi en actif. De 1,34 par dollar d'actif en 2004, ce ratio passe à 0,89, Ainsi, chaque dollar d'actif produit moins de ventes, lesquelles génèrent moins de bénéfice par dollar de vente (la marge de bénéfice net passe de 10,7 % à 9,7 %), entraînant une diminution de 14,4 % à 8,7 % du rendement sur l'actif.

■ Toutefois, l'augmentation de l'actif y est pour beaucoup dans cette diminution du ratio. En effet, un écart d'acquisition d'environ 300 M$ vient s'ajouter aux actifs, en raison de l'acquisition de Rose Art. Par conséquent, il faut interpréter ce ratio avec beaucoup de prudence puisque l'écart d'acquisition est surtout relié à l'espérance de gain (bénéfice) que Mega Bloks anticipe par suite de l'acquisition de Rose Art.

Il importe de faire ressortir également la rentabilité par rapport aux actionnaires :

■ En effet, ceux-ci voient leur rendement moyen sur les capitaux propres demeurer à un niveau supérieur à 20 % (24,5 % en 2005 et 28,1 % en 2004). Il faut toutefois souligner que ce ratio est calculé compte tenu du surplus d'apport et du déficit accumulé. Si ce calcul était effectué uniquement sur le capital-actions, en excluant surplus et déficit accumulé, nous obtiendrions un taux de rendement du capital-actions moyen de 20,5 % en 2005 et de 16,3 % en 2004.

■ L'effet de levier s'avère également positif, par comparaison avec le rendement brut de l'actif moyen et le rendement moyen des capitaux propres. Cela signifie que le financement par emprunt exerce un effet positif sur le rendement des actionnaires :

| | 2005 | 2004 |
|---|---|---|
| Rendement brut de l'actif moyen | 10,5 % | 15,0 % |
| Rendement moyen des capitaux propres | 24,5 % | 28,1 % |
| Effet de levier | positif | positif |

## F. LES LIQUIDITÉS

À ces constats que nous venons de faire, ajoutons la gestion des liquidités et des indicateurs de solvabilité à court terme. Pour ce faire, nous examinerons les ratios suivants :

| | 2005 | 2004 |
|---|---|---|
| Fonds de roulement | 1,52 | 3,1 |
| Liquidité | 0,99 | 2,45 |
| Flux de trésorerie reliés à l'exploitation par dollar de vente | 0,06 | 0,09 |
| Délais de perception des comptes clients | 150 jours | 158 jours |
| Rotation des stocks | 85 jours | 51 jours |

En plus des éléments d'analyse précédents, il ressort de ce tableau que Mega Bloks affiche ici un fonds de roulement positif, quoiqu'en baisse par rapport à celui de 2004. De même, le délai de perception de comptes clients semble s'améliorer, alors que la rotation des stocks s'allonge et que les flux de trésorerie reliés à l'exploitation par dollar de vente diminuent. Ce constat amène cependant un certain nombre de commentaires ou de questions importantes :

■ Une première question se rapporte aux répercussions de l'acquisition de Rose Art. En 2005, les résultats de cette filiale n'ont été intégrés qu'à partir du 26 juillet 2005, alors que les soldes du bilan y paraissent entièrement en fin d'exercice. Il se peut que le calcul du délai de perception des comptes clients ainsi que la rotation des stocks, sur les chiffres du bilan, s'en trouve par conséquent affecté.

■ La composition des éléments du fonds de roulement influe aussi sur le calcul des ratios. Ainsi, les éléments du passif à court terme comprennent maintenant une contrepartie additionnelle liée aux acquisitions et la tranche à court terme de la dette à long terme, reliée elle aussi à cette opération.

■ Finalement, le contenu de chacun de ces postes peut aussi affecter les ratios. C'est le cas du type de clients formant le solde du poste Débiteurs, tout comme le type de fournisseurs formant le solde du comte Créditeurs.

On le constate, le calcul de ces différents ratios permet de jeter un éclairage différent sur les états financiers. Il nous amène à discerner à la fois des indicateurs qui pourront être comparés à d'autres entités, mais aussi à établir des variations dans les données financières susceptibles d'aider l'analyste à se faire une opinion sur l'entité et à déceler des questions susceptibles d'être soulevées.

## 5.7 L'INCERTITUDE INHÉRENTE À LA PRÉSENTATION DES ÉTATS FINANCIERS

### 5.7.1 Les limites de l'analyse

La liste des ratios mentionnés tout au long de ce chapitre est loin d'être exhaustive. Il est possible de calculer d'autres ratios et de les interpréter en fonction des activités de l'entité et de son secteur d'activité.

À la lumière des pages qui précèdent, il ne serait pas surprenant que, devant l'étude de l'analyse des états financiers, le lecteur manifeste une certaine appréhension, voire de la déception. Les attentes sont nombreuses et légitimes, sans aucun doute, mais il est impossible de les satisfaire. En effet, on doit utiliser toutes ces données en tenant compte de l'incertitude, un facteur qui caractérise plusieurs de ces données, et, de plus, faire appel au jugement pour les interpréter. L'obligation de recourir à des aspects qualitatifs complémentaires fait en sorte que l'analyse des ratios n'est pas nécessairement une recette infaillible. De plus, les limites inhérentes à la nature même des états financiers confirment cette remarque.

### 5.7.2 Les limites inhérentes aux états financiers

Il est nécessaire d'adapter la démarche d'analyse que nous proposons aux caractéristiques des entreprises et à leur contexte, et de tenir compte des objectifs de l'analyste. Toutefois, comme ce modèle utilise des données provenant largement des états financiers, il faudra tenir compte des limites qui les caractérisent, et qui relèvent d'éléments comme la terminologie, le classement et le regroupement, la mesure du poste, le choix des conventions comptables, etc.

## A. LA TERMINOLOGIE

La latitude laissée en matière de préparation et de présentation des états financiers entraîne inévitablement des différences relativement à la terminologie employée. Bien que l'on tende à standardiser le vocabulaire, il arrive que des expressions différentes soient utilisées pour désigner une même réalité.

## B. LE CLASSEMENT ET LE REGROUPEMENT

On doit prêter une attention particulière au classement employé pour présenter les données financières. Les préparateurs d'états financiers font généralement preuve d'une relative uniformité à cet égard. Toutefois, les normes comptables étant souvent muettes sur la question, il arrive que des entreprises d'un même secteur optent pour un classement « personnalisé ».

En conséquence, même en présence de conventions comptables identiques, la ventilation des postes dans les états financiers risque de nuire aux comparaisons lorsque les divergences portent sur des sommes importantes. Cet aspect touche surtout l'état des résultats, notamment le poste Frais d'exploitation, qui comporte un grand nombre de charges.

Quant au problème de regroupement, il est lié à l'usage du concept de l'importance relative tout au long du processus comptable. Ce concept, fondé sur le jugement, sert à éviter toute surcharge des états financiers par des éléments secondaires. De ce fait, un poste jugé mineur est regroupé avec d'autres postes de même nature. Le lecteur, tout en étant averti de ce point, n'est généralement pas en mesure d'en connaître les modalités d'application.

## C. LES AJUSTEMENTS APPORTÉS AU BÉNÉFICE

La présence de redressements concernant les exercices antérieurs ainsi que d'éléments extraordinaires ou d'activités abandonnées dans les états financiers exige une attention particulière de la part du lecteur, car elle faussera, si on l'ignore, la comparaison avec les résultats d'exercices antérieurs ou ceux d'autres sociétés. Cet aspect non négligeable conduit parfois à des ajustements permettant d'obtenir une mesure « normalisée » du bénéfice, c'est-à-dire une mesure représentative des activités normales.

## D. L'INFLATION ET LES « VALEURS MARCHANDES »

Les fluctuations du pouvoir d'achat constituent un intérêt non négligeable dans le contexte économique de l'entreprise. De ce fait, les données à caractère historique qui composent les états financiers sont sujettes à caution dans un cadre temporel. L'utilisateur des rapports comptables en tiendra compte pour établir des prévisions ou des projections, aussi bien que pour dégager des tendances ou effectuer des comparaisons.

Ainsi, la comptabilité au coût d'origine suppose que certains éléments d'actif, principalement les immobilisations corporelles, soient enregistrés à un montant qui s'éloigne en général de leur valeur marchande. Une connaissance approfondie de l'entreprise observée devient alors un atout.

## E. LES CONVENTIONS COMPTABLES

Avant même de procéder à une analyse en profondeur des états financiers d'une entreprise, on doit se pencher sur les conventions comptables en vigueur. Elles sont indiquées par voie de notes et comportent parfois des renvois aux postes auxquels elles se rapportent. Malgré l'uniformité, de mise pour des entreprises exploitées dans un même secteur d'activité, il est toujours possible qu'une société fasse exception à la règle. Par conséquent, la comparaison entre des entreprises, ou avec les normes d'un secteur donné, n'est valide que si l'on s'assure au préalable de l'homogénéité des pratiques comptables appliquées.

L'interprétation des conventions comptables constitue un autre problème. Une compréhension différente conduit à présenter ou à omettre certains postes, ce qui peut modifier ou même fausser le jugement de l'analyste. Ainsi, dans le cas de contrats de location, on pourra constater ce qu'il est convenu d'appeler un « financement hors bilan », parce que l'entreprise comptabilisera une opération comme une location pure et simple, alors qu'une autre considérera cette opération comme une acquisition, avec un passif relatif à la somme impayée. (Voir le chapitre 2.)

## F. LA NATURE DES ÉTATS FINANCIERS

Bien qu'ils donnent parfois l'impression d'être complets et précis, les états financiers ne le sont pas toujours autant qu'on pense. En effet, les montants y figurent en chiffres, mais il appartient au lecteur de faire la part des choses, de faire intervenir sa subjectivité.

De plus, comme nous l'avons indiqué à propos de l'inflation, les postes sont exprimés en dollars de différentes périodes. Il faut également noter que les états financiers n'enregistrent pas certains éléments qui ont une valeur difficilement quantifiable. Songeons, par exemple, au capital humain, à la clientèle, à la qualité de la gestion, etc.

Une autre caractéristique des états financiers relève du fait que leur précision n'est pas absolue. Ils comportent une marge d'erreur raisonnable, tant en raison du facteur de l'importance relative, déjà évoqué, que de la combinaison de faits et de jugements à laquelle ils font appel.

- Les faits se rapportent aux postes qui peuvent être mesurés.

- Les jugements peuvent faire varier les résultats et la situation de l'entreprise. Citons, par exemple, l'évaluation des stocks, la politique d'amortissement des immobilisations et le calcul de la provision pour créances irrécouvrables.

On peut se demander s'il est sage d'utiliser les états financiers pour porter un jugement éclairé. Nous croyons que la réponse est affirmative, à condition de prendre certaines précautions, notamment prendre connaissance du contexte et connaître les limites de l'information financière ainsi que l'influence d'autres éléments dans la formation du jugement de l'analyste. De plus, il ne faut pas uniquement s'arrêter aux montants absolus, mais aussi s'intéresser aux taux et aux tendances, et ne comparer que des éléments qui sont en relation. Enfin, le milieu des affaires est en constante évolution et devient de plus en plus complexe. Il est donc indispensable de se tenir informé des grands sujets susceptibles d'influer sur les normes comptables.

# Le didacticiel DÉFI

(**D**idacticiel d'apprentissage des **É**tats
**F**inanciers avec **I**nteractivité)

Le didacticiel *DÉFI* a été conçu pour transmettre, de concert avec le présent manuel, les connaissances de base nécessaires à la compréhension des états financiers. Il est organisé en deux sections principales. L'une présente les notions comptables de base, dont les états financiers et l'identité fondamentale. L'autre porte sur la définition, la mesure et la présentation des postes et renferme une série de problèmes interactifs permettant de vérifier et de consolider les apprentissages.

Nous décrivons ci-après chacune de ces sections ainsi que les principaux écrans d'accès.

## PAGE D'OUVERTURE (ÉCRAN N° 1[1])

Le didacticiel s'ouvre automatiquement sur l'écran n° 1, qui contient quatre bulles. Il se peut qu'un logiciel de traitement soit nécessaire; dans ce cas, il s'installera automatiquement.

La bulle « Utilisation du didacticiel » donne accès à une description du contenu du didacticiel ainsi qu'à un site Web de FAQ (foire aux questions) permettant de résoudre les problèmes les plus courants.

La bulle « Réalisation » présente les principaux collaborateurs du didacticiel.

Les deux autres bulles renvoient aux deux grandes sections, intitulées « Structure et principes des états financiers » et « Étude des postes des états financiers ». En voici la description.

---

1. Les écrans se trouvent à la suite de ce texte.

## STRUCTURE ET PRINCIPES DES ÉTATS FINANCIERS (ÉCRAN N⁰ 2)

Cette section débute avec une description des différents états financiers, soit le bilan, l'état des résultats et du résultat étendu, l'état des bénéfices non répartis et l'état des flux de trésorerie. Ensuite, l'onglet PCGR énumère et définit les concepts sur lesquels reposent les états financiers. Enfin, on présente l'identité fondamentale servant de base aux mécanismes d'enregistrement des données.

Le menu qui se trouve au haut de l'écran donne accès à chacune des sous-sections, c'est-à-dire les principales composantes des états financiers, qui correspondent à celles du manuel. L'écran n⁰ 2 donne des indications techniques sur la façon de naviguer à travers le CD-ROM.

## ÉTUDE DES POSTES DES ÉTATS FINANCIERS (ÉCRANS N⁰ˢ 3 ET 4)

Cette section, qui va de pair avec le chapitre 2 du manuel, est de loin la plus importante du didacticiel. Pour chacun des postes importants du bilan et de l'état des résultats, elle présente quatre aspects, qui correspondent aux quatre boutons qui se trouvent dans le haut de l'écran : Définition, Mesure, Présentation et Problèmes.

La marche à suivre pour l'utilisation de cette section apparaît en commentaire à l'écran n⁰ 3.

Voici un exemple de structure d'un poste, celui de l'Encaisse :

- Définition
- Mesure
  - Opérations d'encaissement
  - Opérations de décaissement
  - Solde
- Présentation
- Problèmes
  - Opérations d'encaissement
    - Ventes au comptant
    - Obtention d'un emprunt
  - Opérations de décaissement
    - Achats au comptant
    - Paiement de dépenses
  - Solde

On peut passer des postes du bilan à ceux de l'état des résultats en cliquant sur «Bilan» ou «É/R» (écran n° 4). Pour naviguer à travers cette section, on clique sur les liens en surimpression (voir plus loin, la section «Navigateur»).

Pour approfondir ses connaissances, on peut à chacun des postes accéder à des exemples commentés en cliquant sur «Exemples», dans le menu de «Mesure».

## PROBLÈMES (ÉCRAN N° 5)

Nous conseillons de résoudre des problèmes pour chacun des postes étudiés. En effet, les problèmes contribuent à faire mieux comprendre les différentes notions et à développer les compétences quant aux mécanismes d'enregistrement des données financières. Généralement, cette section présente différentes situations à l'égard d'un même poste. Les problèmes sont interactifs, c'est-à-dire qu'ils sont corrigés immédiatement par le logiciel. Pour faire apparaître la marche à suivre, qui est reproduite à l'écran n° 5, il faut cliquer sur le ? au bas de l'écran. La résolution des problèmes s'accompagne d'un carnet de bord.

## CARNET DE BORD (ÉCRAN N° 6)

Le bouton «Carnet de bord» est situé en haut de l'écran, à gauche, et la marche à suivre apparaît en haut de l'écran n° 6. Le carnet de bord permet à l'utilisateur de suivre l'évolution de ses apprentissages. Lorsque la réponse à un problème est fausse, un message indique qu'il faut reprendre le travail. Les tentatives sont enregistrées dans le carnet de bord, et elles servent d'auto-évaluation. Si l'utilisateur consulte la solution avant de la trouver lui-même (ce qui est déconseillé), un astérisque apparaît dans la colonne «Réussi»; il pourra retourner au problème au besoin.

Ce carnet de bord sert également de bulletin personnel quant au nombre de points obtenus. L'utilisateur pourra à tout moment remettre ce bulletin à zéro en cliquant sur «Réinitialiser», et recommencer.

## NAVIGATEUR (ÉCRAN N° 7)

Le navigateur est l'équivalent d'une table des matières. Sa structure permet de trouver rapidement le type d'information recherché. Il est possible de naviguer à travers le CD-ROM en se reportant constamment à cette section. Le bouton «Navigateur» apparaît en haut de l'écran à gauche.

**ÉCRAN Nº 1**

Le CD-ROM comprend deux sections principales.

L'une a trait à une description des concepts de base comprenant les états financiers, les PCGR et l'identité fondamentale.

L'autre traite de la définition, de la mesure et de la présentation des postes. Pour chacun des postes, des problèmes interactifs complètent l'apprentissage.

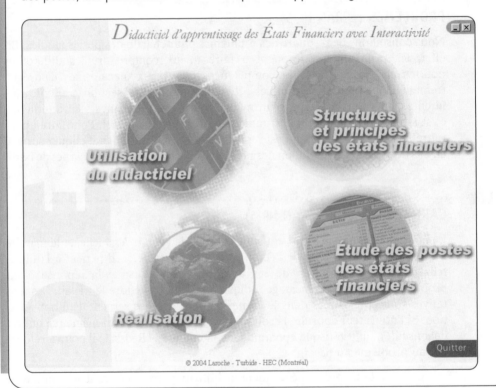

ÉCRAN Nº 2 : Structure et principes des états financiers

Un clic sur le titre,
et les sous-sections apparaissent.

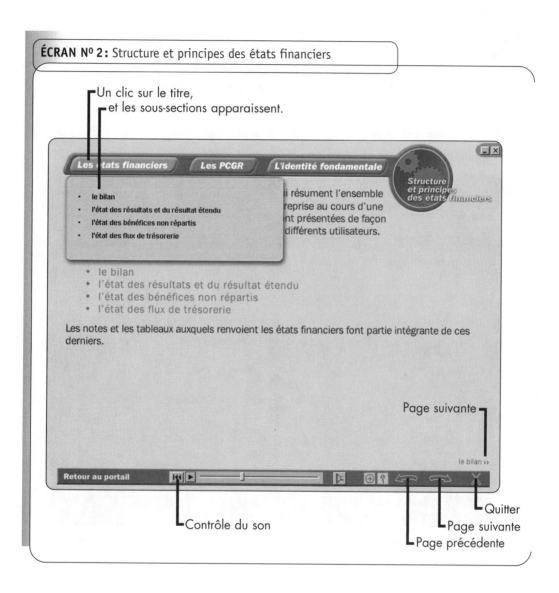

Page suivante

Contrôle du son

Quitter

Page suivante

Page précédente

**ÉCRAN Nº 3 :** Étude des postes des états financiers

Pour accéder au contenu de Définition, Mesure, Présentation et Problèmes :

■ Choisir un poste en cliquant une fois dessus.

■ Choisir une section en cliquant sur Définition, Mesure, Présentation ou Problèmes.

■ Pour choisir un autre poste, revenir à l'écran d'accès et le sélectionner.

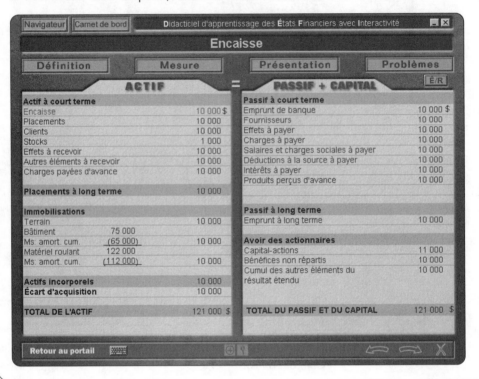

| Navigateur | Carnet de bord | Didacticiel d'apprentissage des États Financiers avec Interactivité | _ □ x |
|---|---|---|---|

**Encaisse**

| Définition | Mesure | Présentation | Problèmes |
|---|---|---|---|

**ACTIF** = **PASSIF + CAPITAL**    É/R

| Actif à court terme | | Passif à court terme | |
|---|---|---|---|
| Encaisse | 10 000 $ | Emprunt de banque | 10 000 $ |
| Placements | 10 000 | Fournisseurs | 10 000 |
| Clients | 10 000 | Effets à payer | 10 000 |
| Stocks | 1 000 | Charges à payer | 10 000 |
| Effets à recevoir | 10 000 | Salaires et charges sociales à payer | 10 000 |
| Autres éléments à recevoir | 10 000 | Déductions à la source à payer | 10 000 |
| Charges payées d'avance | 10 000 | Intérêts à payer | 10 000 |
| | | Produits perçus d'avance | 10 000 |
| **Placements à long terme** | 10 000 | | |
| | | **Passif à long terme** | |
| **Immobilisations** | | Emprunt à long terme | 10 000 |
| Terrain | 10 000 | | |
| Bâtiment | 75 000 | **Avoir des actionnaires** | |
| Ms: amort. cum. (65 000) | 10 000 | Capital-actions | 11 000 |
| Matériel roulant | 122 000 | Bénéfices non répartis | 10 000 |
| Ms: amort. cum. (112 000) | 10 000 | Cumul des autres éléments du | 10 000 |
| | | résultat étendu | |
| **Actifs incorporels** | 10 000 | | |
| **Écart d'acquisition** | 10 000 | | |
| | | | |
| **TOTAL DE L'ACTIF** | 121 000 $ | **TOTAL DU PASSIF ET DU CAPITAL** | 121 000 $ |

Retour au portail

**ÉCRAN Nº 4:** Étude des postes des états financiers (suite)

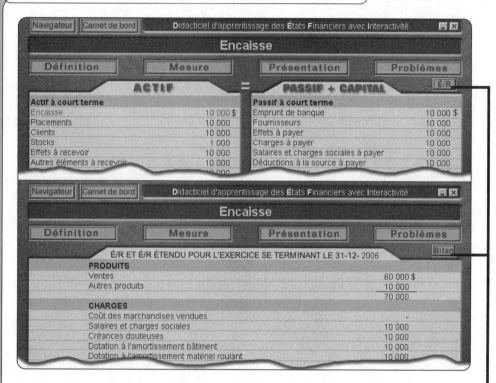

Ces deux boutons permettent de passer du bilan à l'état des résultats pour choisir un poste.

Certains postes sont parfois regroupés; un message apparaît alors pour guider le lecteur.

**ÉCRAN Nº 5:** Problèmes

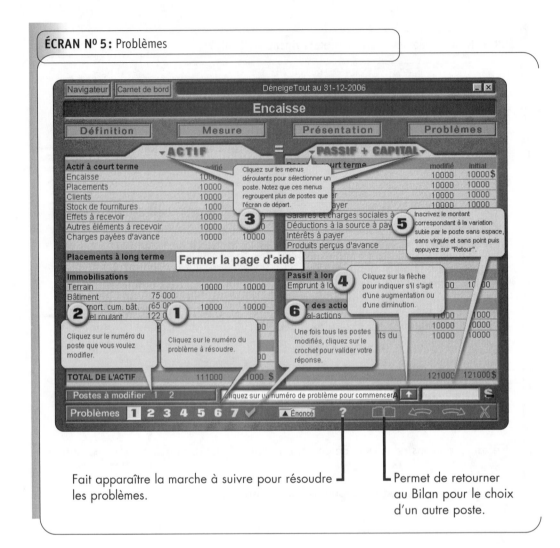

Fait apparaître la marche à suivre pour résoudre les problèmes.

Permet de retourner au Bilan pour le choix d'un autre poste.

**ÉCRAN Nº 6:** Carnet de bord

Le carnet de bord permet à l'utilisateur de suivre son cheminement dans la résolution des problèmes. Il lui indique exactement quels problèmes il a été capable de résoudre et ceux pour lesquels il aurait intérêt à déployer des efforts. C'est donc un outil d'auto-apprentissage.

Un accumulateur de points enregistre le nombre de problèmes résolus avec succès. La pondération des points est fonction du nombre d'essais effectués pour résoudre un problème: 1 essai: 3 points — 2 essais: 2 points — 3 essais et plus: 1 point.

Naturellement, si l'utilisateur va voir la solution avant de trouver la bonne réponse, aucun point n'est alloué. Dans la colonne Réussi, un Oui* (avec un astérisque) apparaît alors.

Au bas du carnet de bord, un total indique la somme des points accumulés.

Un clic sur le bouton Réinitialiser efface le pointage et remet le carnet de bord à zéro.

Le carnet de bord peut aussi être utilisé comme navigateur pour la résolution des problèmes: l'utilisateur n'a qu'à cliquer sur la ligne du problème qu'il désire résoudre.

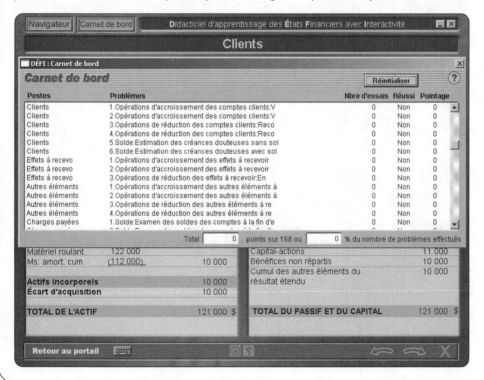

**ÉCRAN Nº 7 :** Navigateur pédagogique

Le navigateur contient une table des matières détaillée de toutes les notions étudiées dans le manuel. Grâce à cette table des matières, le didacticiel peut répondre aux besoins particuliers de l'utilisateur en lui offrant la possibilité de choisir les notions qu'il désire et d'y accéder directement.

Un clic sur l'un des postes de la liste située à gauche fera apparaître les rubriques portant sur la définition, la mesure, la présentation ainsi que les problèmes associés.

Aussi, l'un des termes Actif, Passif ou Capital dans l'équation fondamentale est mis en évidence pour indiquer à quelle catégorie appartient le poste.

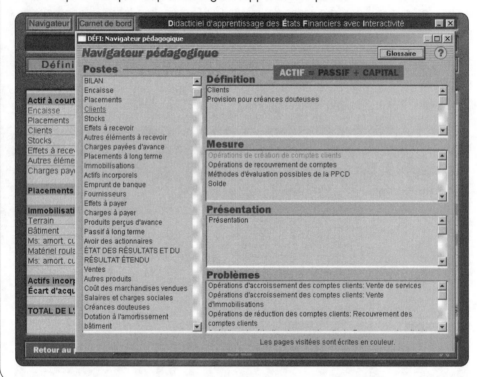

# L'application de l'identité fondamentale : les débits et les crédits

**O**n établit les états financiers à partir des renseignements consignés dans les registres comptables de l'entreprise, en particulier dans le « grand livre général », lequel contient les soldes de chacun des actifs, des passifs et des capitaux propres, ainsi que le total des produits et celui des charges. Pour toute opération, on doit enregistrer l'augmentation ou la diminution de chacun des éléments de bilan ou de résultats qui a été touché. Comment faut-il procéder et, surtout, comment faire pour préserver l'équilibre fondamental entre le total de l'actif et le total du passif et des capitaux propres ? Le présent appendice répond à ces questions.

Certaines notions ont été conçues pour simplifier le travail d'enregistrement comptable. Notre système comptable a la particularité d'être un système en partie double, c'est-à-dire que les deux parties d'une opération doivent toujours être enregistrées. Selon ce système, on décèle l'omission d'enregistrer une de ces parties lorsqu'une inégalité apparaît dans ce qui devrait être l'identité comptable fondamentale.

## A.1 LES DEUX CONVENTIONS DE CONSIGNATON DES OPÉRATIONS

Au chapitre 2, les exemples de la section 2.1 montraient que la préparation d'un bilan après chaque opération permettait, par la même occasion, de vérifier l'identité comptable fondamentale. Quoique correcte, cette méthode n'est pas très efficace en raison du nombre élevé d'opérations qu'effectue une entreprise.

C'est pourquoi il doit exister un système permettant de suivre une à une les opérations, dans leur ordre chronologique, et d'additionner leurs effets afin de rendre possible la présentation de la situation financière d'une entreprise à une date donnée. Ce système regroupe les opérations par éléments, appelés « comptes ». Chaque compte représente un élément du bilan ou de l'état des résultats. Les opérations peuvent avoir une incidence sur différents comptes, en augmentant leur solde respectif ou en le diminuant.

Pour consigner les opérations dans les comptes, deux conventions sont appliquées.

### A.1.1 La première convention

Selon la première convention, l'équation fondamentale

$$\text{ACTIF} = \text{PASSIF} + \text{CAPITAL}$$

est complétée par l'égalité arithmétique

> **DÉBIT = CRÉDIT**

Au bilan, chaque compte de l'actif (Banque[1], Clients, Stocks, etc.), du passif (Emprunt bancaire, Fournisseurs, etc.) et du capital (ou des capitaux propres) (Capital-actions, Bénéfice non répartis, etc.) est représenté par un côté *débit*, situé à gauche, et un côté *crédit*, situé à droite.

D'où la formule suivante :

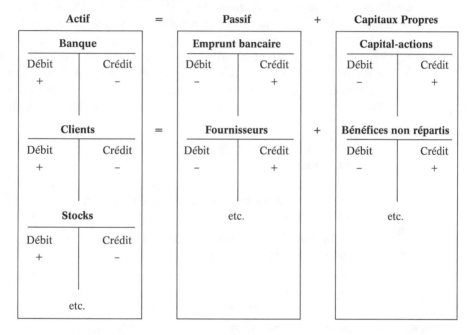

Toutes les opérations de l'entreprise peuvent toucher divers comptes. Un compte subit l'effet d'une augmentation ou d'une diminution. Les comptes doivent donc posséder au moins deux parties : une pour noter les augmentations, et une pour noter les diminutions. Ainsi, chaque compte représentant un élément du bilan ou de l'état des résultats est représenté par deux colonnes : une colonne Débit et une colonne Crédit. L'identité comptable fondamentale permet de s'assurer que l'équilibre est maintenu après l'enregistrement des opérations.

---

1. Au chapitre 2, nous utilisions le terme « encaisse » pour désigner les liquidités. L'encaisse regroupe toutes les liquidités qui peuvent se trouver dans différents comptes de banque. Pour désigner les différents comptes de banque de l'entreprise (car une entreprise peut en avoir plusieurs), le terme « banque » est davantage utilisé.

**A.1.2 La deuxième convention**

La deuxième convention stipule que les comptes d'actif sont débiteurs, tandis que les comptes de passif et de capitaux propres sont créditeurs. C'est donc dire que toute augmentation des comptes situés du côté gauche de l'équation se traduit par un débit, et que toute augmentation des comptes situés du côté droit de l'équation se traduit par un crédit.

Le total des comptes débiteurs *doit toujours être égal* au total des comptes créditeurs. Lors de l'enregistrement de chaque opération, il faut se demander si la somme des débits inscrits dans différents comptes égale la somme des crédits inscrits dans d'autres comptes. Une augmentation d'un compte de l'actif s'enregistre par un débit, et une diminution, par un crédit. Inversement, une augmentation d'un compte du passif ou du capital s'enregistre par un crédit, et une diminution, par un débit. Par conséquent, le solde d'un compte correspond à la différence entre les montants portés au débit du compte et les montants portés au crédit de ce compte.

Voici ce qu'on peut tirer de la notion de débit et de crédit et de l'identité comptable fondamentale :

$$\text{ACTIF} = \text{PASSIF} + \text{CAPITAUX PROPRES}$$

Si on décompose les capitaux propres, dans le contexte de la société par actions, on obtient la formule suivante :

$$\text{Actif} = \text{Passif} + \text{Capital-actions} + \text{Bénéfices non répartis à la fin}$$

Si on substitue aux bénéfices non répartis les éléments qui les font varier, on obtient :

$$\text{Actif} = \text{Passif} + \text{Capital-actions} + \text{Bénéfices non répartis au début} + \text{Bénéfice net} - \text{Dividendes}$$

En remplaçant le bénéfice par les produits, les charges, les gains et les pertes, l'équation se présente comme suit :

$$\text{Actif} = \text{Passif} + \text{Capital-actions} + \text{Bénéfices non répartis au début} + \text{Produits} - \text{Charges} + \text{Gains} - \text{Pertes} - \text{Dividendes}$$

Le report des charges, des pertes et des dividendes du côté gauche de l'équation pour obtenir des signes identiques de chaque côté permet d'en préserver l'égalité, tout en dégageant les débiteurs et les créditeurs :

$$\text{Actif + Charges + Pertes + Dividendes = Passif +} \overset{\text{Capital-}}{\underset{\text{actions}}{}} + \overset{\text{Bénéfices non}}{\underset{\text{répartis au début}}{}} \text{+ Produits + Gains}$$

$$\text{Débit = Crédit}$$

Comme nous l'avons mentionné précédemment, tous les postes situés à gauche de l'équation sont des postes débiteurs (c'est-à-dire qui augmentent au débit), et tous les postes situés à droite de l'équation sont créditeurs (ils augmentent au crédit). D'ailleurs, comme les bénéfices non répartis ont un solde créditeur, tous les postes qui auront pour effet de les diminuer auront un solde de signe contraire, soit débiteur. Inversement, tous les postes qui auront pour effet de les augmenter auront un solde de même signe, soit créditeur.

Ayant maintenant vu ces notions de débit et de crédit, nous pouvons étudier la marche à suivre pour enregistrer manuellement toutes les écritures comptables nécessaires à la comptabilisation des opérations. Notons qu'il est aussi possible de les enregistrer à l'aide de logiciels comptables, qui suivent la même logique que le système manuel.

## A.2 LE GRAND LIVRE GÉNÉRAL ET LE JOURNAL GÉNÉRAL

Tous les comptes de l'entreprise sont rassemblés dans un registre comptable appelé « grand livre général » (GLG). Ce registre comptable comprend tous les comptes que l'entreprise utilise. Y figure un compte par élément d'actif, de passif, de capitaux propres, de produits et de charges, de gains et de pertes. Dans ce registre comptable, une page est consacrée à chaque compte, où il est identifié par un intitulé et par un numéro. De plus, les comptes suivent habituellement l'ordre de présentation des états financiers. L'ensemble de ces comptes constitue le plan comptable.

Un compte au grand livre général pourrait ressembler à ce qui suit :

| Nom : | | | | | Compte_____ | |
|-------|-----|-------------|-------|--------|-------|
| Date | Réf. | Description | Débit | Crédit | Solde |
| | | | | | |
| | | | | | |
| | | | | | |
| | | | | | |

L'enregistrement (ou la comptabilisation) d'une opération se traduit par une écriture dans les registres comptables de l'entreprise. L'enregistrement des opérations ne peut toutefois pas se faire seulement à l'aide du grand livre général. Par exemple, si une entreprise emprunte 5 000 $ à la banque, il faudra débiter (augmenter) le compte de banque de 5 000 $ et créditer (augmenter) l'emprunt bancaire de 5 000 $. Si l'enregistrement se fait directement dans le grand livre général, toute l'opération sera comptabilisée, mais il sera quasi impossible de la retrouver précisément parmi les nombreuses opérations de l'entreprise. Voilà pourquoi les entreprises ont au moins besoin d'un autre registre comptable, appelé «journal général» (JG). Le journal général pourrait ressembler à ce qui suit:

**Journal général**

| | | | | Page 1 |
|---|---|---|---|---|
| **Date** | **Comptes et explications** | **Réf.** | **Débit** | **Crédit** |
| | | | | |
| | | | | |
| | | | | |
| | | | | |
| | | | | |
| | | | | |
| | | | | |
| | | | | |
| | | | | |

L'enregistrement d'une opération dans le journal général se traduit par une écriture de journal. Voici les étapes à suivre pour faire une écriture au journal général.

1. Inscrire la date de l'opération.
2. Dans la section Comptes et explications, inscrire le nom du compte à débiter et le montant correspondant dans la colonne Débit.
3. Dans la section Comptes et explications, inscrire le nom du compte à créditer sur la ligne suivante (un peu en retrait) et le montant correspondant dans la colonne Crédit.
4. Faire suivre l'écriture d'une courte explication et des renvois à certains documents, le cas échéant.
5. Laisser un espace entre les écritures pour les distinguer.
6. Ne rien inscrire dans la colonne référence (Réf.) tant qu'il n'y a pas report au GLG (numéro du compte).

Si nous reprenons les exemples de la section 2.1, après l'enregistrement des écritures, le journal général serait représenté de la façon suivante (aux fins d'illustration, les dates ont été remplacées par des numéros).

**Journal général**

| | | | | Page 1 |
|---|---|---|---|---|
| Date | Comptes et explications | Réf. | Débit | Crédit |
| 1 | Banque | | 1 000 | |
| | Mobilier | | 10 000 | |
| | Emprunt bancaire | | | 8 000 |
| | Capital-actions | | | 3 000 |
| | (pour enregistrer l'acquisition du mobilier de bureau, | | | |
| | financée en partie par un emprunt bancaire) | | | |
| | | | | |
| 2 | Banque | | 20 000 | |
| | Emprunt bancaire | | | 20 000 |
| | (pour enregistrer un emprunt bancaire additionnel) | | | |
| | | | | |
| 3 | Matériel informatique | | 7 000 | |
| | Banque | | | 7 000 |
| | (pour enregistrer l'acquisition au comptant d'un ordinateur) | | | |
| | | | | |
| 4 | Emprunt bancaire | | 5 000 | |
| | Banque | | | 5 000 |
| | (pour enregistrer le remboursement partiel de | | | |
| | l'emprunt bancaire) | | | |
| | | | | |
| 5 | Banque | | 30 000 | |
| | Honoraires de consultation (produits) | | | 30 000 |
| | (pour enregistrer l'encaissement des honoraires | | | |
| | de consultation pour services rendus) | | | |
| | | | | |
| 6 | Fournitures diverses | | 800 | |
| | Intérêt bancaire | | 1 500 | |
| | Salaire adjointe | | 1 000 | |
| | Salaire président | | 3 800 | |
| | Banque | | | 7 100 |
| | (pour enregistrer le paiement de charges diverses) | | | |
| | | | | |
| 7 | Dividendes | | 15 000 | |
| | Banque | | | 15 000 |
| | (pour enregistrer le paiement de dividendes à l'actionnaire) | | | |

L'enregistrement des opérations au journal général a comme inconvénient de ne pas donner le solde des comptes après la comptabilisation des opérations. Pour connaître ce solde, il faut reporter ces écritures au grand livre général. À cette fin, on doit suivre les étapes suivantes, en commençant d'abord par les écritures de la colonne Débit :

1. Dans le GLG, localiser le compte où l'on reportera le débit de l'écriture de journal.
2. Inscrire la date de l'opération dans le compte du GLG.
3. Inscrire au débit du compte le montant qui figure dans la colonne débit du JG et calculer le nouveau solde.
4. Inscrire dans la colonne Référence du GLG le nom du JG et le numéro de la page où se trouve l'écriture.
5. Revenir au JG et inscrire dans la colonne Référence le numéro du compte du GLG dans lequel on a fait le report.

Il faut répéter les étapes 1 à 5 avec les écritures de la colonne Crédit.

Voici un extrait du grand livre général après les reports (les dates des opérations ont été remplacées par des numéros) :

| Nom : Banque | | | | | Compte_____ |
|---|---|---|---|---|---|
| Date | Réf. | Description | Débit | Crédit | Solde |
| 1 | JG-1 | | 1 000 | | 1 000 dt |
| 2 | JG-1 | | 20 000 | | 21 000 dt |
| 3 | JG-1 | | | 7 000 | 14 000 dt |
| 4 | JG-1 | | | 5 000 | 9 000 dt |
| 5 | JG-1 | | 30 000 | | 39 000 dt |
| 6 | JG-1 | | | 7 100 | 31 900 dt |
| 7 | JG-1 | | | 15 000 | 16 900 dt |

| Nom : Mobilier | | | | | Compte_____ |
|---|---|---|---|---|---|
| Date | Réf. | Description | Débit | Crédit | Solde |
| 1 | JG-1 | | 10 000 | | 10 000 dt |
| | | | | | |

| Nom : Matériel informatique | | | | | Compte_____ |
|---|---|---|---|---|---|
| Date | Réf. | Description | Débit | Crédit | Solde |
| 3 | JG-1 | | 7 000 | | 7 000 dt |
| | | | | | |

**Nom : Emprunt bancaire**     Compte_____

| Date | Réf. | Description | Débit | Crédit | Solde |
|---|---|---|---|---|---|
| 1 | JG-1 | | | 8 000 | 8 000 ct |
| 2 | JG-1 | | | 20 000 | 28 000 ct |
| 4 | JG-1 | | 5 000 | | 23 000 ct |
| | | | | | |

**Nom : Capital-actions**     Compte_____

| Date | Réf. | Description | Débit | Crédit | Solde |
|---|---|---|---|---|---|
| 1 | JG-1 | | | 3 000 | 3 000 ct |
| | | | | | |
| | | | | | |

**Nom : Honoraires de consultation (produits)**     Compte_____

| Date | Réf. | Description | Débit | Crédit | Solde |
|---|---|---|---|---|---|
| 5 | JG-1 | | | 30 000 | 30 000 ct |
| | | | | | |

**Nom : Fournitures diverses**     Compte_____

| Date | Réf. | Description | Débit | Crédit | Solde |
|---|---|---|---|---|---|
| 6 | JG-1 | | 800 | | 800 dt |
| | | | | | |

**Nom : Intérêt bancaire**     Compte_____

| Date | Réf. | Description | Débit | Crédit | Solde |
|---|---|---|---|---|---|
| 6 | JG-1 | | 1 500 | | 1 500 dt |
| | | | | | |

**Nom : Salaire adjointe**     Compte_____

| Date | Réf. | Description | Débit | Crédit | Solde |
|---|---|---|---|---|---|
| 6 | JG-1 | | 1 000 | | 1 000 dt |
| | | | | | |

**Nom : Salaire président**     Compte_____

| Date | Réf. | Description | Débit | Crédit | Solde |
|---|---|---|---|---|---|
| 6 | JG-1 | | 3 800 | | 3 800 dt |
| | | | | | |

| Nom : Dividendes | | | | Compte_____ | |
|---|---|---|---|---|---|
| Date | Réf. | Description | Débit | Crédit | Solde |
| 7 | JG-1 | | 15 000 | | 15 000 dt |
| | | | | | |

Après le report au GLG, il faut établir une balance de vérification. Celle-ci, en deux colonnes, contient la liste complète des comptes de l'entreprise avec leur solde (souvent par ordre numérique). Une colonne est attribuée aux soldes débiteurs, et une aux soldes créditeurs. Le total de la colonne Débit doit être égal au total de la colonne Crédit. La balance de vérification permet de vérifier que l'équilibre de l'identité comptable fondamentale a été préservé malgré l'enregistrement de toutes ces opérations. Il est inutile d'établir des états financiers si l'équilibre n'est pas préservé, puisque dans ce cas il y a évidemment erreur.

Voici la balance de vérification de l'entreprise :

| | Débit | Crédit |
|---|---|---|
| Banque | 16 900 $ | |
| Mobilier | 10 000 | |
| Matériel informatique | 7 000 | |
| Emprunt bancaire | | 23 000 $ |
| Capital-actions | | 3 000 |
| Honoraires de consultation (produits) | | 30 000 |
| Fournitures diverses utilisées | 800 | |
| Intérêt bancaire | 1 500 | |
| Salaire adjointe | 1 000 | |
| Salaire président | 3 800 | |
| Dividendes | 15 000 | – |
| Total | 56 000 $ | 56 000 $ |

Comme la balance de vérification est en équilibre, on prépare ensuite les états financiers. Notons que le bilan figure à la section 2.1 (après l'exemple 7), l'état des résultats, à la section 2.2, et l'état des bénéfices non répartis, à la section 2.3.

## A.3 LES JOURNAUX SPÉCIALISÉS

Si les entreprises enregistraient toutes les opérations uniquement à l'aide du journal général, le travail de tenue de livres serait long et fastidieux. Les entreprises possèdent donc d'autres registres comptables pour enregistrer les opérations récurrentes. Ce sont des journaux spécialisés (ou auxiliaires), qui sont généralement subdivisés en modules. Les logiciels comptables suivent la même logique, mais en utilisant des écrans de saisie qui reprennent essentiellement les mêmes informations, tout en les présentant différemment. Voici ces modules.

### A.3.1 Le journal des ventes

Il existe un journal des ventes, qui regroupe toutes les opérations relatives à la vente et à la facturation des clients. On pourrait illustrer le journal des ventes de la façon suivante :

**Journal des ventes**

| Date | Nº de facture | Nom du client | Réf. | Banque Dt | Clients Dt | Ventes Ct | TPS à payer Ct | TVQ à payer Ct |
|------|------|------|------|------|------|------|------|------|
|  |  |  |  |  |  |  |  |  |
|  |  |  |  |  |  |  |  |  |
|  |  |  |  |  |  |  |  |  |

Ainsi, l'écriture d'une vente à crédit serait enregistrée de la façon suivante dans le journal des ventes :

**Journal des ventes**

| Date | Nº de facture | Nom du client | Réf. | Banque Dt | Clients Dt | Ventes Ct | TPS à payer Ct | TVQ à payer Ct |
|------|------|------|------|------|------|------|------|------|
| 10-10-_6 | V-136 | Jean Cousineau |  |  | 113,95 | 100,00 | 6,00 | 7,95 |
|  |  |  |  |  |  |  |  |  |
|  |  |  |  |  |  |  |  |  |

Chaque ligne représente une écriture. Toutefois, dans ce type de journal, c'est l'intitulé de la colonne qui nous indique le débit et le crédit. À la fin du mois, il faut faire le total des colonnes et reporter chacun des totaux au grand livre général. On y inscrit la référence dans la colonne appropriée (ex. : JV-12), tandis qu'au journal des ventes on inscrit le numéro de compte du grand livre général sous le total de la colonne où le report a été fait (système à double renvoi). Il faut s'assurer que le total des colonnes Débit soit égal au total des colonnes Crédit. Avec un logiciel comptable, le mécanisme de report se fait automatiquement, ce qui permet d'économiser du temps et d'éviter des erreurs de nature arithmétique.

## A.3.2 Le journal des achats

Il existe également un journal des achats, qui comprend les opérations d'achats de marchandises et d'autres opérations connexes. Ce journal pourrait être représenté comme suit :

**Journal des achats**

| Date | Fournisseur | Réf. | Achats Dt | TPS à recevoir Dt | TVQ à recevoir Dt | Fournisseurs Ct | DIVERS Nom du compte | Réf. | Montant Ct ou Dt |
|------|-------------|------|-----------|-------------------|-------------------|------------------|----------------------|------|------------------|
| 10-10-_6 | Louis Faucher | | 100,00 | 6,00 | 7,95 | 113,95 | | | |
| 11-10-_6 | Mobilex | | | 24,00 | 31,80 | 455,80 | Mobilier | | 400,00 dt |
| | | | | | | | | | |

Dans ce journal, on peut enregistrer les achats autres que des marchandises. Nous trouvons une colonne Divers pour indiquer le débit du compte alors affecté. Dans cet exemple, il s'agit de l'acquisition de mobilier de bureau fait à crédit le 11 octobre 20_6. Nous ne pouvons faire le report en bloc du montant total de la colonne Divers au grand livre général puisqu'il s'agira de comptes différents. Par contre, pour les autres colonnes, le fonctionnement est le même que celui du journal des ventes. Les mêmes remarques s'appliquent quand on utilise un logiciel comptable.

## A.3.3 Le journal des encaissements

On utilise aussi le journal des encaissements pour comptabiliser toutes les opérations qui font augmenter le compte Banque. En voici un exemple :

**Journal des encaissements**

| Date | Nom du client | Réf. | Banque Dt | Clients Ct | DIVERS Nom du compte | Réf. | Montant Ct ou Dt |
|------|---------------|------|-----------|------------|----------------------|------|------------------|
| 11-10-_6 | Yvon Dupuis | V-12 | 1 115,25 | 1 115,25 | | | |
| | | | | | | | |
| | | | | | | | |

Cette opération représente l'encaissement d'un compte client.

## A.3.4 Le journal des décaissements

Les débours sont aussi des opérations récurrentes, pour lesquelles il existe un journal. On trouve dans le journal des décaissements toutes les opérations qui diminuent le compte Banque, donc toutes les opérations où le compte Banque est crédité. Ce journal est utilisé pour enregistrer le paiement des fournisseurs et tous les autres débours de l'entreprise. On peut l'illustrer de la façon suivante :

**Journal des décaissements**

| Date | Nom du fournisseur | N° du chèque | Banque Ct | Fournisseurs Dt | DIVERS | | |
|------|-------------------|--------------|-----------|-----------------|--------|------|------|
| | | | | | Nom du compte | Réf. | Montant Dt ou Ct |
| 10-12-_6 | Gilles Gagnon | 035 | 113,95 | 113,95 | | | |
| 10-12-_6 | Po. Prio | 036 | 455,80 | | Loyer | | 455,80 dt |
| | | | | | | | |

Dans cet exemple, il s'agit du remboursement du fournisseur Gilles Gagnon et du paiement du loyer d'octobre à Po. Prio.

## A.3.5 Le journal des salaires

Comme son nom l'indique, le journal des salaires réunit l'information afférente aux salaires, aux retenues à la source ainsi qu'aux charges sociales assumées par l'entreprise. Le journal des salaires pourrait être représenté de la façon suivante :

**Journal des salaires**

| Période | Employé | Salaire brut Dt | RETENUES À LA SOURCE (DAS) | | | | | Salaire net à payer Ct |
|---------|---------|-----------------|---------------------------|--|--|--|--|------------------------|
| | | | Impôt fédéral à payer Ct | Impôt provincial à payer Ct | RRQ à payer Ct | A.E. à payer Ct | TOTAL DAS | |
| | | | | | | | | |
| | | | | | | | | |
| | | | | | | | | |
| | | | | | | | | |

Les logiciels comptables utilisent l'information ci-dessus et calculent également les heures, les taux horaires, etc. Habituellement, les retenues à la source y sont aussi calculées automatiquement.

Les opérations qui ne sont pas spécifiquement couvertes par les autres journaux qu'utilise l'entreprise sont comptabilisées dans le journal général. On y trouve par exemple les écritures relatives à la vente d'immobilisations ou de placements, à la correction d'une opération ayant mal été enregistrée, ainsi que les écritures de régularisation de fin de période. L'entreprise qui utilise tous les journaux spécialisés décrits précédemment ne se sert du journal général que pour les écritures non routinières.

Les opérations sont d'abord comptabilisées dans un de ces journaux, puis reportées dans les comptes du grand livre général. À partir des soldes de chacun des comptes du grand livre général, on établit une balance de vérification. C'est d'après cette balance de vérification que sont ensuite établis les états financiers.

##  LES GRANDS LIVRES AUXILIAIRES

Outre le grand livre général, d'autres registres comptables facilitent la gestion de l'entreprise. Parmi les plus utilisés, on trouve le grand livre des comptes clients et le grand livre des comptes fournisseurs. Ceux-ci sont en fait des livres auxiliaires qui renferment respectivement les comptes individuels des clients et ceux des fournisseurs d'une entité et auxquels correspondent les comptes collectifs Clients et Fournisseurs du grand livre général.

### A.4.1 | Le grand livre des clients

Le grand livre des clients est un registre contenant le compte individuel de chaque débiteur (ou client) et montrant le nom du débiteur ainsi que le montant qu'il doit. Ce registre est habituellement classé par ordre alphabétique de clients. Un numéro est attribué à chacun d'entre eux.

Au grand livre général figure le compte général ou collectif Débiteurs (ou Clients). Ce compte correspond au total des comptes individuels des débiteurs (ou clients). Ce montant, qu'on retrouve dans la balance de vérification, est utilisé pour préparer le bilan.

Le grand livre des clients est établi de la même façon que le compte Clients. Lorsque le client achète des marchandises à crédit, le poste Comptes clients est débité. Dans le grand livre des clients, son compte est également débité, et le solde exigible est mis à jour. Lorsque le client règle son compte, le poste Comptes clients est crédité. Son compte est alors crédité dans le grand livre des clients, et le solde y est mis à jour. Lorsqu'un logiciel est utilisé, le grand livre des clients prend la forme d'une liste, établie suivant la même logique qu'un système manuel.

Le grand livre des clients sert donc à connaître le montant à recevoir de chaque client et permet d'établir les états de compte mensuels. Ce registre sert aussi de moyen de contrôle, car il permet d'établir mensuellement la liste des comptes clients, d'en faire le total et de voir si ce total correspond au solde figurant au grand livre général.

Voici à quoi ressemble le grand livre des clients :

**Grand livre des clients**

| Nom du client : Marcel Faucher | | | | Numéro : 180 | | |
|---|---|---|---|---|---|---|
| Date | Détails | Réf. | Débit | Crédit | Dt ou Ct | Solde |
| 31-05-_6 | | | | | dt | 14 500,28 |
| 03-06-_6 | Facture n° 1080, 2/10, n/30 | JV-6 | 8 300,23 | | dt | 22 800,51 |
| 14-06-_6 | Facture n° 1148, n/30 | JV-6 | 2 400,00 | | dt | 25 200,51 |
| 26-06-_6 | | JR-8 | | 14 500,28 | dt | 10 700,23 |
| 30-06-_6 | Facture n° 1184 | JV-6 | 8 914,00 | | dt | 19 614,23 |

Il est à noter que, quel que soit le livre comptable utilisé pour enregistrer les opérations, chaque fois qu'une opération touche le compte Débiteurs (ou Clients), il faut immédiatement mettre à jour le compte du client en question dans le grand livre des clients.

## A.4.2 Le grand livre des fournisseurs

Le grand livre des fournisseurs contient le compte individuel de chaque fournisseur, qui porte le nom du fournisseur et le montant qui lui est dû. Ce registre est habituellement classé par ordre alphabétique de fournisseurs. Un numéro est attribué à chacun d'entre eux.

Au grand livre général figure un compte général ou collectif Comptes fournisseurs (ou Fournisseurs). Ce compte correspond au montant total des comptes individuels des fournisseurs. Ce montant, qu'on retrouve dans la balance de vérification, est utilisé pour préparer le bilan.

Le grand livre des fournisseurs est établi de la même façon que le compte Fournisseurs. Quand l'entreprise achète des marchandises à crédit, le poste Fournisseurs est crédité. Dans le grand livre des fournisseurs, son compte est alors crédité, et le solde qu'on lui doit est mis à jour. Lorsque l'entreprise règle son compte, le poste Fournisseurs est débité. Son compte est alors débité dans le grand livre des fournisseurs, et le solde est mis à jour.

La mise à jour quotidienne des comptes individuels est nécessaire pour contrôler les montants payables aux fournisseurs et les dates de paiement. Les comptes individuels permettent de vérifier l'exactitude des relevés de comptes reçus des fournisseurs. La somme des comptes individuels correspond au total du solde du compte collectif figurant au grand livre général. Le grand livre des fournisseurs permet d'établir la liste des comptes fournisseurs. Voici un exemple de ce qu'on peut trouver dans ce registre.

**Grand livre des fournisseurs**

| Nom du fournisseur : Louis Bélanger | | | | Numéro : 50 | | |
|---|---|---|---|---|---|---|
| Date | Détails | Réf. | Débit | Crédit | Dt ou Ct | Solde |
| 31-05-_6 | | | | | Ct | 29 000,56 |
| 03-06-_6 | | JA-6 | | 16 600,46 | Ct | 45 601,02 |
| 14-06-_6 | | JA-6 | | 4 800,00 | Ct | 50 401,02 |
| 26-06-_6 | | JD-8 | 29 000,56 | | Ct | 21 400,46 |
| 30-06-_6 | | JA-6 | | 17 828,00 | Ct | 39 228,46 |

Comme dans le cas du grand livre des comptes clients, quel que soit le livre comptable utilisé pour enregistrer les opérations, chaque fois qu'une opération touche le compte Fournisseurs, il faut immédiatement mettre à jour le compte du fournisseur en question dans le grand livre des fournisseurs.

# INDEX

*La lettre* f *signale un renvoi à une figure ; la lettre* t *signale un renvoi à un tableau.*